10日でマスター！
VECTORWORKS

VECTORWORKS ARCHITECT/DESIGN SUITE 2022対応　for Mac & Windows

polygon architects
山川佳伸 著

**本書をご購入・ご利用になる前に
必ずお読みください**

● 本書の内容は、執筆時点（2022年8月）の情報に基づいて制作されています。これ以降に製品、サービス、その他の情報の内容が変更されている可能性があります。また、ソフトウェアに関する記述も執筆時点の最新バージョン（Vectorworks 2022）を基にしています。これ以降にソフトウェアがバージョンアップされ、本書の内容と異なる場合があります。

● 本書は、Vectorworks Architect/Design Suite 2022（以下、Vectorworks 2022）の解説書です。本書の利用に当たっては、Vectorworks 2022 がパソコンにインストールされている必要があります。

● Vectorworksのダウンロード、インストールについてのお問合せは受け付けておりません。また Vectorworks評価版（体験版）については、開発元・販売元および株式会社エクスナレッジはサポートを行っていないため、ご質問は一切受け付けておりません。

● 本書はmacOS Monterey（バージョン12.2.1）がインストールされたパソコンで、Vectorworks Design Suite 2022 SP3を使用して解説を行っています。そのため、ご使用のOSやアプリケーションのバージョンによって、画面や操作方法が本書と異なる場合がございます。

● 本書は Mac や Windows パソコンの基本操作ができる方を対象としています。

● 本書の利用に当たっては、インターネットから教材データをダウンロードする必要があります（P.11 参照）。そのためインターネット接続環境が必須となります。

● 教材データを使用するには、Vectorworks 2022 が動作する環境が必要です。Vectorworks 2022以外のバージョンでの使用は保証しておりません。

● 本書に記載された内容をはじめ、インターネットからダウンロードした教材データ、プログラムなどを利用したことによるいかなる損害に対しても、データ提供者（開発元・販売元等）、著作権者、ならびに株式会社エクスナレッジでは、一切の責任を負いかねます。個人の責任においてご使用ください。

● 本書に直接関係のない「このようなことがしたい」「このようなときはどうすればよいか」など特定の操作方法や問題解決方法、Mac や Windows パソコンの基本的な使い方、ご使用の環境固有の設定や特定の機器向けの設定などのお問合せは受け付けておりません。本書の説明内容に関するご質問に限り、P.335 の FAX 質問シートにて受け付けております。

以上の注意事項をご承諾いただいたうえで、本書をご利用ください。ご承諾いただけずお問合せをいただいても、株式会社エクスナレッジおよび著作権者はご対応いたしかねます。予めご了承ください。

カバーデザイン—— 坂内正景

編集協力————— 株式会社トップスタジオ

印刷——————— 図書印刷株式会社

はじめに

　本書は、Vectorworksの特徴である2D作図機能・3Dモデル機能・プレゼンテーション機能を理解する上で、最初に知っておきたい操作方法を10のテーマに分け、それぞれを1日ごとに10日間で習得するための参考書です。2Dは基礎、3Dは応用という従来の捉え方ではなく、直線の引き方から始まって3Dモデリング、テクスチャリング、ライティング、レンダリング、プレゼンボードの作成までの一通りの基礎を短時間で学べる新しい形式のVectorworksの入門書です。

　そのため、図面や3Dモデルを1から作成するのではなく、各ツールごとに簡単なデータを使った実習形式として、各ツールの機能や操作方法を体験して理解を深めていく内容となっています。つまずきがちな操作や注意点などを手順のところどころに補足説明として、知っておくと役立つ機能を各節の終わりにポイントとして解説しました。

　DAY01では、Vectorworksの画面構成と環境設定、基本的な操作について解説しています。DAY02以降では、解説を省略している場合もありますので、学習が進んでからも読み返してほしい章です。

　DAY02では、基本的な2D図形の作成および加工方法、DAY03では、効率よく2D図形を作成する方法を解説しています。

　DAY04では、建物・インテリアの図面で必要となる要素（通り芯、寸法線、壁など）をかく方法、DAY05では、効率よく図面を作成する方法や図面の着彩（ドローイング）方法を解説しています。

　DAY06では、基本的な3D図形の作成／編集方法、DAY07では、建築専用ツール（BIMツール）を使った建物のモデリング方法を解説しています。2D作図機能をおおむね習得されている方は、これらの章から始めてもよいでしょう。

　DAY08では、テクスチャリングとレンダリング方法、DAY09では、物理カメラを使ったアングルの設定方法とグローバルイルミネーションによるライティング方法を解説しています。

　DAY10では、建物モデルから基本図やパースを取り出してプレゼンボードを作成する方法を解説しています。プレゼンボードにレイアウトされた各図は3Dモデルと常にリンクしているため、実務において変更の多い「提案書の作成」などで活用できます。また、学生のみなさんも3D化することで建物の成り立ちが理解しやすくなり、自分の考えたデザインを客観的に眺めて確認したり、多くの人に共通認識を持ってもらうためにも役立つものとなるでしょう。

　Vectorworksは、CADソフトでありBIMソフトでもある、他に類を見ないアプリケーションソフトです。CADからBIMへ、1つのソフトで段階的に移行できる利点があります。BIMツールを少しずつ取り入れることでBIM的な使い方に慣れていただければと思っております。

　本書を手にとっていただいた皆様が、日々の業務や学業でVectorworksを自由に活用されることを願っております。

　最後となりましたが、執筆にあたりさまざまな提案をいただいた編集の新谷様、金野様はじめ関係者の皆様に心より感謝申し上げます。

2022年8月　山川佳伸

目次

本書について

本書の構成および対象読者

本書では、建築・インテリア設計の分野でよく使われているCADアプリケーション「Vectorworks」に初めて触れる方を対象として、Vectorworksを使った基本的な2D作図から、3Dモデリング、3次元パースの作成、プレゼンボード作成までを、10日間でひととおり学習していきます。

DAY 01～DAY 10で取り上げるテーマを右に示します。以前に学習した内容を踏まえて次のステップに進んでいくので、**DAY 01**から順に読み進めることをお勧めします。もちろん、興味のある部分だけを読んでも構いません。各節の作例はそれぞれ独立しているため、それ以前の節の手順を行っていなくても、解説に従って手順を実行できます。

読者がVectorworksの操作方法をあらかじめ知っている必要はありませんが、パソコンの基本的な使い方は理解されているものと想定して解説を進めていきます。

本書の作業環境

本書の内容は、右の環境において執筆・検証したものです。本書では、Vectorworks ArchitectおよびDesign Suiteの作業画面を前提として解説を進めます。本文に掲載する手順および画面はVectorworks 2022 SP3のものです。

本文に掲載する画面はすべてMac版ですが、Windows版でも同様の操作が可能です。MacとWindowsではキーボードのキーの種類が異なるので（右の表を参照）、本文ではMacとWindowsのキーを併記しています。

DAY 01	Vectorworksの基本
DAY 02	2D作図の基本（1）
DAY 03	2D作図の基本（2）
DAY 04	2D作図の応用（1）
DAY 05	2D作図の応用（2）
DAY 06	3Dモデリングの基本
DAY 07	建物のモデリング（2D/3D モデルの作成）
DAY 08	レンダリングとテクスチャマッピング
DAY 09	カメラと光源
DAY 10	プレゼンボードの作成

- ・Vectorworks 2022 Design Suite SP3
- ・macOS Monterey（バージョン12.2.1）
- ・画面解像度　3456×2234ピクセル
- ・チップ　Apple M1 Max
- ・RAM　32GB

Mac／Windowsのキー対応表

Mac	Windows
option	Alt
command	Ctrl
delete	Delete
return	Enter
esc	Esc
shift	Shift
tab	Tab

本書のページ構成

本書の手順解説ページは、基本的に次のような構成になっています。操作手順の解説と対応する画面が左右に並んで配置されています。

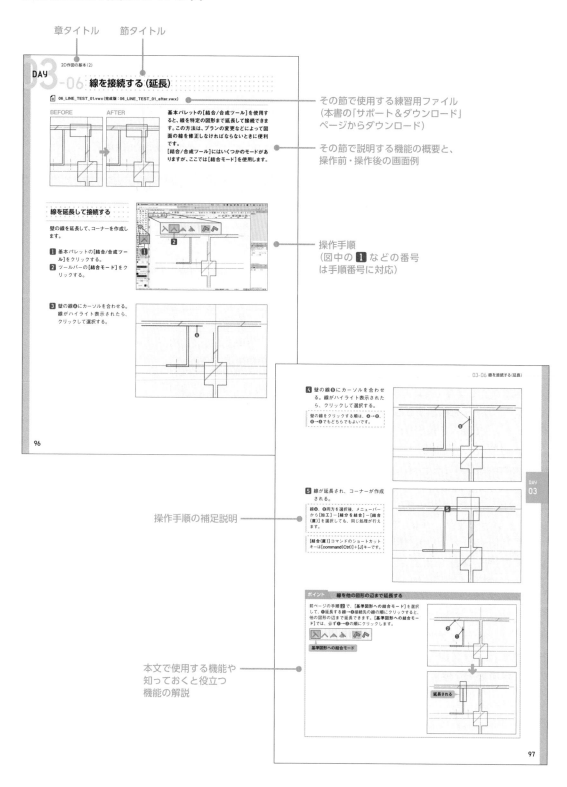

章タイトル　節タイトル

その節で使用する練習用ファイル
（本書の「サポート＆ダウンロード」
ページからダウンロード）

その節で説明する機能の概要と、
操作前・操作後の画面例

操作手順
（図中の **1** などの番号
は手順番号に対応）

操作手順の補足説明

本文で使用する機能や
知っておくと役立つ
機能の解説

本書で使用する表記

本書では、Vectorworksの操作手順を簡潔にわかりやすく説明するために、次のような表記ルールを使用しています。本文を読む前にご確認ください。

画面各部の名称

画面に表示されるメニュー、ボタン、ダイアログ、ツールなどの名称はすべて[ ]で囲んで表記します（例1）。

メニュー階層を指示するときは、メニュー項目の名称を線（-）でつないで表記します（例2）。

例1　[用紙の作成]ダイアログの[新規に作成]を選択

例2　メニューバーから[ファイル]-[新規...]を選択

キーボード操作

キーボードから入力する数値や文字は、「 」で囲んで表記します。入力ボックスに数値を入力するときは、原則的に半角数字で入力します（例3）。

キーボードのキーを指示するときは、キーの名称を[ ]で囲んで表記します（MacとWindowsのキーを併記）。たとえば「[command(Ctrl)]キー」という表記は、Macでは[command]キー、Windowsでは[Ctrl]キーを指します。また、「[shift]キー」という表記は、Macでは[shift]キー、Windowsでは[Shift]キーという意味です（キー表記の大文字／小文字が違うだけの場合は併記しない）。

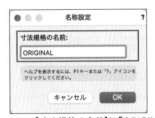

例3　[寸法規格の名前]に「ORIGINAL」と入力

マウス操作

本書では主にマウスを使用して作業を行います。マウス操作については、右の表に示す表記を使用します。

操作操作	説明
クリック	マウスの左ボタンをカチッと1回押してすぐに放す
ダブルクリック	マウスの左ボタンをカチカチッと2回続けてクリックする
右クリック	マウスの右ボタンをカチッと1回押してすぐに放す
ドラッグ	マウスのボタンを押し下げたままマウスを移動し、移動先でボタンを放す。ドラッグ＆ドロップも同義

教材データのダウンロードについて

本書を使用するにあたって、まず解説で使用する教材データをインターネットからダウンロードする必要があります。

教材データのダウンロード方法

- Webブラウザ（Safari、 Google Chrome、 FireFoxなど）を起動し、以下のURLのWebページにアクセスしてください。

`http://xknowledge-books.jp/support/9784767830551/`

- 図のような本書の「サポート＆ダウンロード」ページが表示されたら、記載されている注意事項を必ずお読みになり、ご了承いただいたうえで、教材データをダウンロードしてください。
- 教材データはZIP形式で圧縮されています。ダウンロード後は解凍して、デスクトップなどわかりやすい場所に移動してご使用ください。
- 教材データを使用するには、 Vectorworks 2022が動作する環境が必要です。 Vectorworks 2022以外のバージョンでの使用は保証しておりません。
- 教材データに含まれるファイルやプログラムなどを利用したことによるいかなる損害に対しても、データ提供者（開発元・販売元等）、著作権者、ならびに株式会社エクスナレッジでは、一切の責任を負いかねます。
- 動作条件を満たしていても、ご使用のコンピュータの環境によっては動作しない場合や、インストールできない場合があります。予めご了承ください。

教材データの収録内容

- 各章で使用する教材データが、 ZIPファイルとして圧縮されて収録されています。詳細はダウンロードページを参照してください。
- 教材データは、 Vectorworks 2022形式のファイルで提供しています。 Vectorworks 2022以外のバージョンでの使用は保証しておりませんので、ご自身の責任においてご使用ください。
- 教材データで使用しているフォントがご使用のパソコンに入っていない場合は、自動的にフォントが置き換えられるか、別のフォントを選択する必要があります。
- 各節の作例はそれぞれ独立しているため、それ以前の節の手順を行っていなくても、解説に従って手順を実行できます。練習用ファイルを使って作業を完了した状態のファイルも「完成版」として収録されているので、参考としてご利用ください。

Vectorworksについて

Vectorworksは、エーアンドエー株式会社が提供している、CAD/BIMアプリケーションソフトです。エーアンドエー株式会社のオンラインストア（https://store.aanda.co.jp）または取扱い販売店から購入できます。

2022年8月現在の最新版はVectorworks 2022で、製品ラインアップとして基本の汎用CADであるFundamentalsに加えて、建築／内装業界向けのArchitect、土木造園業界向けのLandmark、舞台照明業界向けのSpotlight、さらに最上位版であるDesign Suiteがあります。

Vectorworks 2022動作環境

本書で使用しているVectorworks 2022をインストールして実行するには、次の環境が必要です。

Mac	• macOS 12（Monterey）、 macOS 11（Big Sur）、 macOS 10.15（Catalina） • 下記（Windowsと同様）のIntelまたはAMD CPU、およびApple M1 Pro以上（推奨）／Apple M1以上（最小）のCPU • 推奨 4GB以上のVRAM搭載、 Metal GPUFamily 1 v4以上／最小 2GB以上のVRAM搭載、 Metal GPUFamily 1以上のグラフィックカード ※グラフィックカード、または単体グラフィックスを推奨。 CPU内蔵グラフィックスの場合、 Iris、 Iris Pro/Intel Iris Plus/Intel Iris Xeグラフィックスを推奨。 Intel HD Graphics/Intel UHD Graphicsでは正常に動作しない場合があります。また、 NVIDIA NVSシリーズ/ATI Radeon HD 4550/Intel GMAは動作対象外です。
Windows	• Windows 11、 Windows 10（64ビット） ※32ビットOSには非対応 • 6コア以上搭載で2GHz以上のIntel Core i7またはAMD Ryzen 7（またはそれと同等のもの）を推奨／最小は3GHz以上のIntel Core i5またはAMD Ryzen 5（またはそれと同等のもの） • 推奨 4GB以上のVRAM搭載／最小 2GB以上のVRAM搭載でDirectX 11互換のグラフィックカード ※グラフィックカード、または単体グラフィックスを推奨。 CPU内蔵グラフィックスの場合、 Iris、 Iris Pro/Intel Iris Plus/Intel Iris Xeグラフィックスを推奨。 Intel HD Graphics/Intel UHD Graphicsでは正常に動作しない場合があります。また、 NVIDIA NVSシリーズ/ATI Radeon HD 4550/Intel GMAは動作対象外です。
共通	• 推奨16〜32GB以上（最小8GB）のメモリ • 推奨1920×1080ピクセル以上（最小1440×900）の画面解像度 • 41GB以上（オプションライブラリ31GBを含む）のハードディスク空容量 • インストール、アクティベーションのためのインターネット接続環境 • PDF閲覧のためのPDF閲覧ソフト • ヘルプ閲覧のためのブラウザ

OSの対応バージョンなどは随時更新されるため、最新の情報はエーアンドエー株式会社のWebサイトの「Vectorworks 2022」ページ（http://www.aanda.co.jp/Vectorworks2022/）から「動作環境」をクリックして確認してください。

Vectorworks Design Suite 2022評価版について

エーアンドエー株式会社は、機能評価および操作評価のために利用できるVectorworks Design Suite 2022評価版を提供しています。評価版は無償で、初回起動から30日間使用できます。

評価版を入手するには、上記の「Vectorworks 2022」ページから「評価版（トライアル）」の［ダウンロード］ボタンをクリックします（2022年8月現在の方法）。

なお、弊社ならびにエーアンドエー株式会社では、無償の評価版についてのご質問は一切受け付けておりません。予めご了承ください。

> Vectorworksの新バージョン提供後に不具合が発見された場合、それを修正するための「サービスパック（SP）」が公開されますが（SPで新機能が提供される場合もある）、購入した製品や評価版に最新のSPが適用されていない場合もあります。 Vectorworksが最新の状態か確認し、更新を行うには、メニューバーから、 Macの場合は［Vectorworks］－［アップデータを確認］、 Windowsの場合は［ヘルプ］－［アップデータを確認］を選択します。
> または、上記の「Vectorworks 2022」ページで画面上部のメニューから［ダウンロード］－［アップデータ］を選択しても、SPが公開されているか確認し、ダウンロードすることができます。適用されているSPは、メニューバーから、Macの場合は［Vectorworks］－［Vectorworksについて］、 Windowsの場合は［ヘルプ］－［Vectorworksについて...］を選択してバージョン情報を表示させることで確認できます。

01

Vectorworksの基本

1日目は事前準備として、Vectorworksの画面構成と環境設定、基本的な操作方法について学びます。

学習ポイント

- [ ] Vectorworksを起動／終了する
- [ ] Vectorworksの画面と各部名称
- [ ] Vectorworksの環境設定
- [ ] 図面ファイルの設定
- [ ] 新規ファイルを作成する
- [ ] ファイルを開く／閉じる／保存する
- [ ] 図形を選択する
- [ ] 画面を拡大縮小する／移動する
- [ ] 作業を取り消す
- [ ] レイヤを設定する

Vectorworksを起動／終了する

ここではMac版を例にVectorworksの起動方法と終了方法を紹介します。Vectorworksの起動／終了方法は、一般的なアプリケーションと同じです。

Vectorworksの起動

1. Dockの[**Finder**]アイコンをクリックして、Finderウインドウを表示させる。
2. Finderウインドウの表示形式を[**カラム表示**]にする。
3. サイドバーより[**アプリケーション**]を選択し、「**VW2022**」フォルダをクリックする。
4. 「**VW2022**」フォルダ内にある「**Vectorworks 2022（.app）**」をダブルクリックして起動する。

Vectorworksをインストールしてから初めて起動するとき（初回のみ）は、Vectorworksサービスへのサインインが求められます。Vectorworks Cloud Servicesなどを利用している場合は、同じアカウントでサインインが可能です。利用していない場合は、アカウントを作成します。

Macでは、次回からの起動に備えて、「**Vectorworks 2022（.app）**」をDockにドラッグ＆ドロップして登録することで、Dockより「**Vectorworks 2022**」をクリックして素早く起動できます。また、作成中のファイルを継続して作業する場合は、そのファイルをダブルクリックすることでも起動できます。

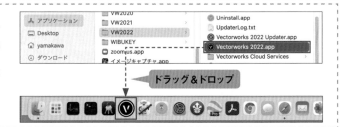

ドラッグ＆ドロップ

Vectorworksの終了

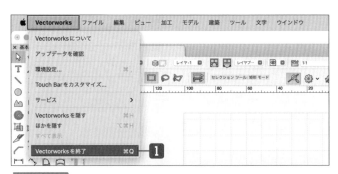

1. メニューバーから[**Vectorworks**]－[**Vectorworksを終了**]を選択する。

Windowsの場合は、メニューバーから[**ファイル**]－[**終了**]を選択します。

作成中のファイルを最終的に保存していない場合は、保存確認ダイアログが表示されます。[**保存しない**]または[**保存**]（Windowsの場合は[**はい**]または[**いいえ**]）をクリックするとVectorworksが終了します。

ポイント　　使用するパソコンおよび入力機器について

Vectorworksは、2D作図／3Dモデリング／レンダリングなど複数の機能を搭載したCADソフトです。レンダリングでは、計算が終了するまでの待ち時間が発生します。使用するパソコンの性能によってはレンダリングに長い時間がかかるため、快適に使用するにはできるだけ高性能なパソコンを使用しましょう。入力機器では、ホイールボタン付きマウスとテンキーを必ず用意しましょう（P.38、P.187を参照）。

DAY 01-02 Vectorworksの画面と各部名称

Vectorworksでよく使用されるパレットやツールについて解説します。使用するシリーズやバージョンによって配置や表示方法に違いがありますが、基本的な名称や使用方法は変わりません。下図のパレット類は必ず表示して作業します。本書では、Vectorworks ArchitectおよびDesign Suiteをベースに解説します。なお、パレット類が表示されていない場合は、次ページのポイントを参照してください。

画面要素	説明
メニューバー	ファイルの開閉、保存、印刷、図形の編集、ウインドウの切り替えなど、あらゆるコマンドが用意されています。作業の種類ごとに整理されています。
ファイルタブ	Vectorworksは、8枚までのファイルを同時に開くことができます。タブ表示されたファイル名をクリックしてアクティブファイル（作業可能なファイル）を切り替えます。
表示バー	クラス、レイヤ、縮尺の設定、現在のビュー、投影方法、レンダリングモードの切り替えなど、作図領域の表示状態をコントロールします。表示バーの右端の▼ボタン（Windowsの場合は▶ボタン）からコマンドを追加／削除できます。
ツールバー	選択している各ツールのモードの切り替えを行います。ツールにより表示内容が変わります。
クイック設定コマンド	環境設定と各種設定（P.20参照）でオン／オフを切り替えながら作業を進めると便利な項目をショートカットコマンドで表示できます。ツールバーの右端の▼ボタン（Windowsの場合は▶ボタン）からコマンドを追加／削除できます。
印刷領域	作図領域内のグレイ（灰色）の線（画面上では細い線だが、上の図では見やすいよう、太い線にしている）の内側が印刷領域で、プリントアウト時の「用紙の大きさ」を示します。
基本パレット	作図のための使用頻度の高い基本的なツールが用意されています。線や図形を作成したり編集する場合は、このパレットからツールを選択します。
ツールセットパレット	3Dモデリングで使用するツールなど、専門性の高いツールが用意されています。下部のアイコンをクリックしてセットを切り替えます。
属性パレット	線や面の色や透明度、線の太さ、線種、マーカーをこのパレットから設定、変更できます。選択している図形のドロップシャドウの設定も行います。
オブジェクト情報パレット	タブを切り替えて表示内容を変えます。[形状]タブでは、選択図形の詳細情報が表示されます。このタブから図形の編集もできます。[レンダー]タブではテクスチャの確認、マッピングの編集ができます。
ナビゲーションパレット	タブを切り替えて表示内容を変えます。[オーガナイザ]ダイアログの使用頻度の高い機能が常時使える状態になります。
リソースマネージャ	アクティブファイルのリソース（グラデーション、ハッチング、テクスチャ、シンボル）管理、あるいはVectorworksライブラリや過去に作成したファイルを閲覧してリソースを取り込みます。新規にリソースを作成する場合も使用します。

（続く）

画面要素	説明
スナップセット	各種スナップのオン／オフや機能の詳細を設定します。
フローティング データバー	作図中にカーソルの隣に表示される情報ボックスです。座標データ、長さ、角度など描画ツールの情報が表示されます。データバーに数値を入力して描画することもできます（P.31参照）。

ポイント　パレット類の表示

パレットのタイトルバーの[×]（左図）を意図せずクリックして非表示にしてしまった場合は、メニューバーの[ウインドウ]－[パレット]で表示させるパレットを選択して、チェックマークを付けると表示されます（右図）。たとえば前ページの図の場合は、右図のようにパレットを表示する設定がされています。[オブジェクト情報]の下の3つの項目[形状][データ][レンダー]は、オブジェクト情報パレットのタブとして個別に表示／非表示を設定できます（[ナビゲーション]の下の6項目、[ビジュアライズ]の下の2項目も同様）。

作業画面の切り替え

作業の目的に応じて、Vectorworksの画面レイアウト（作業画面）を切り替えることができます。本書では、建築設計に有効なツールやコマンドが豊富に用意されたVectorworks ArchitectおよびDesign Suiteの作業画面を前提として解説を進めます。

1 メニューバーから[ツール]－[作業画面]を選択し、目的の作業画面（本書の場合は[Architect 2022]）を選択する。

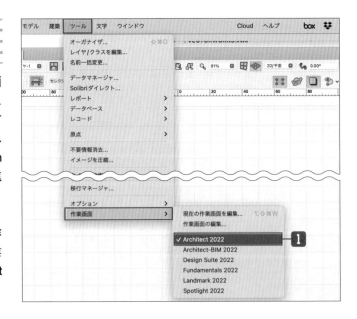

パレットのドッキング

インストール直後は、表示されている
すべてのパレットはドッキングされて
（合体して）います。意図せずドッキン
グを切り離してしまったときや非表示
となっているパレットを追加したとき
は、次のようにドッキングします。常に
同じ位置にパレットが配置されている
ことでツールの選択が早く行え、効率
よく作図できます。

1 パレットのタイトルバーにカーソル
を合わせ、ドッキングされているパ
レットの境界へドラッグする。

2 ドッキング位置が青色で仮表示
されたら、マウスボタンを放す。

> Windowsの場合、仮表示の代わりに
> ドッキングガイドが表示されます。
> Windowsでのパレットのドッキング
> 方法は、Vectorworksのヘルプで「パ
> レットのドッキング」を検索してくだ
> さい。

3 ドッキングしたパレットの境界に
カーソルを合わせ、双方向矢印と
なったところでドラッグし、でき
るだけ多くのツールが表示される
状態に高さを調整する。

4 手順**3**と同様に、パレットの左
右枠をドラッグしてパレットの幅
も調整する。

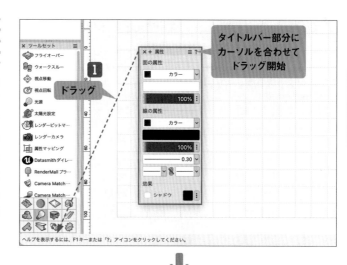

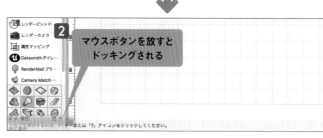

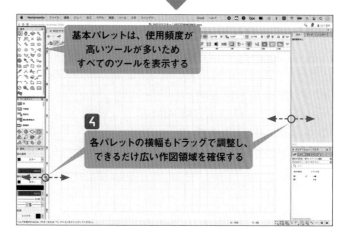

ポイント **パレットドッキングができないときは**

ドッキング位置が青色で仮表示されないときやパレットドッキングがまったくできないとき、あるいはすべての
ドッキングが突然解除されたときは、メニューバーの[ウインドウ]−[アプリケーションウインドウを使用]の
チェックを入れましょう（左図）。
Windowsの場合は、メニューバーの[ツール]−[オプション]−[環境設定...]を選択し、表示される[環境設定]ダ
イアログで[その他]ペインの[ドッキング]にチェックを入れてください（右図）。

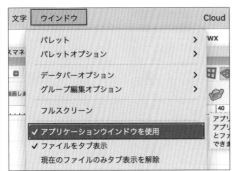

リソースマネージャ

リソースマネージャは、一度に多くの
リソースを閲覧できたほうが作業効
率がよくなるため、できるだけウイン
ドウサイズを広げて使うことをお勧め
します。また、ドッキングせず、独立
した状態で使うのがよいでしょう。タ
イトルバーの + − （Windowsの場合
は 🕀 🕀 ）をクリックして最大化／最
小化を切り替えます。 − ボタンの状
態でカーソルをタイトルバーに重ねる
と、一時的に最大化します。

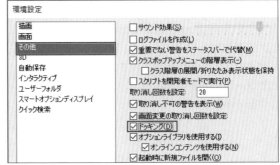

> クリックして最大化／
> 最小化を切り替え

> − ボタンの状態でカーソルをタイトル
> バーに重ねると一時的に最大化

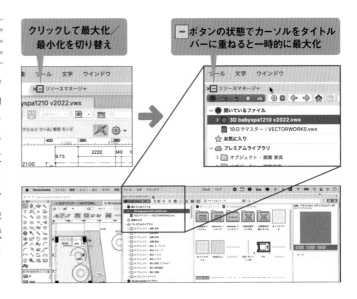

その他画面上に表示して
おくと便利な画面要素

Vectorworksをインストールした初期
状態では、画面上に表示されていま
せんが、表示しておくと便利なパレット
やコマンドなどがあります。詳しくは別
のページにて解説しますが、ここでは
簡単に表にまとめました。

パレット／コマンド	説明
表示バー コマンド	表示バーの右端にある▼ボタン（Windowsの場合は▶ボタン）をクリックし、表示バーメニューから[縮尺]を選択して表示バー上に追加します。[縮尺]には、各デザインレイヤに設定された縮尺が常時表示されます。ここから、縮尺を変更することもできます。P.15を参照。
クイック設定 コマンド	ツールバーの右端にある▼ボタン（Windowsの場合は▶ボタン）をクリックし、クイック設定メニューから次ページの図の項目を選択してツールバー上に追加しておくとよいでしょう。作図中にオン／オフを切り替えながら使いたい機能です。P.15を参照。
ビジュアライズ パレット	[光源]と[カメラ]を管理するためのパレットです。このパレット固有の機能もあるので、3Dを扱うときはぜひ使いたいパレットです。P.267、P.284を参照。

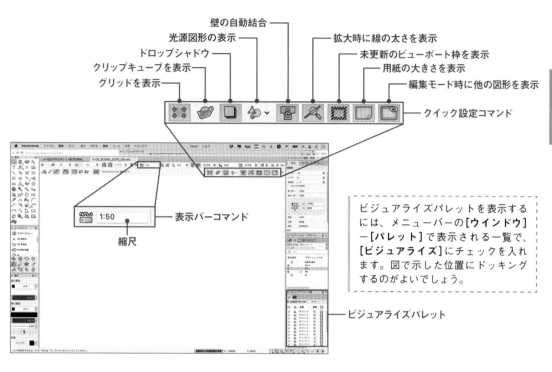

壁の自動結合
光源図形の表示
ドロップシャドウ
クリップキューブを表示
グリッドを表示
拡大時に線の太さを表示
未更新のビューポート枠を表示
用紙の大きさを表示
編集モード時に他の図形を表示
クイック設定コマンド

表示バーコマンド

縮尺

> ビジュアライズパレットを表示する
> には、メニューバーの[**ウインドウ**]
> ー[**パレット**]で表示される一覧で、
> [**ビジュアライズ**]にチェックを入れ
> ます。図で示した位置にドッキング
> するのがよいでしょう。

ビジュアライズパレット

ポイント　スナップセットの設定

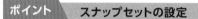

グリッドスナップ　角度スナップ　スマートポイント　スナップ設定
図形スナップ　　交点スナップ　　スナップを一時無効

スナップ	説明
図形スナップ	図面上の既存図形の頂点や辺に対してカーソルをスナップさせます。
交点スナップ	線同士が交差する点にカーソルをスナップさせます。
スマートポイント	線や図形のスナップポイントに一定時間以上触れると、現在のカーソル位置が水平、垂直、鉛直、指定角度になった場合に補助線が破線で表示されます。

スナップとは、カーソルがグリッドや図形や交点などに吸着し、正確に合わせられるようになる機能です。
Vectorworksには9種類のスナップが用意されており、目的によって使い分けます。本書では、基本的に図形スナップ、交点スナップ、スマートポイントをオンにして進めます（各スナップの機能は表を参照）。
スナップをオンにするには、スナップセット（P.16参照）のアイコンをクリックします。ボタン全体が濃色（Windowsの場合は水色）で表示されているときはオン、薄色の表示はオフの状態です。オン／オフは、クリックするたびに切り替わります。
スナップセットのボタンを右クリックすると、各スナップの設定ダイアログが表示されます。[**スナップ設定**]ボタンをクリックすると、スナップ設定全般の設定ダイアログが表示されます（交点スナップなど、一部のボタンを除く）。

ポイント　オブジェクト情報パレット、ナビゲーションパレット、ビジュアライズパレットについて

タブの付くパレットは、表示内容をタブをクリックして切り替えられるようになっています。タブのアイコンを左右へドラッグして並び順を変えられます。タブをパレット外へドラッグしてドッキングを解除できます。目的のタブがない、あるいは意図せず解除した場合は、タイトルバーのメニューから目的のタブをドッキングします。[**タブをロック**]を選択しておくと、ドッキングが解除されなくなります。

メニュー

ドラッグ

Vectorworksの環境設定と各種設定

Vectorworksでは、作業環境についてさまざまな設定が行えますが、アプリケーション内に保存される設定とファイル内に保存される設定があります。初期設定のままでは作業しにくい項目があるので、設定内容を確認して適宜変更しましょう。なお、ファイル内に保存される設定は、ファイルごとにいちいち再設定が必要となりますが、その手間を省くにはテンプレートを活用するのがよいでしょう(P.31を参照)。ここでは、本書で使用する設定を紹介します。操作に慣れてきたら、自分が使いやすい設定にしましょう。

環境設定

本書の手順解説に沿った作業環境を作るために、次の設定を行いましょう。この設定は、アプリケーション内に保存されます。

1 メニューバーから[**ツール**]ー[**オプション**]ー[**環境設定...**]を選択する。

2 [**環境設定**]ダイアログが表示される。[**描画**]ペインを選択して、[**ずれを伴う複製**]のチェックを外す。

> [**ずれを伴う複製**]のチェックを外すと、[**複製**]コマンドの実行時に、複製図形が元図形と同じ位置に作成されます。Vectorworksでは、同位置に複製して数値入力で移動距離を指定するという手順が一般的なので、ここでチェックを外しておきましょう。

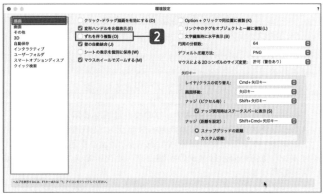

3 [**画面**]ペインを選択し、[**文字にアミをかけない**]にチェックを入れる。

> [**文字にアミをかけない**]にチェックを入れると、作成した文字の背景が透明になります。チェックを外すと、文字の背景が不透明になり、文字の背後にある図面が隠れてしまいます(図)。この設定は寸法の数字にも適用されます。

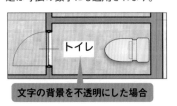

トイレ

文字の背景を不透明にした場合

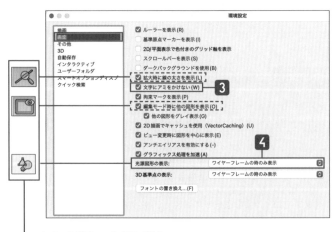

クイック設定コマンドのボタン
(クイック設定コマンドについてはP.15、P.18を参照)

4 [光源図形の表示]を[ワイヤーフレームの時のみ表示]に設定する。

[光源図形の表示]で[表示する]を選択すると、光源図形がプレレンダリング画面に表示されます（図）。光源図形がイメージの妨げになる場合は非表示、光源調整時には表示、といったように、クイック設定コマンドで適宜切り替えながら作業を進めましょう。

ポイント | **その他[画面]ペイン項目の注意点**

[拡大時に線の太さを表示]は、拡大表示時に属性パレットで設定した線の太さを表示します。[編集モード時に他の図形を表示]は、グループ編集モード時などに編集対象図形以外の図形をグレイ表示（淡色表示）します。どちらもオン／オフを切り替えながら使いたい機能です。これらはクイック設定コマンドで切り替えながら作業を進めるので、ここでの設定はどちらでもかまいません。

---

5 [その他]ペインを選択し、[画面変更の取り消し回数を設定]にチェックを入れ[オブジェクトの変更についてのみ取り消し回数に含める]に設定する。

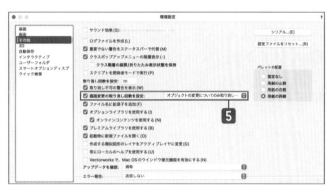

「取り消し回数」に画面の拡大／縮小やスクロール（画面変更）を含めないことで、図形の削除や編集などの重要な操作のみを記憶します。これにより、[取り消し]コマンドを使用したとき、戻りたい状態にさかのぼれる可能性が高くなります。取り消し回数の設定を増やす方法もありますが、メモリを消費するためお勧めしません。

6 [自動保存]ペインを選択する。Backup（自動保存）ファイルの保存先として[任意の場所に設定]を選択し、[選択...]をクリックして、任意に作成した保存先のフォルダを選択する。

Backupファイルを1つのフォルダに集めることで、プロジェクト終了後のデータ整理や管理がしやすくなります。

7 [スマートオプションディスプレイ]ペインを選択する。[スマートオプションディスプレイを使用]のチェックを外す。

8 [OK]をクリックする。

スマートオプションディスプレイは、カーソルの四方にツール、ツールモード、ビューなどを表示してカーソルの移動を最小限にする機能です。大型モニタを使用する場合に便利な機能ですが、本書ではオフの状態で解説します。

カラーパレットの設定

属性パレットのカラーパレットを変更します。線や面の色はカラーパレットから選択しますが、初期設定で表示されている色は、白／黒／グレイ（灰色）の3色のみです。カラーパレットを設定することでたくさんの色が使えるようになります。この設定は、アプリケーション内に保存されます。

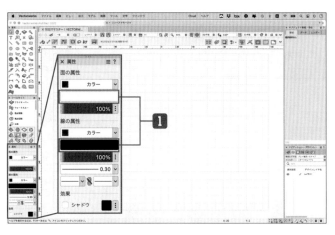

1 属性パレットの面の属性か線の属性のいずれかのカラーボックスをクリックする。

2 カラーパレットセットが表示される。下部の[**クラシックVectorworksカラー**]をクリックする。

3 選択したカラーパレットが表示される。

4 カラーパレットセットの外側をクリックし、カラーパレットセットを閉じる。

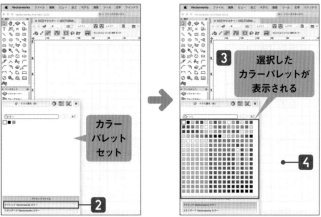

カラーパレットセット

選択したカラーパレットが表示される

ポイント カラーパレットの追加

次の手順で、新しいカラーパレットを追加することもできます。

①カラーパレットセット右上の設定ボタンをクリックする。
②カラーパレットのリストが表示されるので、追加したいパレットをクリックしてチェックを入れる。
③[**OK**]をクリックする。
④追加されたカラーパレットをクリックすると、そのパレットを使用できる。

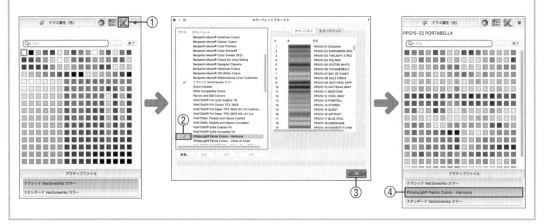

線の太さの設定

属性パレットの線の太さのリストを変更します。初期設定では中途半端な値となっていますが、扱いやすくするために切りのよい値を設定します。本書では、主に細線(0.05mm)、中線(0.1mm)、太線(0.3mm)の3種類を使用します。この設定は、アプリケーション内に保存されます。

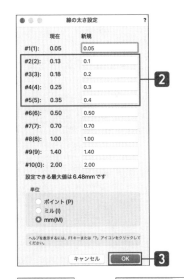

1 メニューバーから[ツール]−[オプション]−[線の太さ...]を選択する。

2 [線の太さ設定]ダイアログが表示される。[#2]〜[#5]の[新規]入力ボックスにそれぞれ「0.1」「0.2」「0.3」「0.4」と入力する。

3 [OK]をクリックする。

4 属性パレットの[線の太さ]をクリックして、リストが変更されたことを確認する。

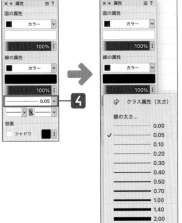

マーカーの設定

「マーカー」とは、開いた図形の端部に適用する矢印や黒点のことで、寸法線や引出し線に用います。初期設定ではサイズが大きいため、扱いやすいサイズを設定しておきます。ここでは、使用頻度の高い矢印と黒点を設定します。この設定は、アプリケーション内に保存されます。

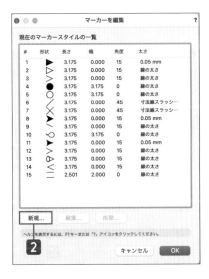

1 メニューバーから[ツール]−[オプション]−[マーカーを編集...]を選択する。

2 [マーカーを編集]ダイアログが表示される。[新規...]をクリックする。

3 [マーカー編集]ダイアログが表示される。[マーカーの形状]の[基本形状]から[▶矢印]を選択する。

4 [マーカーの形状]の[長さ]に「2」と入力する。

5 [太さ]から[線の太さを使う]を選択する。

6 [OK]をクリックする。

7 再度[マーカーを編集]ダイアログの[新規...]をクリックする。

8 [マーカー編集]ダイアログが表示される。[マーカーの形状]の[基本形状]から[●丸]を選択する。

9 [マーカーの形状]の[長さ]と[幅]に「0.9」と入力する。

10 [太さ]から[線の太さを使う]を選択する。

11 [OK]をクリックする。

12 マーカースタイルが追加されていることを確認して、[マーカーを編集]ダイアログの[OK]をクリックする。

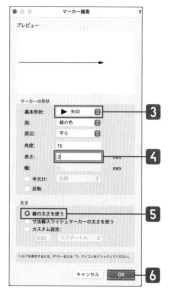

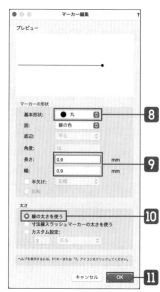

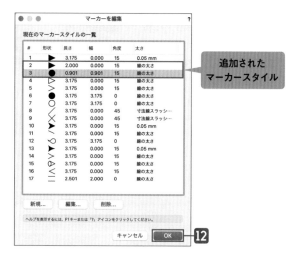

追加された
マーカースタイル

13 属性パレットのマーカースタイルボタン（左と右のボタンのいずれか）をクリックして、マーカースタイルが追加されていることを確認する。

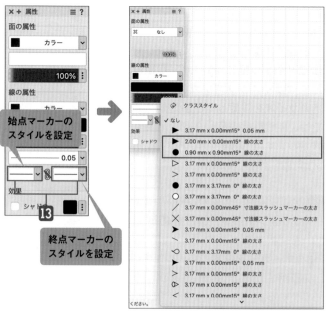

始点マーカーの
スタイルを設定

終点マーカーの
スタイルを設定

グリッド設定

「レファレンスグリッド」とは、作図領域に表示される方眼のことで、作図の目安として利用できます。

「スナップグリッド」とは、作図領域に表示されず、設定した数値のグリッドの交点に強制的にカーソルが吸着（スナップ）する機能です。

たとえば木構造で910モジュールを使用して設計する場合に、レファレンスグリッドを「910」、スナップグリッドを「455」に設定することで、四角形ツールを使ったゾーニングなどを楽に行えます。

1 スナップセットから[**グリッドスナップ**]をダブルクリック（または右クリック）すると、[**グリッド設定**]ポップオーバーが表示される。

2 [**レファレンスグリッド**]の[**縦横同比率**]にチェックを入れ、[**X**]に「**910**」と入力する。

3 [**スナップグリッド**]の[**縦横同比率**]にチェックを入れ、[**X**]に「**455**」と入力する。

4 [**グリッド設定**]ポップオーバーの外側をクリックし、ポップオーバーを閉じる。

ポイント ［グリッドを表示］

レファレンスグリッドが自由にデザインを行いたい場合の妨げになる場合は、クイック設定コマンドの[**グリッドを表示**]ボタンをクリックすることで一時的に非表示にできます。

5 作図領域を確認する。

画面上では印刷領域（用紙のサイズ）は細いグレイの線、レファレンスグリッドは細い水色の線ですが、ここでは見やすいよう、印刷領域は赤色の実線、レファレンスグリッドは赤色の破線で示しています。現在は縮尺が1:1のため、レファレンスグリッドの一部のみが見えています。

ポイント 「モジュール」「ゾーニング」とは

「**モジュール**」とは、建築において設計上の基準となる寸法のことです。代表的なものとして、基準寸法が1,000mmの「**メーターモジュール**」や、基準寸法が910mm（＝3尺）の「**尺モジュール（910モジュール）**」があります。たとえば910モジュールを採用する場合であれば、柱の芯と芯の間隔は910mmやその2分の1（455mm）、2倍（1,820mm）、といったように設計します。「**ゾーニング**」とは、建築において空間を機能や用途ごとに領域を分けて考えることです。

レファレンスグリッド

クイック設定コマンドのボタン

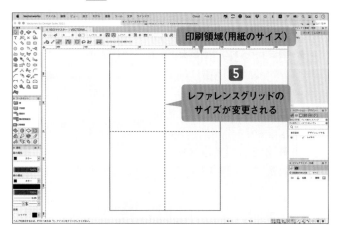

印刷領域（用紙のサイズ）

レファレンスグリッドのサイズが変更される

グリッドスナップを使用するには、スナップセットの[**グリッド
スナップ**]をクリックします。アイコンの色が濃い（Windowsの
場合は水色）状態がオンです。グリッドスナップをオンにすると
カーソルがグリッドに吸着するので、常にオンの状態では、図面
がかきづらくなります。本書では必要な場合のみ、グリッドス
ナップをオンにします。

グリッドスナップ

用紙設定

図面をかき始める前に、印刷用紙を設
定します。最初に印刷用紙を設定して
おくと、用紙の境界線（印刷領域）が
表示され、レイアウトの確認ができま
す。用紙の大きさを表示するには、[**用
紙の大きさを表示**]にチェックを入れま
す。ここでは、A3横サイズの用紙でプ
リントアウトする設定にします（用紙サ
イズはプリンタ設定に準じる）。用紙設
定は、ファイル内に保存されます。

1 メニューバーから[**ファイル**]−
[**用紙設定...**]を選択する。

2 [**用紙設定**]ダイアログが表示さ
れる。[**プリンター設定...**]をク
リックする。

3 [**ページ設定**]ダイアログが表示
される。[**対象プリンタ**]から任
意のプリンタ機種を選択する。

Windowsの場合は、手順**2**で[**プリ
ンター設定...**]をクリックすると[**プリ
ンター設定**]ダイアログが表示されま
す。

4 [**用紙サイズ**]から[**A3**]を選択
する。

5 [**方向**]から[**横**]を選択する。

6 [**OK**]をクリックする。

7 [用紙設定]ダイアログに戻るので、[用紙の大きさ]の[横]と[縦]の寸法が変更されたことを確認する。

8 [OK]をクリックする。

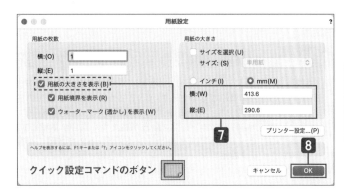

ポイント [用紙の大きさを表示]

[用紙の大きさを表示]のチェックを外すと、レファレンスグリッドが用紙の大きさを超えて表示されます。スケッチなどで用紙の外にもレファレンスグリッドが必要となる場合に有効です。クイック設定コマンドの[用紙の大きさを表示]ボタンをクリックすることで、一時的に非表示にできます。

9 表示バーの[用紙全体を見る]をクリックする。

10 A3横サイズの用紙を示す境界線が作図領域に表示されていることを確認する。

用紙の境界線は、画面上では細いグレイの線ですが、ここでは見やすいように赤色の線で示しています。

ファイル設定

P.20～P.21で解説した[環境設定]はアプリケーション内に保存される設定項目でしたが、[ファイル設定]はファイル内に保存されます。

1 メニューバーから[ファイル]－[書類設定]－[ファイル設定...]を選択する。

2 [ファイル設定]ダイアログが表示される。[画面]タブを選択する。

3 [折り目角度でメッシュをスムージング]にチェックを入れる。

外部から取り込んだ、曲面を持つ3Dデータ(メッシュ図形)の表面を滑らかにします。50°～70°程度の間で調整します(ここでは「50」と入力)。

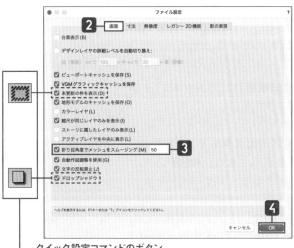

[ビューポートキャッシュを保存]にチェックを入れると、ビューポートのレンダリング結果をファイル内に保存します。チェックを外すとファイル容量を小さくできますが、ファイルを閉じるとレンダリング結果が削除されるため、ファイルを開くたびに再度レンダリングを実行する必要があります(ビューポートについてはP.296を参照)。

4 [OK]をクリックする。

> **ポイント** ［未更新の枠を表示］と［ドロップシャドウ］
>
> **［未更新の枠を表示］**とは、赤色の枠でビューポートの内容が未更新であることを知らせる機能です。デザインレイヤ上の図形の微小な変更でも表示されるため、レイアウトの確認の妨げになる場合があります。
> **［ドロップシャドウ］**は、2D図形の影の表現機能（P.180を参照）ですが、パソコンに搭載されているグラフィックコントローラの性能によっては、動きがもたつく場合があります。その場合は、**［ドロップシャドウ］**のチェックを外すことで一時的に効果を無効にし、プリントアウト時に再度チェックを入れます。
> いずれもクイック設定コマンドでオン／オフを切り替えることができます。

寸法規格の作成

本書で使用するオリジナルの寸法規格を作成します。寸法規格は、ファイル内に保存されます。また、他のVWXファイルから寸法規格を取り込むことができます。

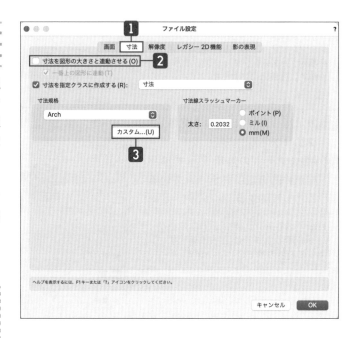

1 前ページの手順**1**と同様にして**［ファイル設定］**ダイアログを表示し、**［寸法］**タブを選択する。

2 **［寸法を図形の大きさと連動させる］**のチェックを外す。

> **［寸法を図形の大きさと連動させる］**にチェックを入れた場合は、図形に寸法を設定した後に図形の大きさを変更すると、寸法も同時に変更されます。図形を削除すると寸法も同時に削除されるなど取り扱いが少々難しいので、本書ではチェックを外します。

3 **［寸法規格］**の**［カスタム...］**をクリックする。

4 **［寸法のカスタマイズ］**ダイアログが表示される。**［新規...］**をクリックする。

5 **［名称設定］**ダイアログが表示される。**［寸法規格の名前］**に「ORIGINAL」と入力し、**［OK］**をクリックする。

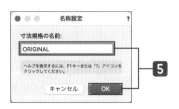

6 [寸法のカスタマイズ]ダイアログに
戻るので、[規格]の「ORIGINAL」
を選択する。

7 [編集...]をクリックする。

8 [カスタム寸法規格の編集]ダイ
アログが表示される。左上の入
力ボックスの上から順に「0.1」
「0」「0」「1」と入力する(上から4
番目の入力ボックスには入力で
きない)。

これらの入力ボックスでは、寸法の各
部の長さや図形からの距離を設定しま
す。1番目の入力ボックスの値(0.1)
は、寸法値のフォントにより適正値は
異なります。本書では、Osakaフォン
トを基準に数値を決定しています。他
のフォントを使用する場合は、結果を
確認しながら適宜調整しましょう。

9 [直線のマーカー]のリストから
[●0.90mm×0.90mm]を選択
する。

ここではP.24でマーカーの設定が終
了しているので、リストに[●0.90mm
×0.90mm]が表示されます。マーカー
の設定が終了していない場合は、[カ
スタム...]を選択して[マーカー編集]
ダイアログで作成します([マーカー
編集]ダイアログについてはP.24を
参照)。

10 [OK]をクリックする。

11 [寸法のカスタマイズ]ダイアロ
グに戻るので、[OK]をクリッ
クして閉じる。

[●0.90mm×0.90mm]がない
場合は[カスタム...]を選択

[12] [**ファイル設定**]ダイアログの
[**寸法規格**]で「**ORIGINAL**」を選
択する。

[13] [**OK**]をクリックする。

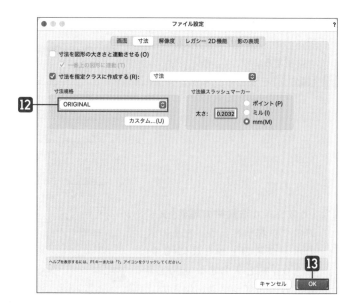

これ以降、このファイルで作成する寸
法には、寸法規格「**ORIGINAL**」が標準
で適用されます。すでに異なる規格で
入力している寸法がある場合は、オブ
ジェクト情報パレットから規格を変更
できます。また、このファイルを保存
しておくと、別のファイルに寸法規格
「**ORIGINAL**」を取り込んで利用できま
す（下記のポイントを参照）。

ポイント　　**寸法規格の取り込み**

過去に作成した寸法規格を、作業中のファイル
に取り込んで利用できます。
[**寸法のカスタマイズ**]ダイアログの[**取り込
み...**]をクリック（左図）して寸法規格が保存さ
れているファイルを指定し、[**選択**]ダイアログ
に表示された目的の寸法規格を選択（右図）し
て取り込みます。[**寸法のカスタマイズ**]ダイア
ログに表示されたら、あとは新規作成した場合
と同様に処理します。

寸法3桁位取りの設定

[**寸法3桁位取り**]にチェックを入れる
と、寸法値に3桁ごとに桁区切り（カン
マ）が表示されます。桁の読み間違い
を避けるためにチェックを入れます。こ
の設定は、ファイル内に保存されます。

[1] メニューバーから[**ファイル**]－[**書
類設定**]－[**単位...**]を選択する。

[2] [**単位**]ダイアログが表示される。
[**寸法**]ペインを選択する。

[3] [**寸法3桁位取り**]にチェックを
入れる。

[4] [**OK**]をクリックする。

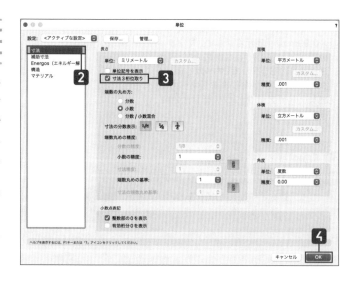

ポイント　　フローティングデータバーについて

「フローティングデータバー」とは、作図中にカーソルの隣に表示される数値入力ボックスです。このボックスから図形のサイズや角度を入力して作図することもできますが、作図中、常にカーソルの隣に表示されるため、他の図形が見えにくくなる場合があります。そこで、メニューバーから[**ウインドウ**]-[**データバーオプション**]-[**Tabキーでフローティングデータバーを表示**]を選択することで、作図中に[**tab**]キーを押したときだけフローティングデータバーを表示させることができます。本書では、上記の設定で解説しています。

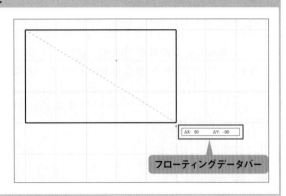

フローティングデータバー

テンプレートの作成

テンプレートを使用すると、ここまでに解説したファイル内に保存された設定が反映された状態で、新規ファイルとして開くことができます。後述するレイヤ、クラス、縮尺、各種リソースなどもテンプレートに含めることができます。名前を「**Default.sta**」で保存すると、デフォルトテンプレートとなり、Vectorworksの起動時に開くファイルに適用されます。常時使用しやすい設定で作成しておくとよいでしょう。

デフォルトテンプレートを編集したい場合は、同じ名前（Default.sta）で上書き保存します。

1 メニューバーから[**ファイル**]-[**テンプレート保存...**]を選択する。

2 [**テンプレート保存**]ダイアログで名前を「**Default.sta**」のままとする。

3 [**保存**]をクリックする。

プロジェクトに合わせて用紙サイズ、縮尺などを変更したテンプレートを作り、使い分けることもできます。その場合は「**Default.sta**」以外の名前（「**A3用紙 1/50.sta**」などわかりやすい名前）にします。

テンプレートを適用した新規ファイルの作成については、次ページを参照してください。

基本操作

Vectorworksの基本的な操作を覚えましょう。Day 02以降の解説では基本操作の手順説明を省略する場合があります。基本操作がわからなくなった場合はこちらを見直してください。

新規ファイルの作成

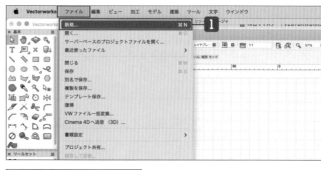

1 メニューバーから[**ファイル**]－[**新規...**]を選択する。

[**環境設定**]ダイアログ（P.20を参照）の[**その他**]ペインで[**起動時に新規ファイルを開く**]にチェックが入っていると、Vectorworks起動時にテンプレートの「**Default.sta**」を適用した新規ファイルが自動的に開きます。

2 [**用紙の作成**]ダイアログで[**新規に作成**]を選択する。

3 [**OK**]をクリックする。

プロジェクトに合わせたテンプレートを作成（前ページ参照）している場合は、[**テンプレートを使用**]を選択し、リストからそのテンプレートを選択します。
新規ファイルにデフォルトテンプレートを適用したい場合は、「**Default.sta**」を選択します。

ファイルを開く

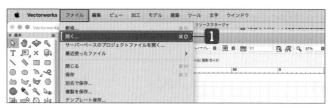

同時に開くことができるのは、最大8ファイルです。

1 メニューバーから[**ファイル**]－[**開く...**]を選択する。

2 ファイル選択ダイアログで任意のファイルを選択する。

3 [**開く**]をクリックする。

旧バージョンのVectorworksで作成したファイルを開こうとすると、図のような互換性に関する警告が表示されます。[**OK**]をクリックすると、旧ファイルは残したまま、新たにVectorworks 2022ファイルとして開きます。

ポイント 表示するファイルを切り替える

複数のファイルを開いている場合は、ファイルタブをクリックすることで表示するファイル（アクティブファイル）を切り替えます。

ファイルタブ

ファイルの保存

[1] 変更をしないとファイルの保存ができないため、画面を移動する（画面の移動についてはP.39参照）。

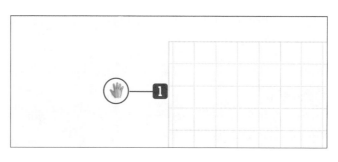

[2] メニューバーから[ファイル]－[保存]を選択する。

> [保存]はこまめに行いましょう。ショートカットキーは[command(Ctrl)]＋[S]キーです。

> 別ファイルとして保存したい場合は、メニューバーから[ファイル]－[別名で保存...]または[複製を保存...]を選択します。

[3] ファイル保存ダイアログで任意の保存先とファイル名を指定する。

[4] [保存]をクリックする。

> 初回の[保存]操作ではファイル保存ダイアログが表示されますが、2回目以降の[保存]操作ではダイアログは表示されず、同じファイル名で上書き保存されます。

> 旧バージョンのVectorworks形式で保存（バージョンダウン）したい場合は、メニューバーから[ファイル]－[取り出す]を選択し、目的のバージョンを選択します。Vectorworks 2022では2021～2017までの形式に対応しています。

ファイルを閉じる

1 メニューバーから[ファイル]-[閉じる]を選択する。

> 作業内容を保存しないまま閉じる操作をすると、保存に関する警告が表示されます。編集結果を失わないために、必ずファイルを保存しましょう。

図形選択

Vectorworksでは、図形を選択（指定）してから編集・加工します。目的の図形のみを効率よく選択できるか否かで、作図スピードがまったく異なってきます。図形を選択するには、[セレクションツール]を使用します。練習用ファイル「04_SELECT_TEST.vwx」を使用して、さまざまな選択方法を試してみましょう。

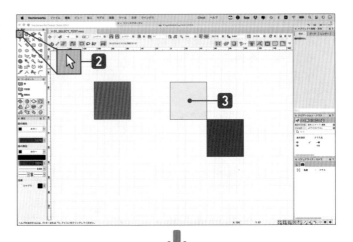

クリックして選択する

1 練習用ファイル「04_SELECT_TEST.vwx」を開く。

2 基本パレットの[セレクションツール]をクリックする。

3 任意の図形にカーソルを重ねる（クリックはしない）と、選択される図形がハイライト表示される。そのまま任意の図形をクリックする。

4 図形が選択される。

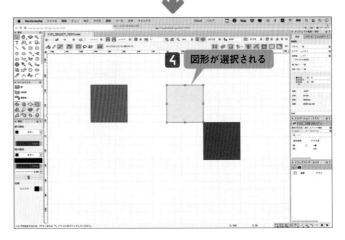

図形が選択される

> パレット上の各ツールは、一度クリックするとそのツールが選択された状態を保ちます。予期せぬ操作ミスを防ぐため、他のツールでの作業が終了したら[セレクションツール]をクリック（選択）する習慣をつけましょう。

選択された図形は、図形の周りに水色の変形ハンドル（選択ハンドルともいう。以下、ハンドル）が現れ、さらに
ハイライト表示（線の色が変わり、強調表示される）になります（左図）。なお、ツールバーで**[変形禁止モード]**を
選択していると、ハンドルは表示されません。本書では、常に**[変形モード]**を選択しています（中図）。
また、オブジェクト情報パレットの**[形状]**タブ（右図）には選択された図形の情報が表示されるので、ここでも図
形が選択状態であることが確認できます。

DAY
01

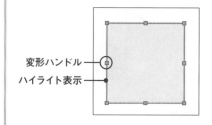

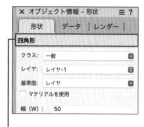

図形を選択している場合は、
図形名が表示される。
図形を選択していない場合は、
「選択図形なし」と表示される

ポイント | **面の属性「なし」の図形選択**

属性パレットの**[面の属性]**が**[なし]**の
図形を選択する場合は、「線」の上をク
リックします。図形の「線」と「面」につ
いては、P.65を参照してください。

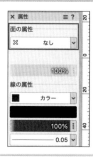
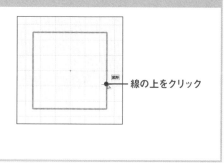

線の上をクリック

クリックして追加選択する

5 続けて**[shift]**キーを押しながら、
他の図形をクリックする。

[セレクションツール]で図形を選択
し、さらに他の図形をクリックする
と、先に選択した図形は選択解除さ
れ、常に1つの図形だけ選択されま
す。**[shift]**キーを押しながらクリッ
クすることで、複数の図形が選択
できます。さらに選択状態の図形を
[shift]キーを押しながら再度クリッ
クすると、クリックした図形だけ選
択解除されます。

図形タイプや
図形数が表示される

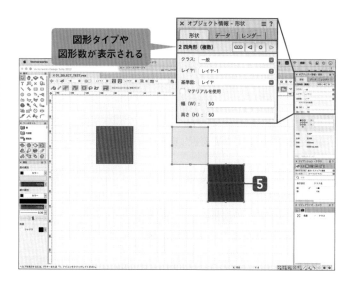

範囲指定して選択する（矩形選択）

1. 基本パレットの[**セレクション ツール**]をクリックする。
2. ツールバーで[**矩形モード**]がオンになっていることを確認する。
3. 選択したい図形を選択枠ですべて囲むようにドラッグして範囲を指定する（ドラッグの最中に、選択される図形がハイライト表示される）。
4. 選択枠で囲んだ図形が選択される。

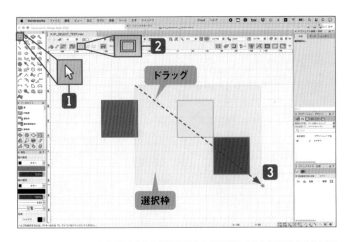

矩形選択では図形を完全に囲む必要があります。上の図では紫色の四角形全体が完全に囲まれていないので、この図形は選択されません。ただし、図のように[**option（Alt）**]キーを押しながら範囲指定した場合は、図形の一部でも選択枠に囲まれていれば選択されます。長い線や大きい図形などを選択する場合に有効です。

[**option（Alt）**]キー＋ドラッグ

範囲指定して追加選択する

事前に1つの図形（紫色）を選択した状態にします。

1. 基本パレットの[**セレクション ツール**]をクリックする。
2. [**shift**]キーを押しながら、選択したい図形が選択枠ですべて囲まれるようにドラッグして範囲を指定する。
3. 選択枠で囲んだ図形が追加選択される。

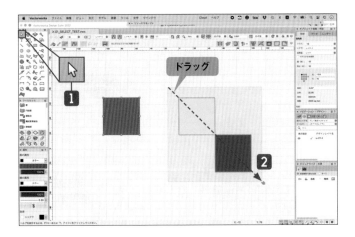

すべての図形を選択する

作図領域の図形をすべて選択します。

1. メニューバーから[**編集**]－[**すべてを選択**]を選択する。
2. すべての図形が選択される（拡大表示状態で現在の作図領域に表示されていない図形も選択される）。

まとめて図形の色、線の太さを変更する場合やレイアウト全体を移動する場合などによく使います。ショートカットキーは[**command（Ctrl）**]＋[**A**]キーです。

選択をすべて解除する

3 作図領域の図形のないところを クリックする（この操作を「空ク リック」と呼ぶ）。

4 すべての図形の選択が解除される。

手順**3**で空クリックの代わりに[esc] キーを押しても、選択が解除されます。

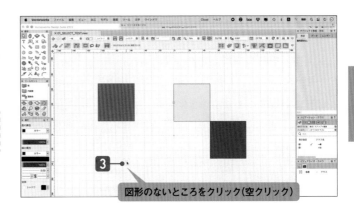

図形のないところをクリック(空クリック)

DAY 01

画面の拡大／縮小、移動

作図では、図面全体を確認して目的 の個所を拡大するという操作を頻繁 に繰り返します。作図しやすい画面に スムーズに切り替えることが作業効 率に直結します。

用紙全体を表示する
[用紙設定]ダイアログ（メニューバー から[ファイル]−[用紙設定...]を選 択して表示）で設定した用紙全体を 作図領域いっぱいに表示します。

1 表示バーの[用紙全体を見る]を クリックする。

2 用紙全体が作図領域いっぱいに 表示される。

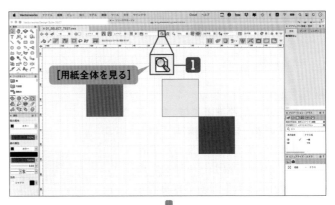

[用紙全体を見る]

用紙全体が作図領域 いっぱいに表示される

図形全体を表示する
作図した図形すべてを作図領域いっ ぱいに表示します。

1 表示バーの[図形全体を見る]を クリックする。

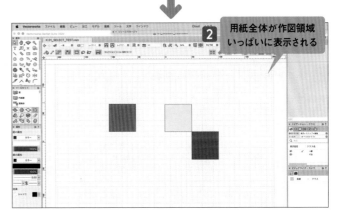

[図形全体を見る]

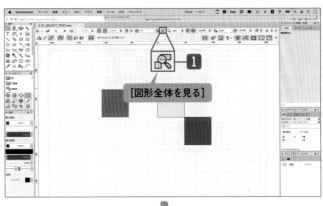

2 作図した図形が作図領域いっぱいに表示される（印刷領域の外に作図された図形もすべて表示される）。

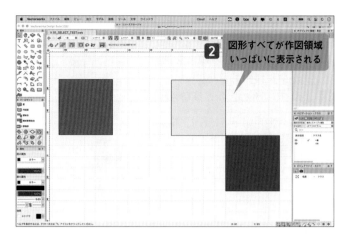

図形すべてが作図領域いっぱいに表示される

> 図形を選択した状態で**[図形全体を見る]**をクリックすると、選択した図形のみが作図領域いっぱいに表示されます。

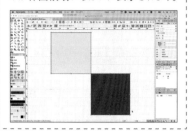

画面を拡大／縮小する

画面を拡大／縮小するには、多くの操作方法がありますが、本書ではマウスのホイールボタンを使った操作を解説します。直線ツールや四角形ツールなどによる作図中でも使用できます。

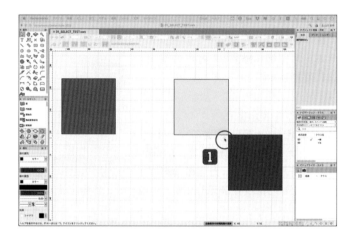

1 カーソルを拡大または縮小したい個所へ移動する。

2 ホイールボタンを前後に回転する。カーソル位置を中心に拡大／縮小する。

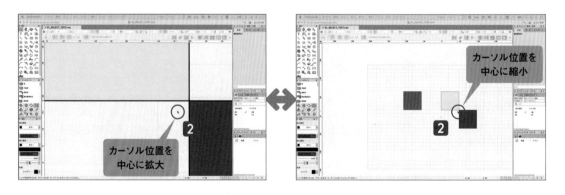

カーソル位置を中心に拡大

カーソル位置を中心に縮小

> **[環境設定]**ダイアログ（P.20を参照）の**[描画]**ペインで**[マウスホイールでズームする]**にチェックが入っていると、ホイールボタンで拡大／縮小を実行できます。チェックを外すと、ホイールボタンは通常の画面スクロールとして働きます。

画面を移動する

拡大時に周りの図形を見たいときや、用紙の外にある図形を表示したいときは画面を移動します。基本パレットに[パンツール]が用意されていますが、本書ではマウスのホイールボタンを使った操作を解説します。直線ツールや四角形ツールなどによる作図中でも使用できます。

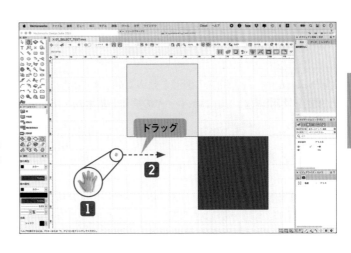

1 ホイールボタンを押し込む。カーソルが手の形のパンカーソルに切り替わる。

2 ホイールボタンを押したままドラッグする。

3 画面が移動される。ホイールボタンを放すと元のカーソルに戻る。

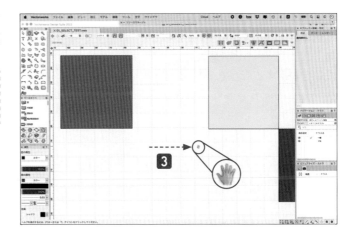

> 他のツールを使用中に[**スペース**]キーを押すと、一時的に[**パンツール**]に切り替わり、画面の移動操作が行えます。

作業を取り消す

[**取り消し**]コマンドを使うと、操作を間違ってもすぐに元の状態に戻れます。試行錯誤しながら、いくつかの案を検討する場合も有効です。

1 メニューバーから[**編集**]-[**取り消し**]を選択する。

2 直前に行った操作が取り消される。

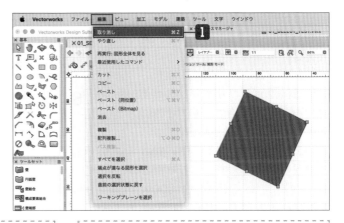

> 取り消し回数は、[**環境設定**]ダイアログで20回に設定されています（P.21を参照）。ショートカットキーは[command（Ctrl）]+[Z]キーです。[command（Ctrl）]キーを押したまま[Z]キーを繰り返し押すと、履歴をさかのぼれます。

> [**取り消し**]コマンドで戻り過ぎた場合は、メニューバーから[**編集**]-[**やり直し**]を選択します。ショートカットキーは[command（Ctrl）]+[Y]キーです。

DAY 01 -05 レイヤの設定と縮尺

Vectorworksでは、図面内の図形を効率よく管理するために、「デザインレイヤ」(以下、「レイヤ」と呼ぶ)という機能を使用します。ここでは、レイヤの機能と基本的な操作を覚えましょう。

レイヤの概念

レイヤ機能は、透明なフィルム(レイヤ)に図形を振り分けて作図し、それらを重ね合わせて1つの図面を作成するようなイメージです。

レイヤは個別に表示／非表示の切り替えができます。「通り芯」「壁」「家具」「文字」などを別々のレイヤに作図すると、特定の図形の選択／編集が容易になり、作業効率が向上します。さらに、特定のレイヤだけを表示することで、1つのデータから目的に合わせた図を作ることができます。

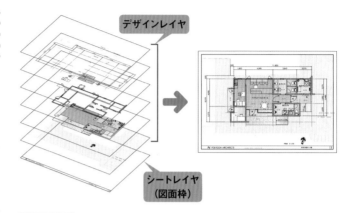

デザインレイヤ

シートレイヤ
(図面枠)

ポイント　シートレイヤ

Vectorworksのレイヤには、デザインレイヤのほかに「シートレイヤ」があります。シートレイヤは、デザインレイヤで作成した図面などをレイアウトするボードのような役割です。詳しくはP.296を参照してください。

Vectorworksでの縮尺について

建物の図面をかくときは、実寸のままかくことはできないので、実寸の何分の1かに縮小してかきます。この縮小率を「縮尺」と呼びます。たとえば、実際の長さの20分の1のサイズで図面をかく場合、縮尺の表記は「1:20」となります。実寸より縮小してかく場合でも、寸法には実寸と同じ寸法値を表記します。Vectorworksでは、各レイヤに対して縮尺を設定します。ここで例として挙げている図は、1,000×1,000の正方形を1:100と1:50の縮尺でかいたものです。見た目の大きさは異なりますが、寸法値の表記は同じ値なので、実際のサイズは同じということになります。

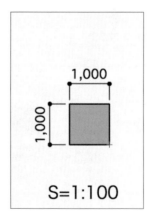

1,000

1,000

S=1:100

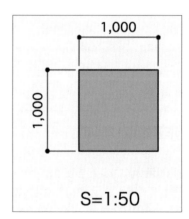

1,000

1,000

S=1:50

レイヤ名と縮尺を設定する

練習用ファイル「05_LAY_TEST. vwx」を使用して、レイヤの設定方法を確認しましょう。このファイルでは、A、B、Cという図形が、初期設定の[レイヤ-1]レイヤに配置されています。この[レイヤ-1]レイヤの名前を変更し、縮尺を設定します。

1 練習用ファイル「05_LAY_TEST. vwx」を開く。
2 表示バーの[用紙全体を見る]をクリックする。
3 表示バーの[レイヤ]をクリックする。

[グリッドを表示]
[用紙の大きさを表示]

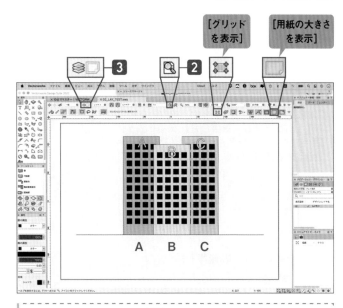

図では、[グリッドを表示] をオフにしています。
また、縮尺の変化がわかりやすいように用紙サイズを表す枠線を表示しています（画面上では細いグレイの線だが、ここでは見やすいように赤色の線で示している）。この枠線を表示するには、クイック設定コマンドの[用紙の大きさを表示] をオンにします。

4 [オーガナイザ]ダイアログが表示される。[デザインレイヤ]タブを選択する。

ナビゲーションパレットの[デザインレイヤ]タブをダブルクリックしても、[オーガナイザ]ダイアログを表示できます。

5 [レイヤ-1]レイヤを選択する。
6 [編集...]をクリックする。

名前の先頭にチェックマークが付いているレイヤは、現在のアクティブレイヤ（作業可能なレイヤ）です。

7 [デザインレイヤの編集]ダイアログが表示される。[名前]に「TEST_A」と入力する。
8 [縮尺...]をクリックする。

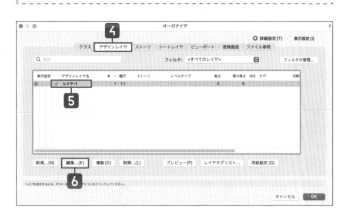

DAY
01

9 [縮尺]ダイアログが表示される。[メートル/工学系]の[1:2]を選択する。

10 [OK]をクリックする。

[縮尺]ダイアログは、表示バーの[縮尺]をクリックしても表示されます。図のアイコンが表示されていない場合は、P.18を参照してください。

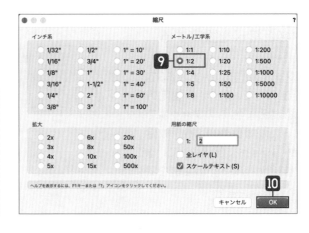

11 [デザインレイヤの編集]ダイアログに戻るので、[OK]をクリックする。

12 [オーガナイザ]ダイアログに戻るので、レイヤ名が「TEST_A」に変更され、縮尺が1:2に設定されたことを確認する。

13 [OK]をクリックする。

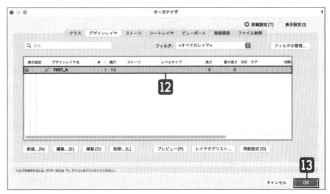

作図領域での図形の縮尺が1:1から1:2に変更されたため、見た目の大きさが1/2倍となり小さくなりました（前ページの一番上の図と比較してください）。

表示バーの[縮尺]には、常にアクティブレイヤの縮尺が表示されています。

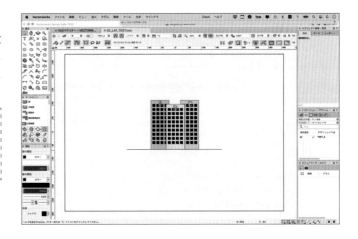

ポイント　　**縮尺の設定について**

縮尺は、作図を進めた後、作図中でも変更できます。[縮尺]ダイアログの[メートル/工学系]のリストに目的の縮尺（1:30など）がないときは、[用紙の縮尺]のラジオボタンをクリックし、目的の縮尺を入力します。また、[スケールテキスト]にチェックを入れると、現在入力されているテキストのフォントサイズも縮尺に合わせて変更されます。チェックを外すと、現在のフォントサイズのまま表示されます。

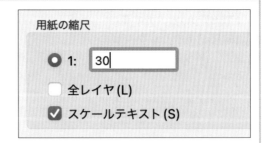

DAY
01

新規レイヤを作成する

図面内の図形を管理しやすくするために、必要に応じて新規レイヤを作成できます。

1 P.41の手順**3**〜**4**と同様にして[**オーガナイザ**]ダイアログの[**デザインレイヤ**]タブを表示し、[**新規...**]をクリックする。

2 [**デザインレイヤの作成**]ダイアログが表示される。[**新規に作成**]を選択し、[**名前**]に「TEST_B」と入力する。

3 [**OK**]をクリックする。

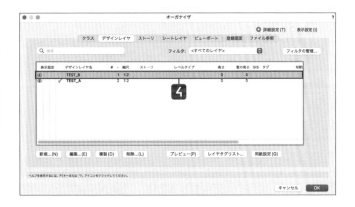

4 [**オーガナイザ**]ダイアログに戻るので、[**TEST_B**]レイヤが作成され、[**TEST_A**]と同じ縮尺が適用されていることを確認する。

> 新規レイヤには、既存のレイヤと同じ縮尺が自動的に適用されます。

同様にして、もう1つレイヤを作成しましょう。

5 [**新規...**]をクリックする。

6 手順**2**〜**3**と同様にして、[**TEST_C**]レイヤを作成する。

7 [**OK**]をクリックする。

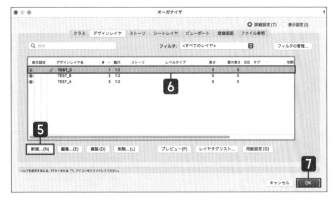

8 作図領域の図形がグレイ表示（淡色表示）となり、面の色が表示されなくなる。

グレイ表示になるのは、図面中の図形がすべて[**TEST_A**]レイヤにあるからです。現在のアクティブレイヤは、最後に作成した[**TEST_C**]レイヤですが、初期設定では、他のレイヤ（アクティブレイヤ以外のレイヤ）にある図形はグレイ表示にする設定になっています。

> 図のような表示にならない場合は、メニューバーから[**ビュー**]－[**他のレイヤを**]－[**グレイ表示**]を選択してください（P.48のポイントを参照）。

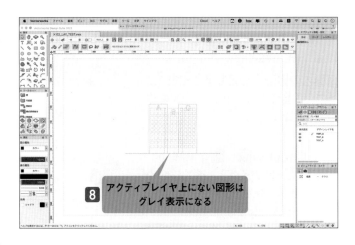

8 アクティブレイヤ上にない図形はグレイ表示になる

アクティブレイヤを切り替える

[**TEST_A**]レイヤをアクティブレイヤにしてみましょう。

1 表示バーの[**アクティブレイヤ**]で、現在のアクティブレイヤが[**TEST_C**]であることを確認する。

> 初期設定では、選択／編集できるのはアクティブレイヤにある図形だけです。現在のアクティブレイヤは、表示バーの[**アクティブレイヤ**]に表示されます。

1 現在のアクティブレイヤ

2 表示バーの[**アクティブレイヤ**]をクリックし、表示されるメニューから[**TEST_A**]を選択する。

3 [TEST_A]レイヤがアクティブレイヤとなり、図形が通常の状態(カラー)で表示される。

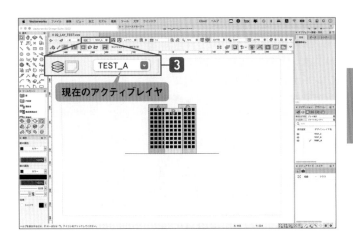

図形を他のレイヤに移動する

あるレイヤ上の図形を、他のレイヤに移動することができます。

1 メニューバーから[ビュー]－[他のレイヤを]－[表示＋スナップ]を選択する。

> この設定にすると、アクティブレイヤ以外のレイヤにある図形も作図領域に表示されます。その他の設定についてはP.48のポイントを参照してください。

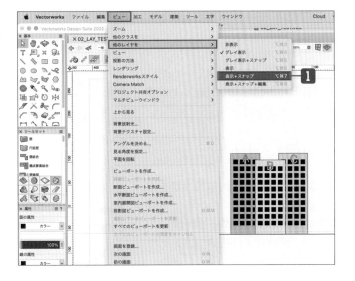

2 図形Bをクリックして選択する。
3 オブジェクト情報パレットの[レイヤ]をクリックして、表示されるメニューから[TEST_B]を選択する。図形Bが[TEST_B]レイヤに移動する。

> オブジェクト情報パレットについては、P.54、P.66を参照してください。

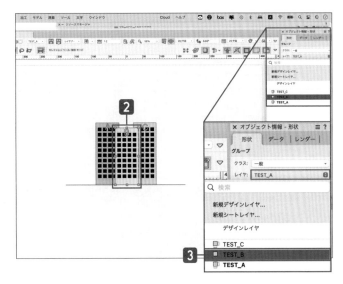

見た目の変化はありませんが、現在、図形Bは[TEST_B]レイヤにあります。そのため、現在のアクティブレイヤ([TEST_A]レイヤ)では選択できません。アクティブレイヤを切り替えて、図形Bが[TEST_B]レイヤにあることを確認しましょう。

4 表示バーの[アクティブレイヤ]メニューから[TEST_B]を選択する。

5 図形Bを選択し、オブジェクト情報パレットの[レイヤ]に[TEST_B]と表示されることを確認する。

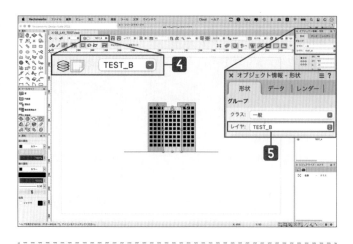

> オブジェクト情報パレットの[レイヤ]には、現在選択している図形が属するレイヤが表示されます。手順**3**で行ったように、このメニューから、属するレイヤを変更することもできます。

同様にして、[TEST_A]レイヤにある図形Cを[TEST_C]レイヤに移動してみましょう。

6 [TEST_A]レイヤをアクティブレイヤに切り替える。

7 図形Bの背面にある図形Cを選択する。

8 前ページの手順**3**と同様にして、図形Cを[TEST_C]レイヤに移動する。

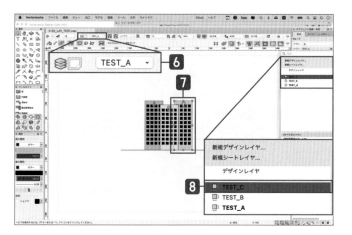

9 図形Cが図形Bの前面に表示されることを確認する。

> 図形の重なり順は、その図形が属しているレイヤの重なり順の影響を受けます。この例では[TEST_C]レイヤが一番上(前面)にあるため(次ページの手順**2**の図を参照)、[TEST_C]レイヤに移動した図形Cが、すべての図形の前面に表示されます。

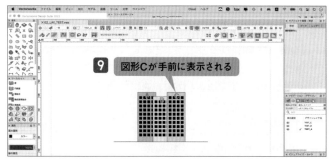

ポイント コンテキストメニューを使ったアクティブレイヤの切り替え

上記手順**6**のように表示されている図形の属するレイヤをアクティブレイヤに切り替えたい場合は、その図形を右クリックし、表示されるメニュー(コンテキストメニュー)から[レイヤをアクティブに]を選択すると自動的にアクティブレイヤが切り替わります。この方法は、図形が属するレイヤを忘れた場合に有効です。

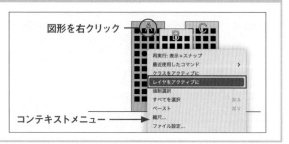

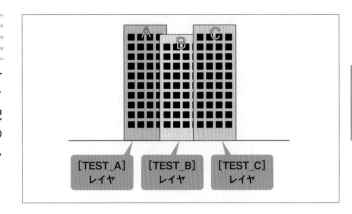

レイヤの順番（重なり順）を変更する

前項までの操作で、図形Aは[TEST_A]レイヤ、図形Bは[TEST_B]レイヤ、図形Cは[TEST_C]レイヤに配置されています。これらのレイヤがどのような順序で重なっているかを確認しましょう。

1 メニューバーから[ツール]－[オーガナイザ...]を選択する。

2 [オーガナイザ]ダイアログが表示される。レイヤが上から順に[TEST_C]、[TEST_B]、[TEST_A]レイヤと並んでいることを確認する。

[デザインレイヤ名]の右側の列に表示されている番号は、レイヤの重なり順を表します。番号が小さいほど上層（前面）、大きいほど下層（背面）になります。

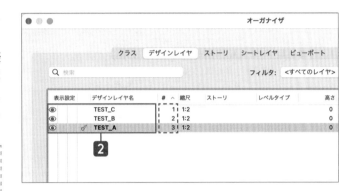

[TEST_B]レイヤを[TEST_C]レイヤの上層（前面）へ移動してみましょう。

3 [TEST_B]レイヤのレイヤ番号にカーソルを合わせ、カーソルの形状が変わったところでマウスボタンを押し、[TEST_C]レイヤの上までドラッグする。

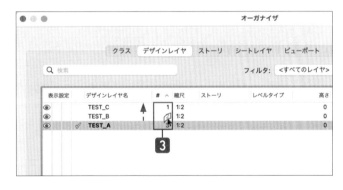

4 [TEST_B]レイヤがリストの一番上に移動する。

5 [OK]をクリックする。

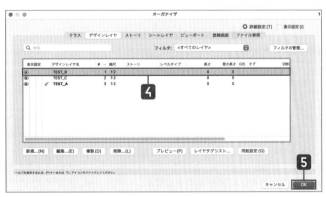

[TEST_B]レイヤが[TEST_C]レイヤの上に移動したので、図形Bが図形Cの前面に表示されます。このように、レイヤの前後関係は図形の見え方にも影響します。面のある図形を扱えるVectorworksでは、注意深くレイヤ設定を行う必要があります。

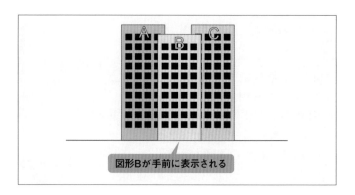

図形Bが手前に表示される

ポイント　他のレイヤの表示方法

Vectorworksでは、他のレイヤ上の図形を表示する方法を[ビュー]メニューから選択できます。それぞれの表示方法の意味については、下の表を参照してください。Vectorworksに慣れないうちは、[表示＋スナップ]を基本として、[非表示]または[グレイ表示＋スナップ]を目的に合わせて併用するとよいでしょう。[表示＋スナップ＋編集]は、アクティブレイヤに関係なく他のレイヤ上の図形を選択／編集できるため、アクティブレイヤを切り替える煩わしさはなくなります。その代わり、誤ったレイヤに作図してしまう可能性も高くなるため、常時使用は避けたほうがよいでしょう。

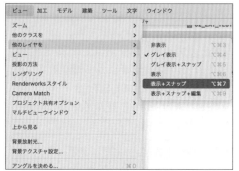

設定	説明
非表示	他のレイヤ上の図形を表示しない。
グレイ表示	他のレイヤ上の図形をグレイ表示する。
グレイ表示＋スナップ	他のレイヤ上の図形をグレイ表示にするが、スナップ対象とする。
表示	他のレイヤ上の図形を表示する。
表示＋スナップ	他のレイヤ上の図形を表示し、スナップ対象とする。
表示＋スナップ＋編集	他のレイヤ上の図形を表示し、スナップ対象とする。選択／編集も可能。

ポイント　ナビゲーションパレットの[デザインレイヤ]タブ

ナビゲーションパレットの[デザインレイヤ]タブを選択しても、他のレイヤの表示方法やアクティブレイヤの切り替えができます。ナビゲーションパレットは常時表示されているため、アクセスしやすくて便利です。Vectorworksに慣れてきたら使ってみましょう。

[デザインレイヤ]タブ
他のレイヤの表示方法
アクティブレイヤの切り替え

ポイント　レイヤの[表示設定]

他のレイヤの表示方法以外に、レイヤごと個別に表示／非表示／グレイ表示を設定することができます。他のレイヤが[表示]を含む設定となっていても、レイヤの[表示設定]（各欄をクリックすると表示設定が切り替わる）が優先されます。ただし、アクティブレイヤ上の図形は、[表示設定]に関係なく常に表示されます。

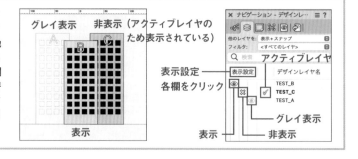

グレイ表示　非表示（アクティブレイヤのため表示されている）

表示

アクティブレイヤ

表示設定
各欄をクリック

グレイ表示
表示　非表示

DAY 02

2D作図の基本（1）

2日目は、直線、四角形、円など、基本的な2D図形の作成方法を学びます。
また、図形の複製や移動など、基本的な操作方法を覚えます。
Vectorworksの基本的な作図方法には、次の3つの方法があり、それぞれ
場面に応じて使い分けます。DAY 02の中で順を追って解説します。

1 　マウス操作で様子を見ながら直接作図領域にかく方法

2 　あらかじめ図形サイズがわかっている場合に、図形サイズを数値入力
　　で指定してかく方法

3 　すでに作図済みの図形を複製／移動、サイズ変更（リサイズ）する方法

学習ポイント

☐ 直線、四角形、円、多角形、円弧をかく

☐ 線の種類、色、太さを変更する

☐ 図形をオブジェクト情報パレットで編集する

☐ 図形を変形する

☐ 図形を複製する

☐ 図形を移動する

☐ 図形を回転する

☐ 図形のサイズを変更する

☐ 図形の前後関係を入れ替える

DAY 02-01 直線をかく(マウス操作)

📄 新規ファイルを使用(P.32を参照。[用紙の作成]ダイアログで[新規に作成]を選択)　※縮尺は初期設定(1:1)のまま

水平線、垂直線、斜線をかくには、基本パレットの[直線ツール]を使用します。線のかき方はいくつかありますが、最初はマウス操作で点を指定する方法を紹介します。まずは、グリッドスナップ(P.19のポイント、P.26を参照)をオフにして、水平／垂直線のかき方を理解しましょう。なお、作図・編集操作の際は、「スクリーンヒント」(P.53のポイントを参照)を利用すると便利です。

水平線、垂直線、斜線をかく

任意の長さの水平線をかきます。

1 基本パレットの[**直線ツール**]をクリックする。

2 ツールバーの(左から)[**任意角度モード**]と[**頂点モード**]をクリックする。

> [任意角度モード]と[頂点モード]は初期設定で選択されています(詳しくは次ページのポイントを参照)。

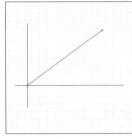
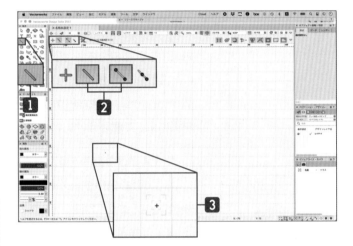

3 カーソルが+の形状に変わるので、作図領域の任意の場所をクリックする。

4 [**shift**]キーを押しながらスクリーンヒントで「**水平**」を確認してカーソルを水平右方向へ移動し、任意の場所をクリックする。水平な直線が作成される。

> スクリーンヒントが表示されない場合は、P.53のポイントを参照。

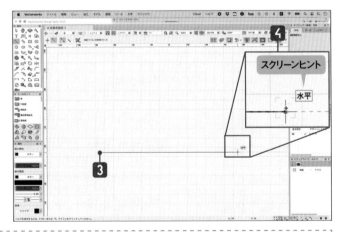

始点を指定後、[shift]キーを押しながらカーソルを移動すると、初期設定では正確に0°(水平)、30°、45°、60°、90°(垂直)など所定の角度に拘束されます。たとえば始点をクリック後、[shift]キーを押しながら図の破線方向にカーソルを移動すると、直線の角度が0°に拘束されます。水平線、垂直線をかく場合は、必ず[shift]キーを併用しましょう。

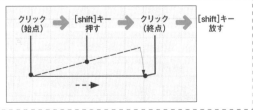

引き続き、水平線と交差する任意の長さの垂直線をかきます。

5 作図領域の任意の場所をクリックする。

6 [shift]キーを押しながらスクリーンヒントで**「垂直」**を確認してカーソルを垂直上方向へ移動し、任意の場所をクリックする。垂直な直線が作成される。

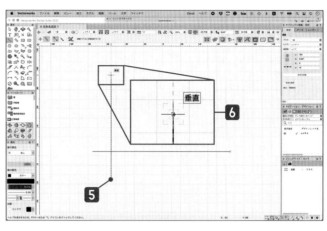

DAY
02

引き続き、水平線と垂直線の交点を始点とする斜線をかきます。

7 交点スナップがオンであることを確認する。

8 2線の交点あたりにカーソルを近づけ、スクリーンヒントで**「図形/図形」**と表示されたらクリックする。

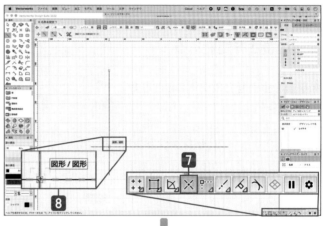

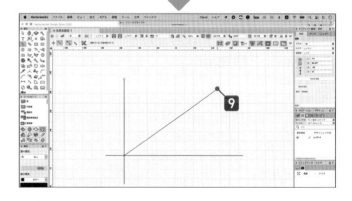

9 [shift]キーを押さずに、任意の方向にカーソルを移動してクリックする。斜線が作成される。

ポイント **[直線ツール]のモード**

[直線ツール]のツールバーでは、[固定角度モード]または[任意角度モード]と、[頂点モード]または[中心モード]を選択できます。一般的には、[shift]キーを併用することで角度拘束できるので、[任意角度モード]と[頂点モード]を使用します。

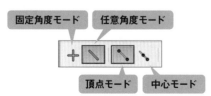

モード	説明
固定角度モード	直線を0°、30°、45°、60°、90°など所定の角度に拘束します。
任意角度モード	任意の角度で直線を作成できます。[shift]キーを押しながら操作すれば、上記の角度に拘束できます。
頂点モード	最初にクリックした点が直線の始点になります。
中心モード	最初にクリックした点が直線の中点になります。

DAY 02-02 直線の長さを変更する（マウス操作）

📄 02_LINE_TEST_01.vwx

BEFORE **AFTER**

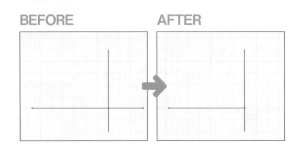

直線の長さをマウス操作で変更（リサイズ）することができます。直線の端点にカーソルを合わせると、リサイズカーソルに変わります。その状態でクリックし、次に目的点をクリックします。直線の角度を保ったまま、線の長さを変更する場合は、必ず[shift]キーを併用しましょう。

直線の長さを変更する

水平線を垂直線との交点のところまで短くします。

1 基本パレットの[**セレクションツール**]をクリックする。

2 ツールバーの[**変形モード**]をクリックする。

> [**変形禁止モード**]ではリサイズできません。

3 図形スナップと交点スナップがオンであることを確認する。

4 水平線を選択する。

5 カーソルを水平線の右側の端点近く（ハンドル上）に合わせ、リサイズカーソルに変化したらクリックする。

> 事前に図形を選択しないと、リサイズカーソルは使えません。ドラッグカーソルとリサイズカーソルは微妙な位置で変化します。ハンドルの上に正確にカーソルを合わせましょう。

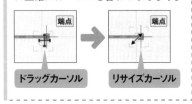

端点 → 端点

ドラッグカーソル → リサイズカーソル

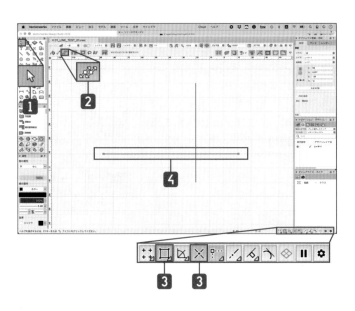

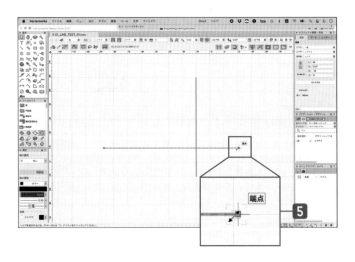

6 カーソルを左に移動し、垂直線にカーソルを合わせる。「**図形/図形**」のスクリーンヒントが表示されたらクリックする。

交点スナップをオンにしたため、垂直線にカーソルを合わせたときに「**図形/図形**」というスクリーンヒントが表示されます。「**図形/図形**」とは2つの線上（つまり交点）にカーソルがあることを示します。

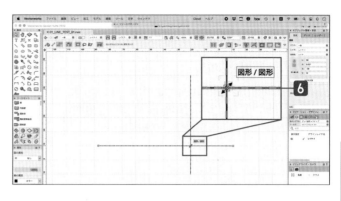

7 水平線の右側が短くなる。

マウス操作で長さを調整する場合は、手順**6**のようにスナップとスクリーンヒントを利用すると、作業ミスを防止できます。

ポイント 　**スクリーンヒントが表示されない場合**

「**スクリーンヒント**」は、スナップできる点や図形の状態をカーソルの近くに表示して教えてくれる機能です。ただし、スクリーンヒントの表示がオンになっていても、図形スナップや交点スナップがオンになっていないと表示されません。各スナップがオンになっていても表示されない場合は、スナップセットの[**スナップ設定**]ボタンをクリックし、[**スナップ設定全般**]の[**スクリーンヒントを表示**]にチェックを入れましょう。このコマンドにはショートカットキーとして[**Y**]キーが割り当てられているため、意図せずオフになっている場合があります。

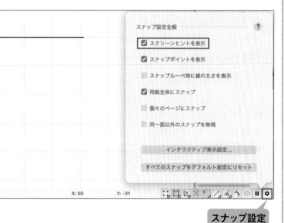

スナップ設定

ポイント 　**[shift]キーの併用について**

図面を作図するとき、直線の長さを変更することはよくあり、そのうちほとんどが直線の角度を保ったままの長さ変更です。その際に微妙に角度がずれるのを避けるには、水平線や垂直線をかくとき（P.50を参照）と同様に[**shift**]キーを併用します。[**shift**]キーを押しながら直線の長さを変更すると、現在の角度を拘束したまま、長さを変更できます。図のスクリーンヒント「**図形/角度**」は、カーソルが直線上にあり角度が拘束されていることを示します。

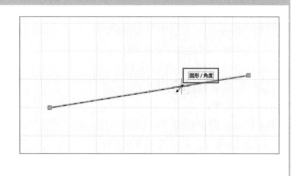

DAY 02-03 直線をオブジェクト情報パレットで編集する

📄 03_LINE_TEST_02.vwx

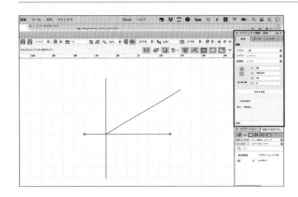

作成した直線の詳細情報は、オブジェクト情報パレットの[形状]タブに表示されます。この値を修正して、直線を編集できます。

ここでは、オブジェクト情報パレットの見方と、オブジェクト情報パレットから直線を編集する方法を説明します。

直線では、「XY座標」と「極座標」という2種類の座標系の使い方を理解しましょう。

オブジェクト情報パレットの見方

オブジェクト情報パレットの[形状]タブには次の情報が表示されます。

Ⓐ **図形タイプ**

Ⓑ **クラス** ― 図形の属するクラス

Ⓒ **レイヤ** ― 図形の属するレイヤ

Ⓓ **基準面** ― ビューに合わせて[レイヤ]または[3D]が自動的に選択されます（ビューについてはP.187を参照）。

Ⓔ **座標系** ― XY座標 ⊞ と極座標 ◎ のどちらを使用するかを選択します。

Ⓕ **基準点** ― 図形の基準点を選択します。直線では、両端点および中央点から選択します。この点を固定し、長さを変更します。

Ⓖ **図形の寸法（XY座標）** ― [ΔX]はX軸（横）の長さ、[ΔY]はY軸（縦）の長さを示します（正確には始点から終点までの距離）。

Ⓗ **図形の寸法（極座標）** ― [L]は図形の長さ（実長）、[A]は角度を示します。

Ⓘ **基準点の座標位置** ― [X]は基準点のX座標、[Y]は基準点のY座標を示します。

水平線を選択した場合のオブジェクト情報パレットの表示（XY座標）

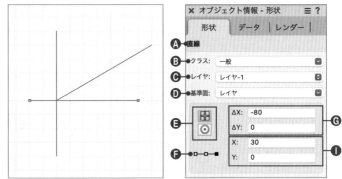

斜線を選択した場合のオブジェクト情報パレットの表示（極座標）

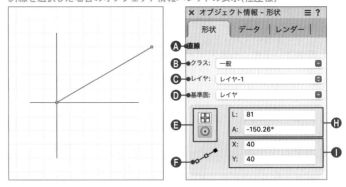

XY座標で水平線を編集する

水平線の基準点を変更し、長さを編集します。基準点は、固定される点として機能します。

1 水平線を選択する。

2 オブジェクト情報パレットでXY座標を選択し、基準点が右端、[ΔX]が「−80」、[ΔY]が「0」であることを確認する。

> [ΔY]が「0」の場合は、傾きのない水平線です。また、[ΔX]がマイナス値になるのは基準点が右端にあるためで、**「基準点から左（X軸のマイナス方向）に向けて80mmの長さ」**という意味です。

3 基準点を左端に変更する。[ΔX]が「80」になることを確認する。

> 基準点が左端になるため、**「右（X軸のプラス方向）に向けて80mmの長さ」**となります（実際の直線の長さは変わらない）。基準点の位置によって値がプラス値やマイナス値になることに注意してください。

4 基準点を左端に設定した状態で、[ΔX]に「40」と入力する。水平線の左端点を固定したまま、長さが40mmになることを確認する。

> 数値を入力後、[return（Enter）]キーを押して確定、もしくは入力欄から移動した時点で図形に反映されます。

5 [command（Ctrl）]＋[Z]キーを押して、元の状態（手順**3**の図）に戻す。

6 基準点を右端に変更し、[ΔX]に「−40」と入力する。水平線の右端点を固定したまま、長さが40mmになることを確認する。

> 右端点を基準として長さを調整するので、マイナス値を入力します。

7 [command（Ctrl）]＋[Z]キーを押して、手順**3**の状態に戻す。

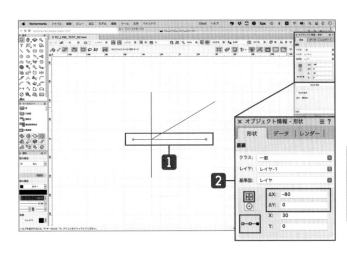

DAY 02

> Vectorworksでは、基本的に画面に向かって、左方向：マイナス値、右方向：プラス値、上方向：プラス値、下方向：マイナス値となります（P.81のポイント内、一番下の図を参照）。

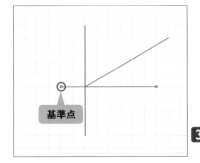
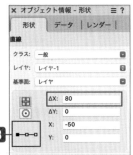

基準点

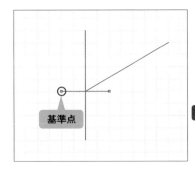

基準点

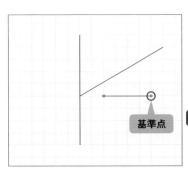

基準点

（続く）

8 基準点を中央に変更し、[Δ X]に「60」と入力する。水平線の中心点を固定したまま、長さが60mmになることを確認する。

> 基準点を中央に設定した場合、入力した値は基準点を中心として左右に振り分けられます。プラス値を入力しますが、絶対値と考えると理解しやすいでしょう。

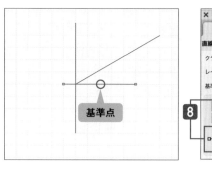
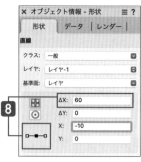

基準点

9 [command（Ctrl）]＋[Z]キーを押して、前ページの手順**3**の状態に戻す。

垂直線の長さも、水平線と同様にオブジェクト情報パレットを使って編集できます。垂直線の場合は、基準点を上端、中央、下端のいずれかに設定し、[Δ Y]に数値を入力します。基準点から上方向へ線をかく場合はプラス値、下方向へ線をかく場合はマイナス値を入力します。

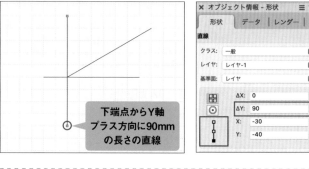

下端点からY軸プラス方向に90mmの長さの直線

ポイント　　**数値入力ボックスでの四則演算**

Vectorworksでは、数値入力ボックスの現在値に対して、「＋」、「−」、「＊」（×）、「/」（÷）の記号を使った四則演算ができます。

右の例では、オブジェクト情報パレットの[Δ Y]の現在値「90」のすぐ右に「−50」と入力しています（上図）。入力後、[return（Enter）]キーを押すと、[Δ Y]の値が「90−50」の演算結果「40」に変更され、それにともなって垂直線の長さも変更されています（下図）。

四則演算を利用すると暗算による計算ミスを防ぐことができます。また、**「現在の長さより100mm長くする」**といった相対的な指定方法ができます。

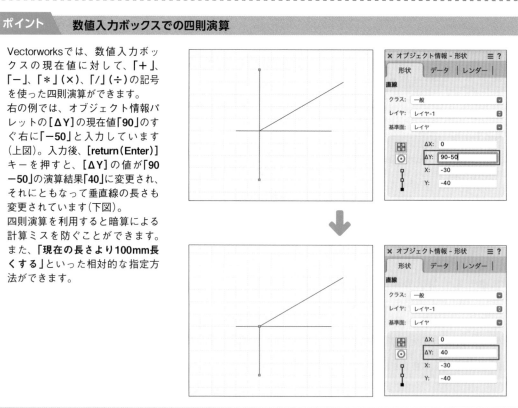

極座標で斜線を編集する

斜線の長さと角度を変更します。ここでは極座標（下記のポイントを参照）を使用します。

1 斜線を選択する。

2 オブジェクト情報パレットの[極座標]をクリックし、基準点を左下に設定する。

3 表示が[L]と[A]に変わり、[L]に「81」、[A]に「29.74°」と表示されることを確認する。

4 [L]に「40」、[A]に「60」と入力する。斜線の長さと角度が図のように変更されることを確認する。

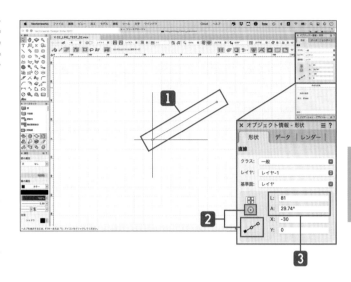

DAY
02

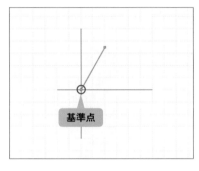

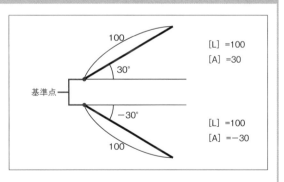

ポイント　　**極座標**

極座標では、図形の大きさを基準点からの長さ（[L]）と角度（[A]）で表します。[L]は常にプラス値となり、[A]は0〜180のプラス値またはマイナス値となります（180〜359の値は自動的にマイナス値に変換される）。斜線の長さを編集するときなどは、極座標を使用したほうが直観的に操作が行えます。

水平／垂直線は、[A]が0、90、180、または−90の直線と考えられるので、極座標を使って長さを編集することもできます。たとえば、右下の図は、長さ81mmの垂直線の情報を極座標で表示した様子です。基準点を上端として、[L]が「81」、[A]が「−90」となっていることに注目してください。これは、「**−90°の方向に伸びる長さ81mmの直線**」という意味です。

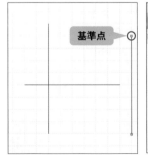

DAY 02-04 直線をかく（数値入力）

新規ファイルを使用（P.32を参照。[用紙の作成]ダイアログで[新規に作成]を選択）　※縮尺は初期設定（1:1）のまま

必要な長さがわかっている線をかく場合には、マウス操作で作成した線をオブジェクト情報パレットで修正するよりも、最初から正確な値（長さ）を指定して直線を作成したほうが効率的です。

[直線ツール]をダブルクリックすると表示される[生成]ダイアログに数値を入力して、正確な長さの直線を作成できます。

指定した長さの直線をかく

長さ100mmの水平線をかきます。

1 基本パレットの[**直線ツール**]をダブルクリックする。

2 [**生成**]ダイアログが表示される。基準点を左端に設定する。

3 座標系をXY座標に変更する。

4 [**ΔX**]に「**100**」、[**ΔY**]に「**0**」と入力する。

5 [**マウスクリックで位置決め**]にチェックを入れる。

6 [**OK**]をクリックする。

> [**生成**]ダイアログの内容はオブジェクト情報パレットによく似ており、各オプションの機能も同じです（オブジェクト情報パレットについてはP.54を参照）。

7 カーソルが変わるので、作図領域の任意の場所をクリックする。クリックした場所を基準点（左端）として、長さ100mmの水平線が作成される。

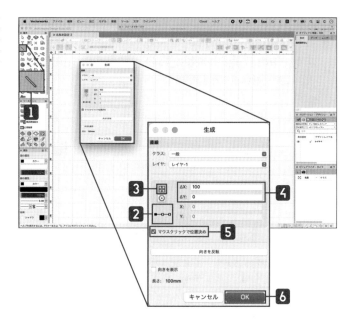

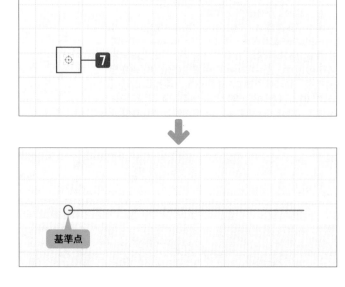

基準点

同様にして、長さ100mmの垂直線
をかきます。

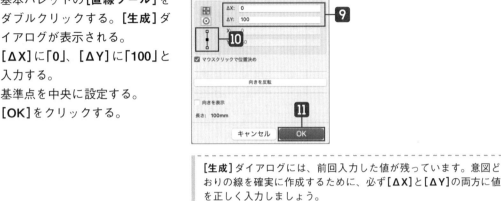

8 基本パレットの[直線ツール]を
ダブルクリックする。[生成]ダ
イアログが表示される。

9 [ΔX]に「0」、[ΔY]に「100」と
入力する。

10 基準点を中央に設定する。

11 [OK]をクリックする。

DAY
02

> [生成]ダイアログには、前回入力した値が残っています。意図ど
> おりの線を確実に作成するために、必ず[ΔX]と[ΔY]の両方に値
> を正しく入力しましょう。

12 水平線上にカーソルを近づけ
る。「図形」のスクリーンヒント
が表示されたら任意の場所でク
リックする。クリックした点か
ら上下に50mmずつ伸びる垂直
線が作成される。

> この場合、スクリーンヒントの「図形」
> は、カーソルが直線上にあることを示
> します。

基準点

続けて、長さ70mm、角度30°の斜
線をかきます。

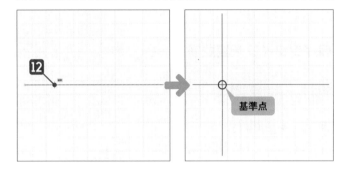

13 基本パレットの[直線ツール]を
ダブルクリックする。[生成]ダ
イアログが表示される。

14 座標系を極座標に変更する。

15 [L]に「70」、[A]に「30」と入力
する。

16 基準点を左下に設定する。

17 [OK]をクリックする。

18 水平線と水平線の交点にカーソ
ルを近づける。「中点」のスク
リーンヒントが表示されたらク
リックする。クリックした点か
ら右上方向に斜線が表示される。

> この場合、スクリーンヒントの「中点」
> は、カーソルが垂直線の中央（水平線と
> の交点）にあることを示します。

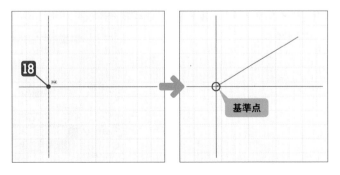

基準点

DAY 02-05 線の属性（線種・色・太さ）を変更する

📄 05_LINE_TEST_03.vwx

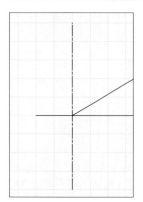 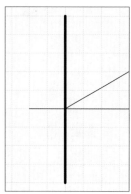

作成した線の属性（線種・色・太さ）を変更できます。破線や一点鎖線といった線種のことを、Vectorworksでは「ラインタイプ」と呼びます。ここでは、属性パレットを使用して線の属性を変更する方法を解説します。

ラインタイプを変更する

直線を一点鎖線に変更します。

1 直線を選択する。

2 属性パレットの[**線の属性**]リストをクリックし、メニューから[**ラインタイプ**]を選択する。

この時点で、選択した直線が破線などに変更されますが、気にせず作業を進めます。

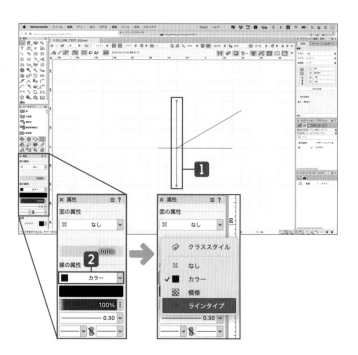

3 [**線の属性**]リストに「**ラインタイプ**」と表示されることを確認する。

4 [**ラインタイプ**]リストをクリックする。

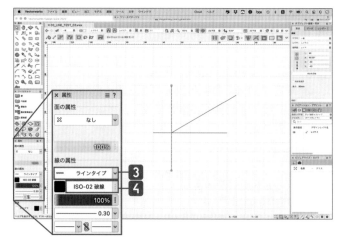

5 「リソースセレクタ」のウインドウが開き、あらかじめ用意されているラインタイプ一覧が表示されるので、[ISO-08 一点鎖線] を選択する。

6 [選択] をクリックする。

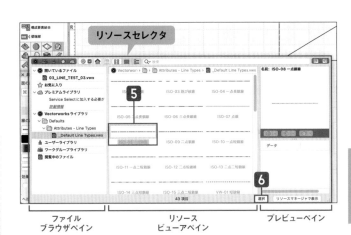

図のようなラインタイプ一覧が表示されない場合は、ファイルブラウザペインから「Vectorworksライブラリ」の「_Default Line Types.vwx」を選択します。リソースセレクタについては、次ページのポイントを参照してください。

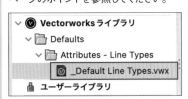

7 直線が一点鎖線に変更されるので、直線を選択解除（空クリック）して確認する。

DAY 02

ライン タイプを実線に戻します。

8 一点鎖線の直線を選択する。

9 属性パレットの [線の属性] リストをクリックし、メニューから [カラー] を選択する。

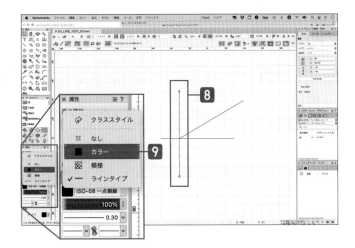

10 直線が実線に戻る。

[カラー] を選択することで実線に戻ります。ちなみに [カラー] で色を適用した線は、[ラインタイプ] に変更しても、適用した色のまま変更されません。線の色の変更方法は、次ページを参照してください。

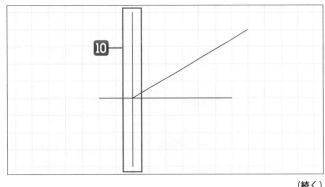

（続く）

ポイント ラインタイプの設定

ラインタイプは、リソース（Vectorworksやファイルに登録された作図用素材）として扱います。前ページの手順**5**で表示されたラインタイプ一覧は、デフォルト（初期設定）リソースと呼ばれ、Vectorworksにあらかじめ用意されている「**Vectorworksライブラリ**」内のリソースの1つです（左図）。一度デフォルトリソースから選択すると、アクティブファイル（作業可能なファイル）に取り込まれます。すでに選択した[**ラインタイプ**]を再度使う場合は、ファイルブラウザペインの[**開いているファイル**]からアクティブファイル（太字で表示）を選択すると取り込まれた[**ラインタイプ**]が表示されるので（右図）、こちらから選択するとよいでしょう。選択したラインタイプはリソースマネージャ（P.181を参照）にも表示されます。

なお、リソースセレクタはリソースマネージャに似ていますが、リソース管理は行えません。機能がリソース選択に限定されており、選択できるリソースの種類は操作の流れに依存します（前ページの例では[**ラインタイプ**]の選択のみ行える）。

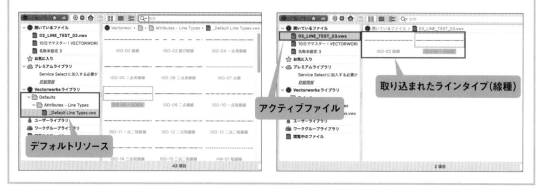

線の色を変更する

直線の色を変更します。

1 直線を選択する。

2 属性パレットの[**線の属性**]リストから[**カラー**]を選択する。

3 [**線の色**]ボックスをクリックする。

4 カラーパレットが表示されるので、任意の色をクリックする。

5 直線の色が変更される。

ラインタイプを適用した線の色は、カラーボックス（小さく表示される）をクリックして、カラーパレットから選択できます。

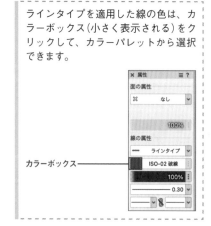

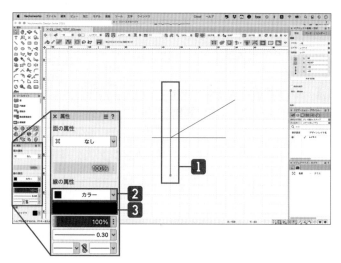

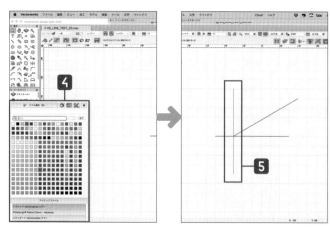

線の太さを変更する

直線の太さを変更します。

1 直線を選択する。

> 前項の手順を実行した場合は、作業の
> 取り消し（P.39を参照）を行って線の
> 色を黒に戻してから、この手順を開始
> してください。

2 属性パレットの[**線の太さ**]リス
トをクリックする。

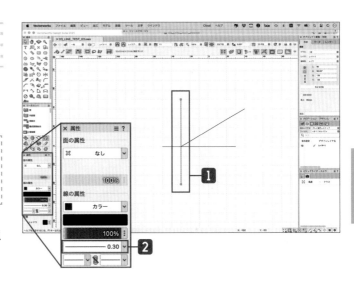

3 あらかじめ設定された線の太さ
の一覧が表示されるので、[**1.40**]
を選択する。

> 線の太さの設定については、P.23を
> 参照してください。

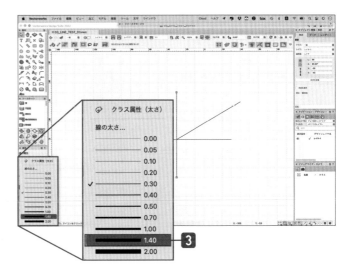

4 線の太さが1.4mmに変更される。

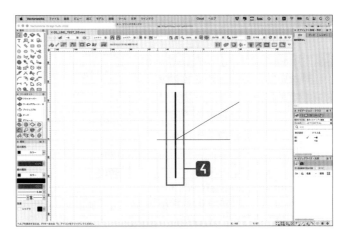

DAY
02

DAY 02-06 四角形をかく（マウス操作）

📄 新規ファイルを使用（P.32を参照。[用紙の作成]ダイアログで[新規に作成]を選択）　※縮尺は初期設定（1:1）のまま

四角形をかくには、基本パレットの[四角形ツール]を使用します。四角形のかき方にはいくつかの方法（モード）がありますが、ここではマウス操作で対角の2点を指定する方法を解説します。

四角形をかく

任意の大きさの四角形をかきます。

1 基本パレットの[**四角形ツール**]をクリックする。

2 ツールバーの[**対角コーナーモード**]をクリックする。

> [**対角コーナーモード**]は初期設定で選択されています。その他のモードについては、Vectorworksのヘルプを参照してください。

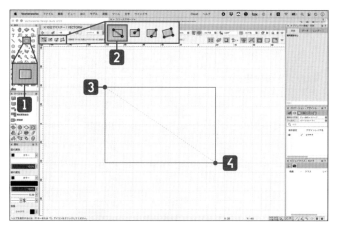

3 カーソルが＋の形状に変わるので、作図領域の任意の場所をクリックする。

4 手順**3**でクリックした位置から対角方向にカーソルを移動すると四角形がプレビュー表示されるので、任意の場所をクリックする。四角形が作成される。

> [**shift**]キーを押しながらカーソルを移動すると、正方形を作成できます。また、[**shift**]＋[**command（Ctrl）**]キーを押しながらカーソルを移動すると、黄金比（約1:1.618）の四角形が作成できます。

> この例では、わかりやすいように四角形の内側（面）を色で塗りつぶしています。図形の面の色については次ページのポイントを参照してください。

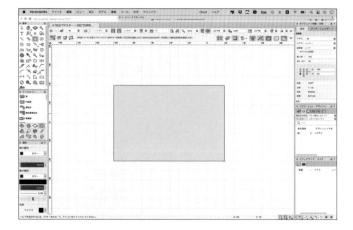

ポイント 　　図形の「線」と「面」

四角形やその他の多角形、円などの
図形のアウトラインを「**線**」、線に囲
まれている領域を「**面**」と呼びます。
線と面にはそれぞれ異なる色を設定
できます。

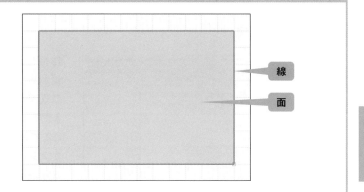

線

面

DAY
02

■面の色を設定する
①図形を選択する。
②属性パレットの[**面の属性**]リスト
　（Ⓐ）で[**カラー**]を選択する。
③[**面の色**]ボックス（Ⓑ）をクリック
　し、カラーパレットから任意の色
　を選択する。

■線の色を設定する
①図形を選択する。
②属性パレットの[**線の属性**]リスト
　（Ⓒ）で[**カラー**]を選択する。
③[**線の色**]ボックス（Ⓓ）をクリック
　し、カラーパレットから任意の色
　を選択する。

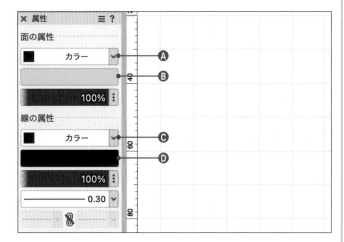

■面の色を[なし]に設定する
属性パレットの[**面の属性**]リストで
[**なし**]を選択すると、面のない、ア
ウトラインのみの図形になります。

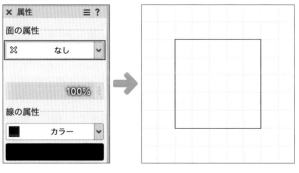

■線の色を[なし]に設定する
属性パレットの[**線の属性**]リストで
[**なし**]を選択すると、アウトライン
のない、面のみの図形になります。

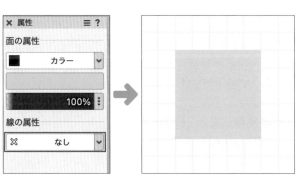

DAY 02-07 四角形をオブジェクト情報パレットで編集する

📄 07_SQU_TEST.vwx

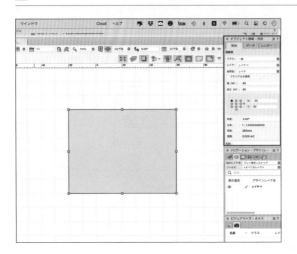

作成した四角形の詳細情報は、オブジェクト情報パレットの[形状]タブに表示されます。この値を修正して、四角形の形状などを編集できます。

ここでは、オブジェクト情報パレットの見方と、オブジェクト情報パレットから四角形を編集する方法を説明します。四角形以外の図形（その他の多角形や円など）も、同様にして編集できます。

オブジェクト情報パレットの見方

四角形を選択すると、その四角形の寸法をはじめとするさまざまな情報が、オブジェクト情報パレットの[形状]タブに表示されます。

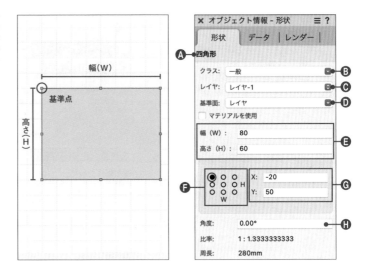

Ⓐ 図形タイプ

Ⓑ クラス — 図形の属するクラス

Ⓒ レイヤ — 図形の属するレイヤ

Ⓓ 基準面 — ビューに合わせて[レイヤ]または[3D]が自動的に選択されます（ビューについてはP.187を参照）。

Ⓔ 図形の寸法 — [幅]は水平方向の長さ、[高さ]は垂直方向の長さを示します。常にプラス値を入力します。

Ⓕ 基準点 — 図形の基準点を選択します。この点を固定して長さを修正します。

Ⓖ 基準点の座標位置 — [X]は基準点のX座標、[Y]は基準点のY座標を示します。

Ⓗ 角度 — 図形の角度を示します。

四角形の大きさを編集する

70×70mmの四角形を45×20mmに
変更します。

1 四角形を選択する。
2 オブジェクト情報パレットで基
準点が左上、[幅]が「70」、[高
さ]が「70」であることを確認す
る。

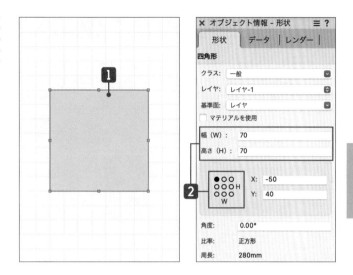

DAY
02

3 基準点を中央に変更し、[幅]に
「45」、[高さ]に「20」と入力する。
四角形の中心を基準点として大
きさが45×20mmに変更される。

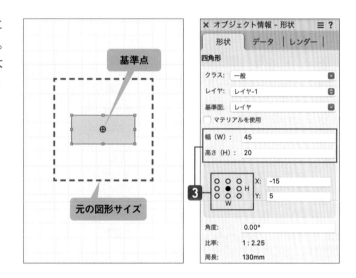

基準点

元の図形サイズ

ポイント　四角形の回転

四角形を選択した状態で、オブジェクト情報
パレットの[角度]に任意の角度を入力する
と、基準点を回転の中心として四角形を回転
することができます。右図では、基準点を左
下に設定して、[角度]に「30」と入力してい
ます。
四角形を回転すると、それに合わせて基準点
の表示も回転しますが、[幅]と[高さ]には、
その四角形の辺の長さ(実長)が表示されます。
図形の回転については、P.82~P.83も参照
してください。

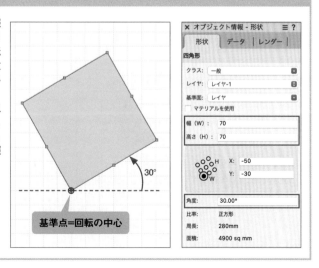

30°

基準点=回転の中心

DAY 02-08 : 四角形をかく（数値入力）

新規ファイルを使用（P.32を参照。[用紙の作成]ダイアログで[新規に作成]を選択）　※縮尺は初期設定（1:1）のまま

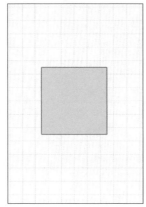

四角形などの図形を作成するときは、あらかじめ寸法が決まっていることが多いでしょう。
[四角形ツール]をダブルクリックすると表示される[生成]ダイアログに[幅]と[高さ]を入力して、正確な寸法の四角形を作成できます。

指定した寸法の四角形をかく

50×50mmの四角形をかきます。

1 基本パレットの[**四角形ツール**]をダブルクリックする。[**四角形ツール**]の[**生成**]ダイアログが表示される。

2 基準点を中央に設定する。

3 [**幅**]と[**高さ**]に「**50**」と入力する。

4 [**マウスクリックで位置決め**]にチェックを入れる。

5 [**OK**]をクリックする。

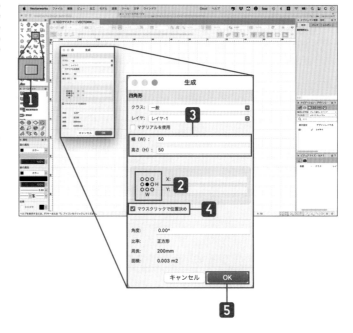

6 カーソルが ⊕ の形状に変わり、四角形がプレビュー表示される。作図領域の任意の場所をクリックする。クリックした場所を基準点（中心）として、50×50mmの四角形が作成される。

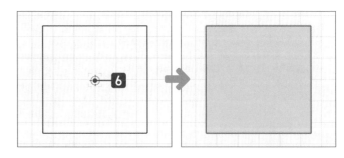

02-09 円をかく（マウス操作）

📄 新規ファイルを使用（P.32を参照。[用紙の作成]ダイアログで[新規に作成]を選択）　※縮尺は初期設定（1:1）のまま

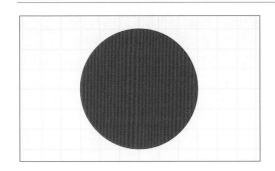

円をかくには、基本パレットの[円ツール]を使用します。円のかき方にはいくつかの方法（モード）がありますが、ここでは半径の長さをクリックして指定する方法を紹介します。

DAY 02

円をかく

任意の大きさの円をかきます。

1 基本パレットの[円ツール]をクリックする。

2 ツールバーの[半径モード]をクリックする。

> [半径モード]は初期設定で選択されています。その他のモードについては、Vectorworksのヘルプを参照してください。

3 カーソルが＋の形状に変わるので、作図領域の任意の場所をクリックする。

4 カーソルを移動すると円がプレビュー表示されるので、任意の場所をクリックして半径の長さを指定する。円が作成される。

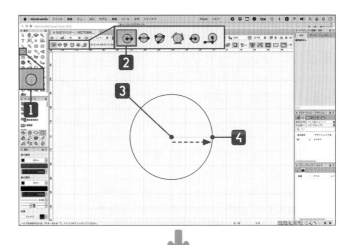

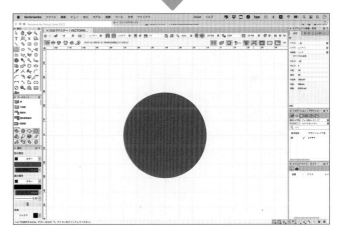

DAY 02-10 円をかく（数値入力）

新規ファイルを使用（P.32を参照。[用紙の作成]ダイアログで[新規に作成]を選択）　※縮尺は初期設定（1:1）のまま

四角形と同様に、円もあらかじめ決まった寸法で作成できます。指定の寸法の円をかくには、[円ツール]をダブルクリックすると表示される[生成]ダイアログに[半径]または[直径]を入力します。

指定した寸法の円をかく

半径30mmの円をかきます。

1 基本パレットの[円ツール]をダブルクリックする。円の[生成]ダイアログが表示される。

2 [半径]に「30」と入力する。

3 [円弧角]が「360°」であることを確認する。

4 [マウスクリックした点が中心]にチェックを入れる。

5 [OK]をクリックする。

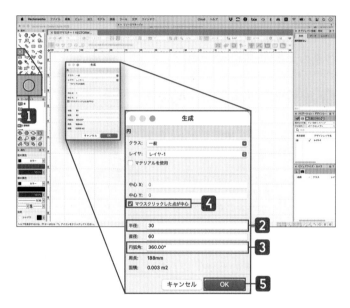

6 カーソルが ⊕ の形状に変わるので、作図領域の任意の点をクリックする。クリックした点を中心として、半径30mmの円が作成される。

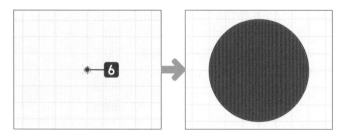

多角形をかく

📄 11_POLY_TEST_01.vwx（完成版：11_POLY_TEST_01_after.vwx）

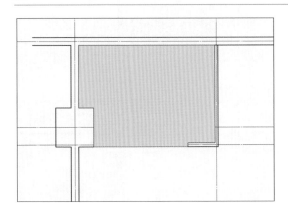

多角形をかくには、基本パレットの[多角形ツール]を使用し、頂点となる点を順にクリックしていきます。通常は、図形スナップを利用して、周囲の図形にスナップさせながら頂点を指定します。

ここでは、床となる多角形を、周囲の壁の各頂点を利用して作成していきます。

床の多角形をかく

壁の各頂点を利用して、床となる多角形をかきます。

1 基本パレットの[多角形ツール]をクリックする。

2 ツールバーの[頂点モード]をクリックする。

3 始点として点Ⓐをクリックする。

> 正確な頂点を指定するために、**「端点」**というスクリーンヒントが表示された位置でクリックします。

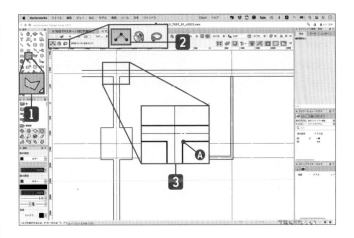

4 点Ⓑ〜点Ⓗまで順にクリックする。クリックするごとに頂点が作成される。

5 終点として再び点Ⓐをクリックする。

> 最後に点Ⓐをクリックすることで多角形を閉じます。点Ⓐをクリックする代わりに点Ⓗをダブルクリックした場合は、閉じていない多角形になります（次ページのポイントを参照）。

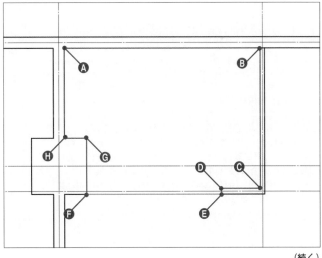

（続く）

6 壁の内側に多角形が作成される。

7 オブジェクト情報パレットで、図形タイプが「**多角形**」になっていることを確認する。

> このような形状の多角形は、複数の四角形を切り欠いたり、貼り合わせたりして作成することも可能です（切り欠きと貼り合わせについてはP.92、P.93を参照）。

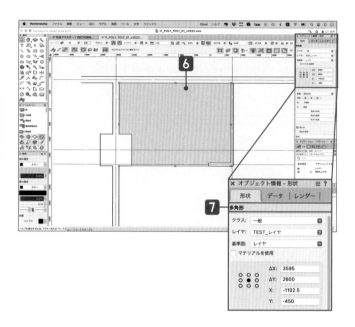

ポイント　［多角形ツール］でクリックする位置を間違えた場合

複雑な多角形を作図していると、クリックする位置を間違える場合があります。そのような場合は、[delete] キーを押すと、前にクリックした状態に戻ります。[delete] キーを押した回数だけ前の状態に戻ります。

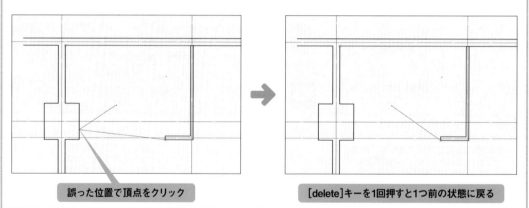

誤った位置で頂点をクリック　　　[delete]キーを1回押すと1つ前の状態に戻る

ポイント　閉じていない多角形を修正する

ここで作成した図形のように、すべての辺がつながっていて、領域を完全に囲んでいる状態を「**閉じている**」と呼びます。一方、一部の辺が離れていて、領域を完全に囲んでいない状態を「**閉じていない**」と呼びます。

たとえば、前ページの手順 5 を行わなかった場合は、図のように左端の辺がない図形になり、「**閉じていない**」多角形となります。この多角形を選択してオブジェクト情報パレットの[**閉じる**]にチェックを入れると、辺が自動的に作成され、完全に「**閉じている**」多角形となります。

※図の例では、閉じていない状態がわかりやすいように作成した床をずらしています。

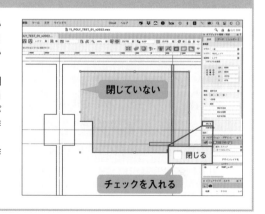

閉じていない

閉じる

チェックを入れる

DAY 02-12 多角形を変形する

📄 12_POLY_TEST_02.vwx（完成版：12_POLY_TEST_02_after.vwx）

BEFORE　　　　　AFTER

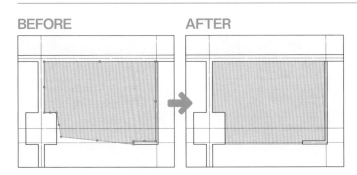

多角形を作成するときに、思いどおりの形状にならないことがあります。その場合は、基本パレットの[変形ツール]を使用して、頂点を移動したり、後から頂点を追加／削除したりして変形できます。

DAY
02

多角形の頂点を移動する

床の多角形の頂点を移動して、柱と壁の端点に合わせます。

1　多角形を選択する。

2　基本パレットの[変形ツール]をクリックする。多角形の編集可能な頂点（端点や中点）にハンドル（P.35を参照）が表示される。

3　ツールバーの[頂点移動モード]をクリックする。

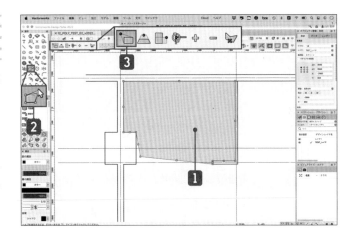

4　移動したい頂点のハンドルをクリックする。

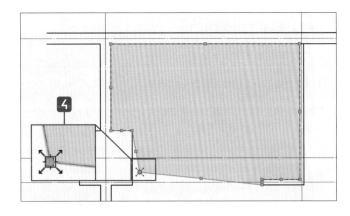

ポイント　　ダブルクリックで編集状態になる

[セレクションツール]を選択して多角形をダブルクリックすることで、自動的に[変形ツール]が選択されます。Vectorworksでは、[セレクションツール]で図形をダブルクリックすると、編集状態になります。文字などもダブルクリックすることで[文字ツール]が選択され、編集状態になります。線や図形、文字などを編集したい場合は、まず[セレクションツール]を選択し、それらの要素をダブルクリックしてみましょう。

（続く）

5 頂点の移動先の点（柱の右下角）をクリックする。

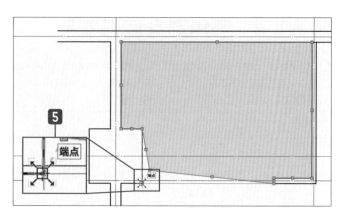

6 空クリックして選択解除し、多角形が図のように変形したことを確認する。

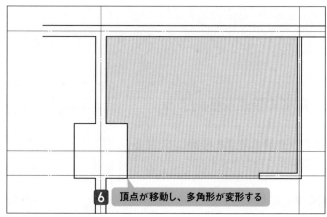

6 頂点が移動し、多角形が変形する

ポイント　**多角形の頂点を追加／削除する**

[変形ツール]で多角形を変形するときに、頂点を追加または削除することができます。手順は次のとおりです。

■頂点を追加する
①[変形ツール]のツールバーの[頂点追加モード]をクリックする。
②頂点タイプから、オプションモード（ここでは[角オプションモード]）を選択する。
③頂点を追加したい位置の近くにあるハンドルをクリックする。
④カーソルを移動し、新しい頂点の位置をクリックして決定する。

■頂点を削除する
①[変形ツール]のツールバーの[頂点削除モード]をクリックする。
②削除したい頂点のハンドルをクリックする。

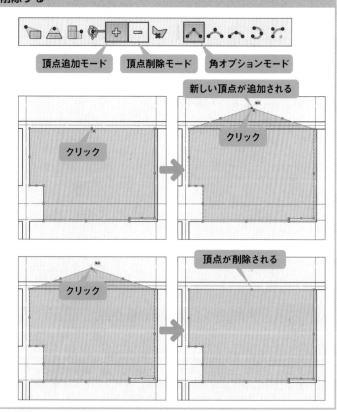

頂点追加モード　頂点削除モード　角オプションモード

新しい頂点が追加される

クリック　クリック

頂点が削除される

クリック

DAY
02-13

DAY
02

円弧をかく

📄 13_ARC_TEST.vwx（完成版：13_ARC_TEST_after.vwx）

BEFORE　　　　**AFTER**

円弧をかくには、基本パレットの[円弧ツール]を使用します。円弧のかき方にはいくつかの方法（モード）がありますが、ここでは最も基本的な、円弧の中心と半径を指定する方法を解説します。

片開き戸の円弧をかく

片開き戸の開閉記号を円弧でかきます。

1. 基本パレットの[円弧ツール]をクリックする。
2. ツールバーの[半径モード]をクリックする。
3. 円弧の中心として点Ⓐをクリックする。

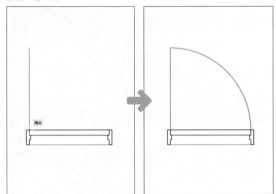

4. 点Ⓑをクリックして円弧の半径を決定する。
5. 点Ⓒをクリックして円弧の角度を決定する。

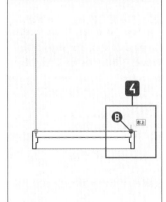

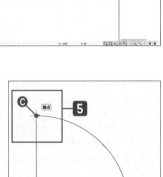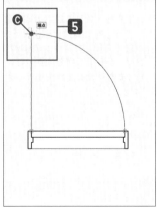

（続く）

75

6 円弧が作成される。

7 オブジェクト情報パレットで、図形の名称が「**円弧**」、［**円弧角**］が「**90°**」となっていることを確認する。

> ［**円弧角**］の値を変更すると、円弧の角度を調整できます。

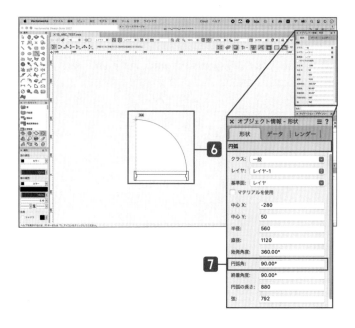

8 作成直後の円弧には面があるが、開閉記号に面は不要なので、属性パレットで面［**なし**］を選択する。

> 面の設定方法については、P.65を参照してください。

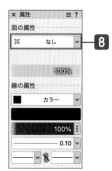

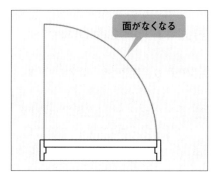

面がなくなる

ポイント　　**属性パレットの初期設定を変更する**

作図を終えてから図形の線／面の属性を変更してもよいですが、しばらく同じ属性の線／面をかく場合は、属性パレットの初期設定を変更したほうが効率的です。［**セレクションツール**］で空クリックして、何も選択していない状態で属性パレットの設定を行うと、初期設定が変更されます。

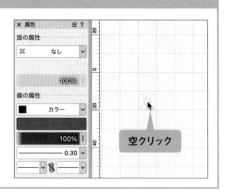

空クリック

DAY 02-14 図形を複製する

📄 14_COPY_TEST.vwx

BEFORE

AFTER

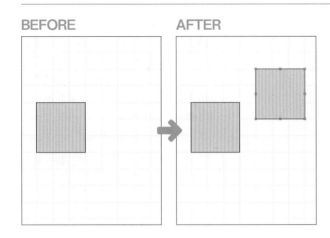

図形を複製するには、[複製]コマンドを使用します。[複製]コマンドは、複製された図形が元の図形と同位置に配置されます（本書では環境設定で[ずれを伴う複製]のチェックを外しているため。P.20を参照）。[コピー]コマンドと[ペースト(同位置)]コマンドを使っても同じ結果になりますが、[複製]コマンドを使用すると1回の操作で完了します。[複製]コマンドは[移動...]コマンド(P.80を参照)と組み合わせて使う場合が多く、重要な作図法の1つです。

DAY
02

四角形を同位置に複製する

四角形を同位置に複製します。

1 四角形を選択する。

2 メニューバーから[**編集**]-[**複製**]を選択する。四角形が同位置に複製される。

同位置に重なって複製されるため、見た目の変化はありません。確認のために、複製された四角形を移動してみましょう。

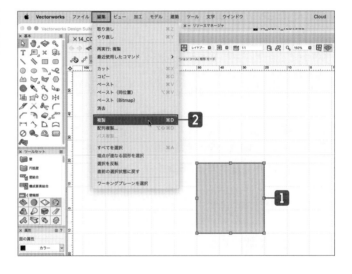

3 基本パレットの[**セレクションツール**]が選択されていることを確認し、選択状態の四角形をドラッグして移動する。前面に重なっている四角形だけが移動し、複製元の四角形はその場に残る。

移動距離を正確に指定するには、[**移動...**]コマンドを使用します（詳しくはP.80を参照）。

[**複製**]コマンドのショートカットキーは[**command(Ctrl)**]+[**D**]キーです。

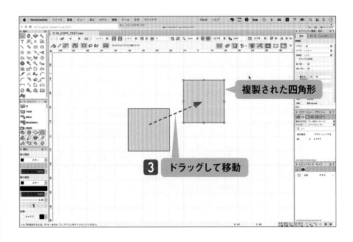

複製された四角形

3 ドラッグして移動

DAY 02-15 図形を移動する（マウス操作）

📄 15_MOVE_TEST_01.vwx

BEFORE

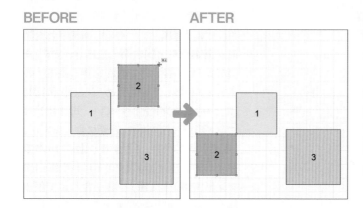

AFTER

図形をマウス操作でドラッグして移動できます。正確な位置に移動するためには、図形スナップをオンにし、スクリーンヒントを確認しながら、適切な位置に合わせます。あらかじめ移動先のスナップポイント（スナップできるところ）を決めたうえで、移動する図形のドラッグ開始位置を決めることが大切です。

図形をドラッグして移動する

練習用ファイルの四角形2をドラッグして、四角形2の右上角が四角形1の左下角に接する位置に移動します。

1 四角形2を選択する。

2 カーソルを四角形2の右上のハンドル付近に合わせ、**「右上」**のスクリーンヒントが表示され、十字形の形状（ドラッグカーソル）に変わったことを確認してドラッグを開始する。

> ドラッグ中は図形がプレビュー表示されます。

> ドラッグカーソルとリサイズカーソル（斜め矢印の形状）は微妙な位置で切り替わります。リサイズカーソルが表示された場合は、カーソルを少し移動する（ハンドル上から離れる）と切り替わります。

3 四角形1の左下までドラッグし、**「左下」**のスクリーンヒントが表示されたところでマウスボタンを放す。

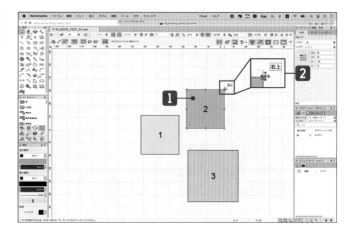

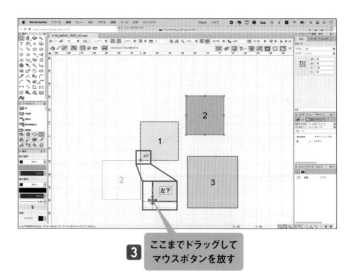

3 ここまでドラッグしてマウスボタンを放す

4 四角形2の右上頂点と、四角形1の左下頂点が正確に接した位置に、四角形2が移動したことを確認する。

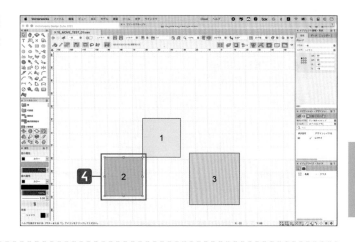

DAY
02

手順 **1** で移動する図形を事前に選択しましたが、選択せずにそのまま図形をドラッグして移動することもできます。この場合、リサイズカーソルは表示されないため誤操作を避けられます。一方で、ハンドルが表示されないので、スクリーンヒントのみを頼りにドラッグ開始位置（ここでは「**右上**」）を判断する必要があります。

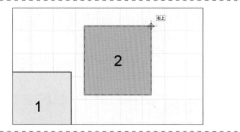

ポイント　図形の移動と図形スナップ

図形をマウス操作で移動するときは、他の図形の辺や頂点、端点を基準にして正確に行います。そのためには、図形スナップをオンにし、スクリーンヒントを確認しながら作業を進めることが大切です。図の例では、四角形3の左辺の中点（スクリーンヒント「**左中**」）を、四角形1の右辺の中点（スクリーンヒント「**右中**」）に合わせています。なお、図形スナップがオンになっていないと、スクリーンヒントは表示されません。スクリーンヒントの表示設定についてはP.53を参照してください。

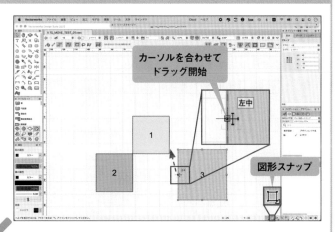

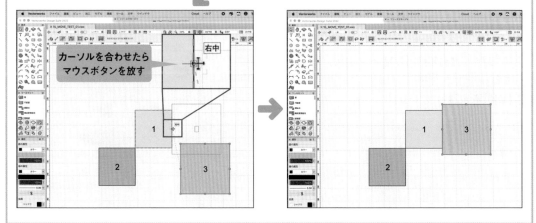

DAY 02-16 図形を移動する（数値入力）

📄 16_MOVE_TEST_02.vwx

BEFORE　　AFTER

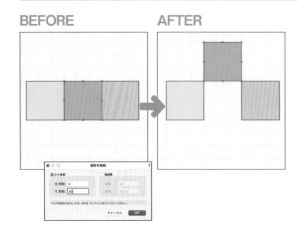

図形を移動するには、図形をドラッグするほかに、[移動...]コマンドを使う方法があります。[移動...]コマンドを使用すると、X方向とY方向の移動距離を数値で指定できるので、移動先にスナップポイントがなくても正確な作図ができます。

移動距離を指定して図形を移動する

中央の四角形を、Y軸のプラス方向に30mm移動します。

1 中央の四角形を選択する。

2 メニューバーから[加工]−[移動]−[移動...]を選択する。

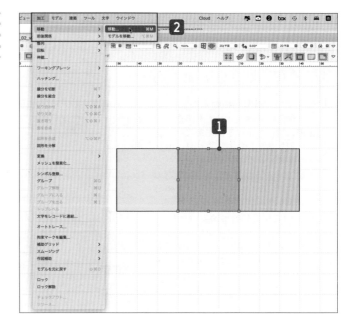

3 [図形を移動]ダイアログが表示される。[X-Y座標]の[X方向]に「0」、[Y方向]に「30」と入力する。

4 [OK]をクリックする。

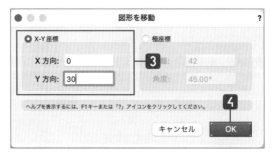

5 中央の四角形がY軸のプラス方向（上方向）に30mm移動したことを確認する。

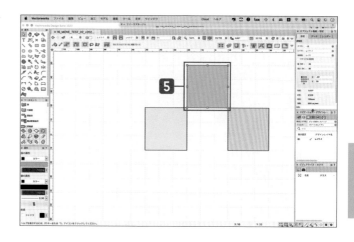

ここでは［図形を移動］ダイアログの［Y方向］のみに距離を指定したので、垂直移動になります。［X方向］のみに距離を指定した場合は、水平移動になります。

［移動...］コマンドのショートカットキーは［command（Ctrl）］＋［M］キーです。

ポイント　　[図形を移動]ダイアログでの距離指定

［図形を移動］ダイアログの［X方向］と［Y方向］に距離を指定することで、水平／垂直移動だけでなく、斜め方向の移動も可能になります。

・［X方向］のみ指定（［Y方向］は「0」）　→水平移動
・［Y方向］のみ指定（［X方向］は「0」）　→垂直移動
・［X方向］と［Y方向］の両方を指定　→斜め移動

図の例では、中央に配置されていた四角形を、X軸のプラス方向に30mm、Y軸のプラス方向に30mm移動させています。

なお、［図形を移動］ダイアログに入力した値は、Vectorworksを終了するまで残っています（ダイアログを閉じても、距離が0にリセットされない）。そのため、特に水平／垂直移動をするときは、適切な方向と移動距離を指定しているかを毎回確認してください。

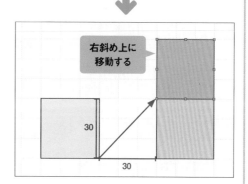

右斜め上に移動する

［図形を移動］ダイアログの入力ボックスには、マイナス値も入力できます。画面に向かって右方向がXのプラス値、左方向がXのマイナス値、上方向がYのプラス値、下方向がYのマイナス値となります。

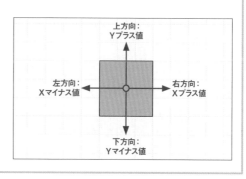

DAY 02-17

図形を回転する

📄 17_MOVE_TEST_03.vwx

BEFORE　　　　AFTER

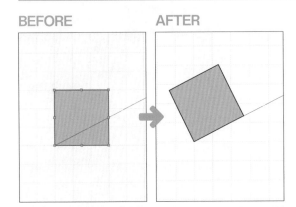

基本パレットの[回転ツール]を使用すると、マウス操作で図形を回転することができます。作図済みの図形の角度に合わせて回転する場合によく用います。

回転の中心を指定して図形を回転する

四角形の左下の角を回転の中心として、直線の傾き角度に合わせます。

1 四角形を選択する。

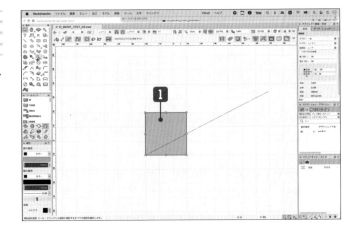

2 基本パレットの[回転ツール]をクリックする。

> 事前に図形を選択指定するのが編集ツールの基本的な手順ですが、[回転ツール]など一部のツールは、ツール選択後でも図形を選択できます。後から図形を選択するには、[command (Alt)]キーを押しながら図形をクリックします。

3 ツールバーの[標準モード]をクリックする。

4 四角形の左下角にカーソルを合わせ、直線の「端点」あるいは四角形の「左下」のスクリーンヒントが表示されたらクリックする（回転の中心を指定）。

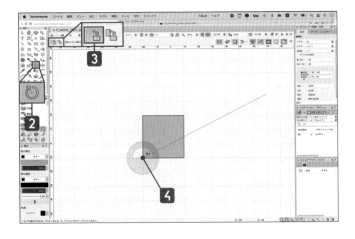

5 四角形の右下角にカーソルを合わせ、「**右下**」のスクリーンヒントが表示されたらクリックする（四角形の1辺を認識させる）。

6 カーソルを直線上の任意の点へ移動し、「**図形**」のスクリーンヒントが表示されたらクリックする。

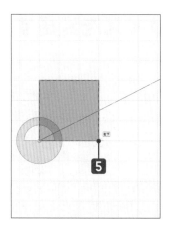

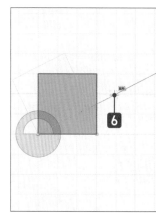

> スナップポイントがない場合でも、回転中に図形がプレビュー表示されるので、状態を確認しながら感覚的に回転することが可能です。
> また、カーソルの移動中に[shift]キーを押すことで回転角度を0°、30°、45°、60°、90°に拘束できます。

7 四角形と直線が同じ角度になったことを確認する。

DAY
02

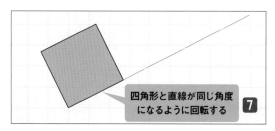

四角形と直線が同じ角度になるように回転する **7**

ポイント 　角度を指定して図形を回転する

あらかじめ回転角度がわかっている場合は、[**回転...**]コマンドを使います。手順は次のとおりです。

①図形を選択する。
②メニューバーから[**加工**]－[**回転**]－[**回転...**]を選択する。
③[**図形を回転**]ダイアログが表示される。[**回転角**]に任意の角度を入力し、[**OK**]をクリックする。

> 基本パレットの[**回転ツール**]をダブルクリックしても[**図形を回転**]ダイアログが表示されます。

> 時計回りに回転する場合はマイナス値、反時計回りはプラス値を入力します。尺貫法勾配（5:10など）も入力できます。

④図形が回転する。

[**回転...**]コマンドを使った場合、回転の中心は図形の中心になりますが、基本パレットの[**2D基準点ツール**]で任意の回転の中心を指定できます。

①基本パレットの[**2D基準点ツール**]をクリックする。
②回転の中心としたい位置でクリックする（小さな×が配置される）。
③2D基準点と図形を選択する。
④このポイント前半の手順②以降と同じ操作をする。

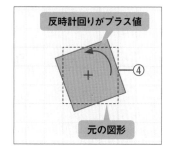

反時計回りがプラス値

元の図形

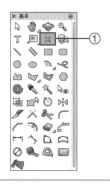

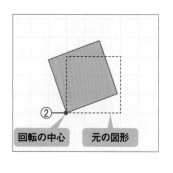

回転の中心　元の図形

DAY 02-18 図形のサイズを変更する（マウス操作）

📄 18_RESIZE_TEST.vwx

BEFORE　　　　　AFTER

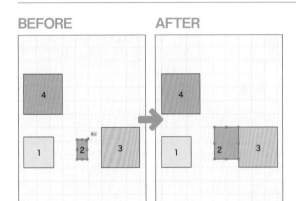

マウス操作で、図形の高さや幅を変更（リサイズ）できます。図形を選択したときに表示されるハンドルにカーソルを合わせると、リサイズカーソルに変わります。その状態でクリックし、目的のスナップポイントでクリックしてサイズを変更します。他の図形のスナップポイントを利用したサイズ変更は、図形スナップをオンにして行います。

図形の大きさを変更する

四角形2の右上の角を、四角形3の左上の角に合わせるように図形サイズを変更します。

1 四角形2を選択する。

> リサイズカーソルは、図形を選択しないと表示されません。

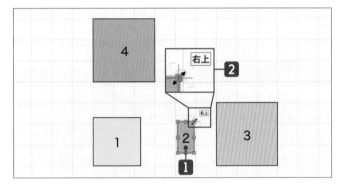

2 四角形2の右上のハンドルにカーソルを合わせ（「**右上**」のスクリーンヒントが表示される）、リサイズカーソルに変わることを確認してクリックする。

3 四角形3の左上のハンドルにカーソルを合わせ、「**左上**」のスクリーンヒントが表示されたらクリックする。

> カーソルの移動中に[**shift**]キーを押すと、縦横の比率を保ったままサイズを変更できます。

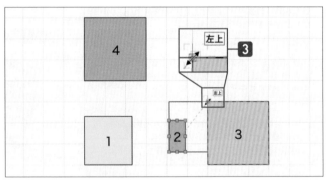

4 四角形2の右上の角が四角形3の左上の角に正確に合った状態にサイズ変更される。

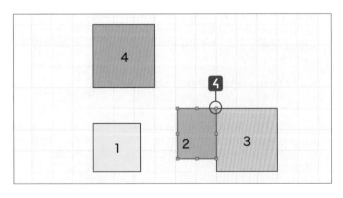

ポイント　スマートポイントを活用する

図形のサイズ変更は、他の図形に接する状態で行う場合が多いですが、そうではないケースもあります。スナップセットの [スマートポイント] をオンにすることで、図形がないところにスナップポイントを作り出せます（スマートポイントについてはP.19の表を参照）。

① 四角形**1**を選択する。

② 四角形**1**の右上のハンドルにカーソルを合わせ（「**右上**」のスクリーンヒントが表示される）、リサイズカーソルに変わったことを確認してクリックする。

スマートポイント

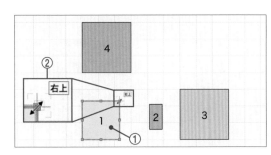

③ 四角形**3**の左上のハンドルにカーソルを合わせ、「**左上**」のスクリーンヒントを確認して少し停止する（クリックしない）。スマートポイント（赤い四角形）が表示される。

> 初期設定では、スマートポイント表示までのカーソルの停止時間は0.5秒に設定されています。

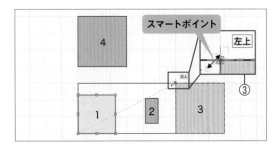

④ そのままカーソルを左へ移動すると、赤い補助線（水平線）が表示される。

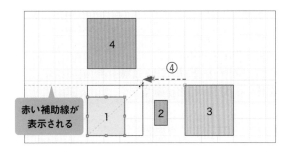
赤い補助線が表示される

⑤ 同様に四角形**4**の右下の角でカーソルを停止し、スマートポイントが表示されることを確認して下へ移動すると、緑の補助線（垂直線）が表示される。

⑥ 緑と赤の補助線の交点がスナップポイントとなるので、交点でクリックする。

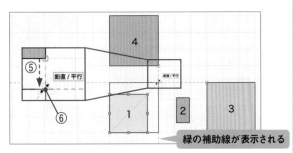
緑の補助線が表示される

⑦ 四角形**3**の上辺の位置と四角形**4**の右辺の位置に合ったサイズに変更される。

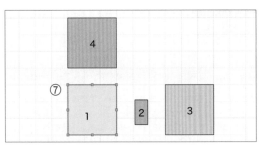

DAY
02

DAY 02-19 図形の前後関係を入れ替える

📄 19_FB_TEST.vwx

BEFORE **AFTER**

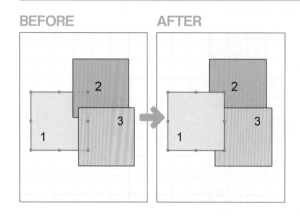

1つのレイヤ上にかかれた図形には必ず前後関係があり、後に作成した図形ほど前面に配置されます。離れた位置にある図形や、面のない図形の場合は特に気にしなくてもかまいませんが、面のある図形同士が重なり合う場合には、見え方が変わるので注意が必要です。図形の前後関係は[前後関係]コマンドで変更できます。ただし、図形の数が増えて前後関係のコントロールが難しくなった場合は、レイヤで振り分けましょう(レイヤ設定についてはP.40を参照)。

図形を一番前にする

最背面にある四角形1を、レイヤ上にかいた図形の最前面(一番手前)に入れ替えます。

1 四角形1を選択する。

2 メニューバーから[加工]−[前後関係]−[最前へ]を選択する。

3 四角形1が最も手前に表示される。

接している図形同士でも図形の前後関係の影響はあります。下図の例では、壁の図形の前面に洗面台の図形があるため、微妙ですが壁の断面線の太さが半分に表示されているのがわかります。

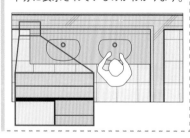

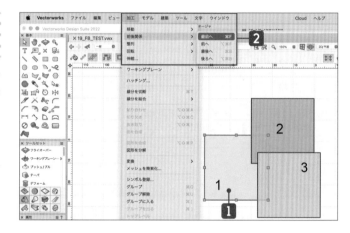

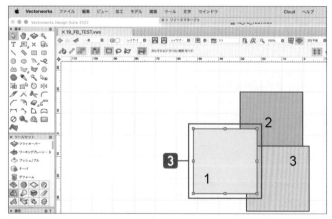

ポイント [前後関係]のコマンドメニューについて

ここで解説した[最前へ]のほか、[前へ][最後へ][後ろへ]があります。一番前または一番後ろに送る場合は[最前へ][最後へ]を、1つ前または1つ後ろに送る場合は[前へ][後ろへ]を選択します。離れた場所にかかれた図形も対象になるので、図形の数が多くなると[最前へ]と[最後へ]がよく使われます。ショートカットキーは[最前へ]が[command(Ctrl)]+[F]キー、[最後へ]が[command(Ctrl)]+[B]キーです。

DAY 03

2D作図の基本 (2)

3日目は、2D図形を効率的に作成および加工するための方法を学びます。

学習ポイント

- [ ] 図形の角を丸める／面取りする
- [ ] 複数の図形を組み合わせて加工する
- [ ] 線を接続する
- [ ] 線を面図形に変換する／面図形を線に分解する
- [ ] 図形を配列複製する
- [ ] 図形を反転する
- [ ] 図形をグループ化する
- [ ] 図形を整列させる

DAY 03-01 図形の角を丸める

📄 01_FILLET_TEST.vwx（完成版：01_FILLET_TEST_after.vwx）

BEFORE　　　　AFTER

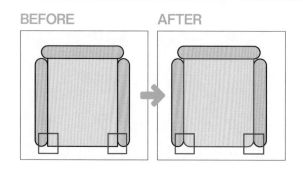

図形の角を丸めるには、基本パレットの[フィレットツール]を使用します。[フィレットツール]では、どの角をどれくらいの半径で丸めるかを柔軟に指定できます。
ここでは、椅子の座面の角を[フィレットツール]で丸めます。

椅子の座面の角を丸める

椅子の座面の角を半径40mmで丸めます。

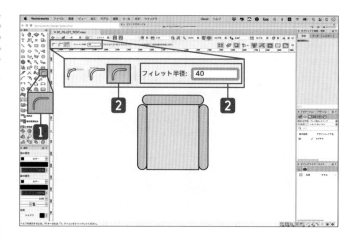

1 基本パレットの[フィレットツール]をクリックする。

2 ツールバーの[トリミングモード]をクリックし、[フィレット半径]に「40」と入力する。

> [トリミングモード]を選択すると、フィレットの適用時に元の線がトリミングされます。[標準モード]を選択すると、元の線を残したままフィレットが適用されます。

まず、座面となる四角形の左下の角を丸めます。

3 四角形の左辺にカーソルを合わせ、左辺がハイライト表示されたらクリックする。

4 四角形の下辺にカーソルを合わせ、下辺がハイライト表示されたらクリックする。

> 手順**3**と手順**4**のクリックの順序は、どちらが先でもかまいません。

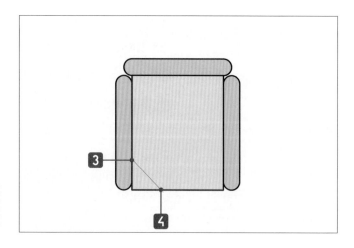

5 左下の角が丸められる。オブ
ジェクト情報パレットで図形タ
イプが**「四角形」**から**「曲線」**に変
わっていることを確認する。

加工をすることで、図形タイプが変化
します。図形タイプによっては加工が
できないものもあるので、現在作図し
ている図形タイプを確認し、把握して
おく習慣をつけましょう。

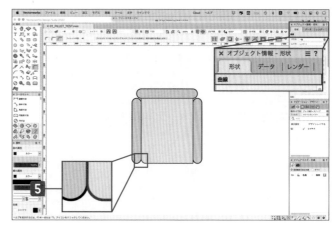

6 同様にして、右下の角も丸める。

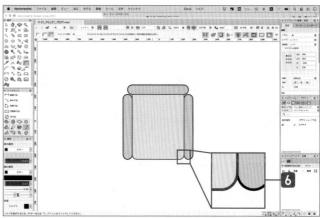

ポイント　　**すべての角を一度に同じ半径で丸める**

すべての角を同じ半径で丸めたい場
合は、[**フィレットツール**]で図形の
内側をダブルクリックします。ツール
バーで指定した半径で、すべての角が
一度に丸められます。

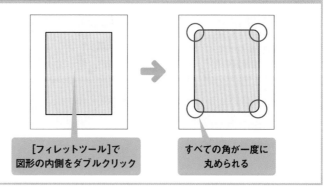

[フィレットツール]で
図形の内側をダブルクリック

すべての角が一度に
丸められる

ポイント　　**[フィレットツール]で直線を曲線で接続する**

この節では、[**フィレットツール**]で既
存の四角形の角を丸めましたが、2本
の直線を曲線で接続することもできま
す、手順は次のとおりです。
①基本パレットの[**フィレットツール**]
　をクリックする。
②ツールバーの[**トリミングモード**]を
　クリックし、[**フィレット半径**]に任
　意の値を入力する。
③それぞれの直線上でクリックする。

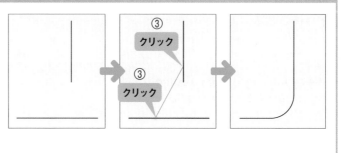

③
クリック

③
クリック

DAY 03-02 図形の角を面取りする

📄 02_BEVEL_TEST.vwx（完成版：02_BEVEL_TEST_after.vwx）

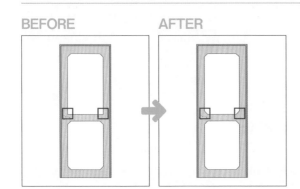

BEFORE　　　AFTER

図形の角を面取りするには、基本パレットの[面取りツール]を使用します。基本的な操作方法は[フィレットツール]（P.88を参照）と同じですが、角からの距離を辺ごとに設定できる点が異なります。さらに、[面取りの設定]ダイアログから設定を変更できます。

框戸の角を面取りする

框戸の角を45°の角度で面取りします。

1 基本パレットの[面取りツール]をクリックする。

2 ツールバーの[トリミングモード]をクリック、[1番目の線]と[2番目の線]に角からの長さ「50」を入力する。

> [トリミングモード]は、面取りと同時に元の線を削除します。また、[1番目の線]と[2番目の線]に同じ長さを入力すると、45°の角度の面取りとなります。

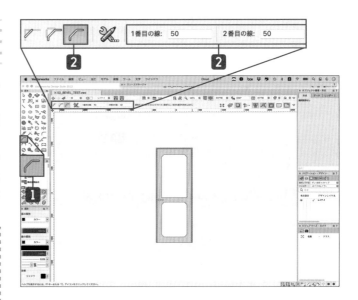

縦框と中桟の角を面取りします。

3 縦框の右辺にカーソルを合わせ、ハイライト表示されたらクリックする。

4 中桟の上辺にカーソルを合わせ、ハイライト表示されたらクリックする。

> 手順 3 と手順 4 のクリックの順序は、どちらが先でもかまいません。

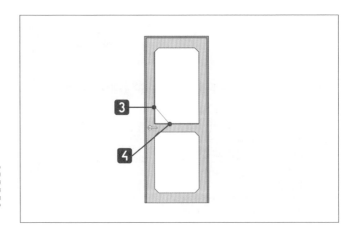

5 左下の角が面取りされる。

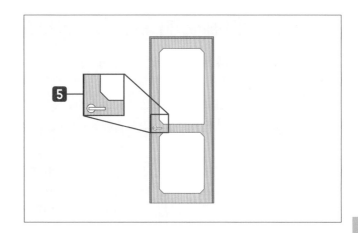

DAY
03

6 同様にして右下の角も面取りする。

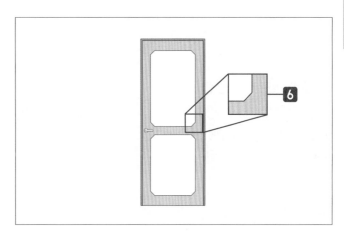

ポイント [面取りの設定]ダイアログ

[面取りツール]のツールバーの[ツール設定]をクリックすると、[面取りの設定]ダイアログが表示されます。ここで面取りの指定方法を[1番目と2番目の線][1番目の線と角度][面取り線の長さ]の3種類から選択できます。どの指定方法を選択したかによって、ダイアログ下部(および[面取りツール]のツールバー)に表示される入力ボックスが変化します。

ツール設定

■1番目と2番目の線	■1番目の線と角度	■面取り線の長さ

面の見付け幅(角から削る距離)2方向を指定します。	面の見付け幅1方向と面取りの角度を指定します。	面の長さ(面幅)を指定します。

DAY 03-03 図形を加工する（切り欠き）

📄 03_CUT_TEST.vwx（完成版：03_CUT_TEST_after.vwx）

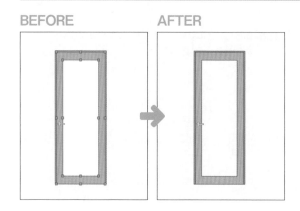

BEFORE → AFTER

2つ以上の重なり合う図形に対して[切り欠き]コマンドを使用すると、背面にある図形が、前面にある図形によってくり抜かれます（重なった部分が消去される）。この機能を利用すると、単純な図形を組み合わせて、複雑な形状の図形を作成できます。

類似の[貼り合わせ]コマンド（次ページ）、[抜き取り]コマンド（P.94）の説明も併せて参照してください。

背面の図形を前面の図形で切り欠く

重なり合う2つの四角形に対して[切り欠き]コマンドを実行し、扉の框とガラスを作成します。

1 框となる四角形Ⓐと、ガラスとなる四角形Ⓑを選択する（[shift]キーを押しながら複数選択）。

> 重なっているのでわかりにくいですが、前面の四角形をずらすと、右図のようになっています。

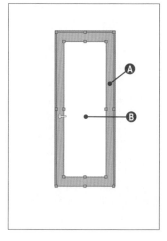

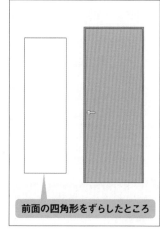

前面の四角形をずらしたところ

2 メニューバーから[加工]－[切り欠き]を選択する。

3 背面にある四角形が、前面の四角形でくり抜かれる。

> 重なっているのでわかりにくいですが、前面の四角形をずらすと、右図のようになっています。

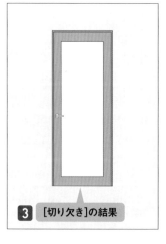

3 [切り欠き]の結果

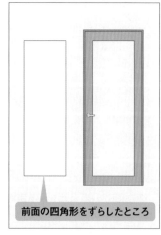

前面の四角形をずらしたところ

DAY 03-04 図形を加工する（貼り合わせ）

📄 04_PATCH_TEST.vwx（完成版：04_PATCH_TEST_after.vwx）

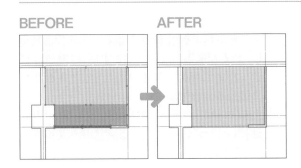

BEFORE　　　　　AFTER

2つ以上の重なり合う（または接している）図形に対して［貼り合わせ］コマンドを使用すると、1つの図形として結合できます（元の図形は残らない）。この機能を利用すると、単純な図形を組み合わせて、複雑な形状の図形を作成できます。

類似の［切り欠き］コマンド（前ページ）、［抜き取り］コマンド（次ページ）の説明も併せて参照してください。

3つの四角形を貼り合わせる

3つの四角形を貼り合わせて、複雑な形状の床を作成します。

1 壁の内側にある3つの四角形（Ⓐ、Ⓑ、Ⓒ）を選択する（［shift］キーを押しながらクリックして複数選択）。

2 メニューバーから［加工］－［貼り合わせ］を選択する。

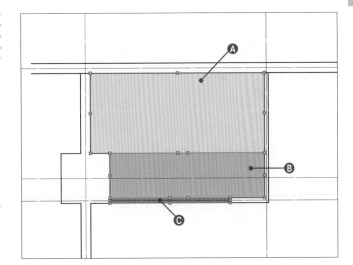

3 3つの四角形が貼り合わされ、床の図形が作成される。

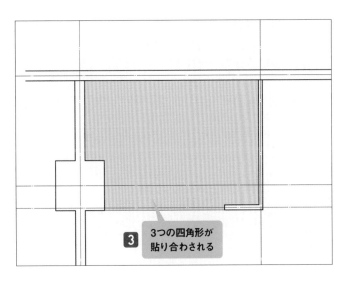

3 3つの四角形が貼り合わされる

DAY 03-05 図形を加工する（抜き取り）

📄 05_INTERSECT_TEST.vwx（完成版：05_INTERSECT_TEST_after.vwx）

BEFORE　　　　**AFTER**

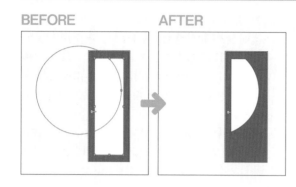

2つの重なり合う図形に対して[抜き取り]コマンドを使用すると、図形の重なった部分を抽出し、新たな図形を作成できます（元の図形は残る）。単純な図形を組み合わせて、複雑な形状の図形を作成できます。

類似の[切り欠き]コマンド（P.92）、[貼り合わせ]コマンド（前ページ）の説明も併せて参照してください。

図形の重なりを利用して新しい図形を作成する

建具のガラスと円が重なっている部分から、新しい図形を作成します。

1 ガラスの図形🅐と円🅑を選択する（[shift]キーを押しながら複数選択）。

> 円🅑は、背後にある図形が見えるように面の色を「なし」にしています（[面の属性]リストから[なし]を選択）。

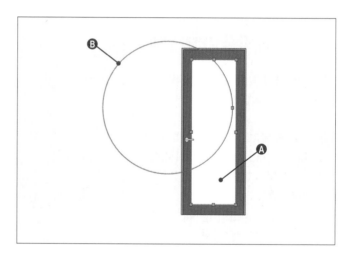

2 メニューバーから[加工]－[抜き取り]を選択する。

3 2つの図形の重なった部分が抽出され、新たな図形が作成される。

> DAY 03-03〜05の[切り欠き][貼り合わせ][抜き取り]コマンドは、選択した図形を右クリックして表示されるメニューからも実行できます。カーソルの移動距離が短いので、慣れるとこちらの操作のほうが便利です。

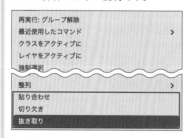

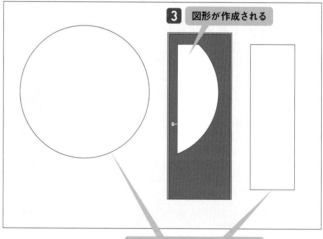

3 図形が作成される

図形🅐と円🅑をずらしたところ

ポイント　**[面を合成]コマンド**

2つ以上の重なり合う図形に対して**[面を合成]**コマンド(メニューバーから**[加工]**−**[面を合成]**を選択)を使用すると、図形同士で囲まれた範囲から新たな図形を作成できます(元の図形は残る)。手順は次のとおりです。

①ガラスの図形**Ⓐ**と円**Ⓑ**を選択する。
②メニューバーから**[加工]**−**[面を合成]**を選択する。
③カーソルがバケツの形状(塗りつぶしカーソル)に変わるので、円と重なっていないガラスの部分をクリックする。
④クリックした部分を囲む領域から新しい図形が作成される。

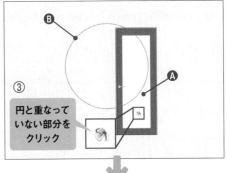

③
円と重なっていない部分をクリック

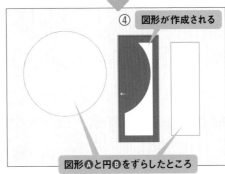

④ 図形が作成される

図形Ⓐと円Ⓑをずらしたところ

この例での**「図形同士で囲まれた範囲」**とは、図の番号で示した3つの範囲です。**[面を合成]**コマンドでは、新しい図形にする領域を選択的に指定できるため、前ページで解説した**[抜き取り]**コマンドとは異なり、図形同士が重なっていない部分からも図形を作成することが可能です。

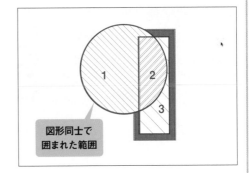

図形同士で囲まれた範囲

上記の手順を実行すると、ガラスと円を選択して**[切り欠き]**コマンド(P.92を参照)を実行したときと同じような結果になりますが、**[切り欠き]**コマンドの場合は元の図形が残らないという違いがあります。

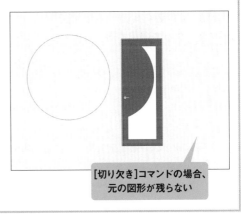

[切り欠き]コマンドの場合、元の図形が残らない

DAY
03

DAY 03-06 線を接続する（延長）

📄 06_LINE_TEST_01.vwx（完成版：06_LINE_TEST_01_after.vwx）

BEFORE　**AFTER**

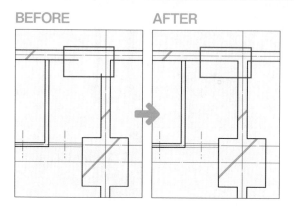

基本パレットの[結合/合成ツール]を使用すると、線を特定の図形まで延長して接続できます。この方法は、プランの変更などによって図面の線を修正しなければならないときに便利です。

[結合/合成ツール]にはいくつかのモードがありますが、ここでは[結合モード]を使用します。

線を延長して接続する

壁の線を延長して、コーナーを作成します。

1 基本パレットの[**結合/合成ツール**]をクリックする。

2 ツールバーの[**結合モード**]をクリックする。

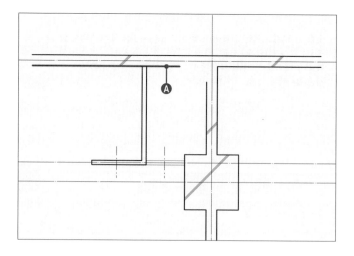

3 壁の線Ⓐにカーソルを合わせる。線がハイライト表示されたら、クリックして選択する。

4 壁の線**B**にカーソルを合わせる。線がハイライト表示されたら、クリックして選択する。

> 壁の線をクリックする順は、**A**→**B**、**B**→**A**でもどちらでもよいです。

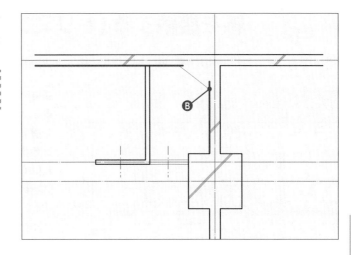

5 線が延長され、コーナーが作成される。

> 線**A**、**B**両方を選択後、メニューバーから[**加工**]−[**線分を結合**]−[**結合(直)**]を選択しても、同じ処理が行えます。

> [**結合(直)**]コマンドのショートカットキーは[**command(Ctrl)**]+[**J**]キーです。

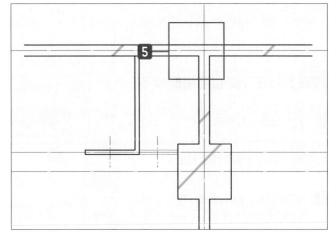

ポイント　　　　線を他の図形の辺まで延長する

前ページの手順**2**で、[**基準図形への結合モード**]を選択して、**1**延長する線→**2**接続先の線の順にクリックすると、他の図形の辺まで延長できます。[**基準図形への結合モード**]では、必ず**1**→**2**の順にクリックします。

基準図形への結合モード

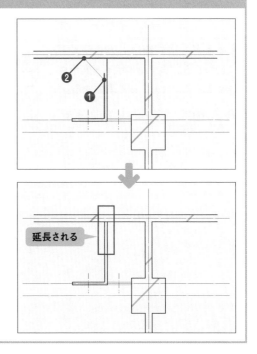

延長される

DAY 03-07 線を接続する（トリミング）

📄 07_LINE_TEST_02.vwx（完成版：07_LINE_TEST_02_after.vwx）

BEFORE　　　AFTER

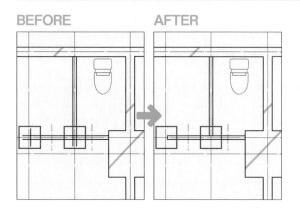

基本パレットの[結合/合成ツール]を使用すると、特定の図形を基準とし、線をトリミングして接続することができます。この方法は、プランの変更などによって図面の線を修正しなければならないときに便利です。

[結合/合成ツール]にはいくつかのモードがありますが、ここでは[基準図形への結合モード]と[結合モード]を切り替えて使用します。

線をトリミングして接続する

壁の線のはみ出した部分をトリミングして、コーナーを作成します。まず、Y軸方向の壁の下端を修正します。

1 基本パレットの[**結合/合成ツール**]をクリックする。

2 ツールバーの[**基準図形への結合モード**]をクリックする。

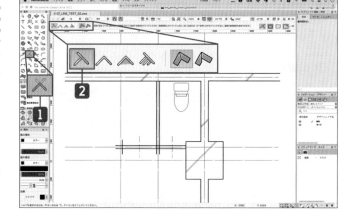

3 長すぎる壁の線Ⓐにカーソルを合わせる。線がハイライト表示されたら、クリックして選択する。

> 長さを調整（トリミング）したい線を先に選択します。

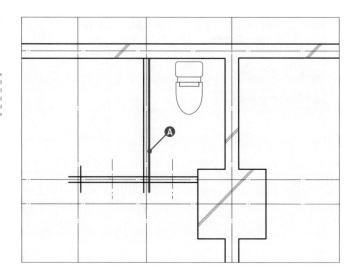

4 トリミングの基準になる壁の線
  Bにカーソルを合わせる。線が
  ハイライト表示されたら、ク
  リックして選択する。

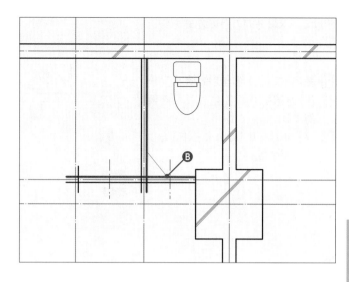

DAY
03

5 線がトリミングされ、はみ出し
  ていた部分が消去される。

［基準図形への結合モード］では、選択
した2本の線が離れている場合、1つ
目に選択した線が、2つ目に選択した
線まで延長されます。2本の線が交差
している場合は、1つ目に選択した線
が、2つ目に選択した線との交点でト
リミングされます（2つ目の線は変化
がない）。

2本の線が離れて
いる場合

2本の線が交差し
ている場合

6 同様にして、反対側の壁の線**C**
  もトリミングする。

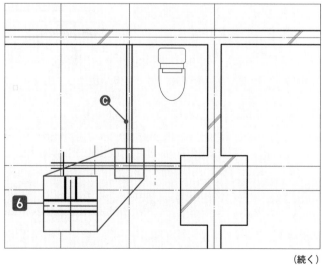

（続く）

続けて、X軸方向の壁の左端を修正します。

7 基本パレットの**[結合/合成ツール]**が選択されていることを確認する。

8 ツールバーの**[結合モード]**をクリックする。

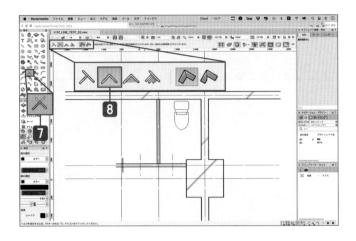

9 長すぎる壁の線**D**にカーソルを合わせる。線がハイライト表示されたら、クリックして選択する。

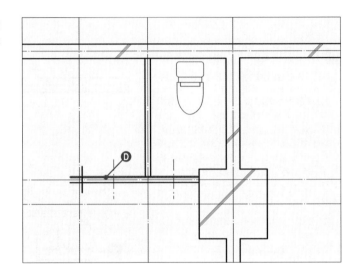

10 トリミングの基準になる壁の線**E**にカーソルを合わせる。線がハイライト表示されたら、クリックして選択する。

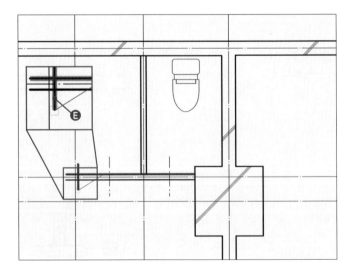

11 線がトリミングされ、はみ出し
ていた部分が消去される。

前ページの手順**8**で[**結合モード**]を
選択しているため、2本の線が結合さ
れる形でトリミングされます。

線**D**、**E**両方を選択後、メニューバーか
ら[**加工**]−[**線分を結合**]−[**結合(直)**]
を選択しても、同じ処理が行えます。

[**結合(直)**]コマンドのショートカット
キーは[**command(Ctrl)**]+[**J**]キーです。

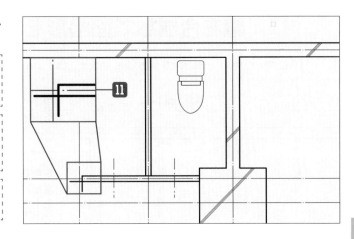

12 同様にして、反対側の壁の線**F**
もトリミングする。

[**結合モード**]は、線をクリックする
位置が重要です。必ず作成したいコー
ナーの内側をつなぐように選択しま
しょう。同じ線でも選択する位置が異
なると、結果が変わってきます。

この2カ所でクリックした場合

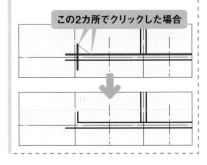

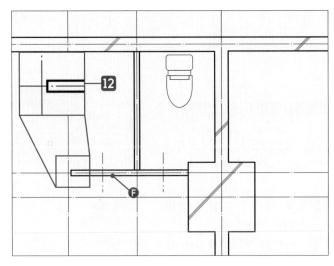

ポイント　　**[トリミングツール]を使用したトリミング**

線をトリミングするには、基本パレットの[**ト
リミングツール**]を使用する方法もあります。
[**トリミングツール**]は、2つの線を選択する
必要がなく、交差した線のトリミングしたい
部分をクリックするだけで済み、1クリックで
順にトリミングできるのが利点です。ただし、
交差する線が多い場合は、線を指定する[**結
合/合成ツール**]のほうが使いやすいでしょう。
[**トリミングツール**]を使用する手順は次のと
おりです。

①基本パレットの[**トリミングツール**]をク
　リックする。
②ツールバーの[**すべての図形モード**]をク
　リックする。
③トリミングしたい部分をクリックする。トリ
　ミングされる。
④続けてトリミングしたい部分をクリックする。

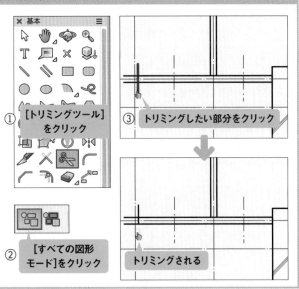

① [**トリミングツール**]
をクリック

② [**すべての図形
モード**]をクリック

③ **トリミングしたい部分をクリック**

トリミングされる

DAY 03-08 線を合成して面図形を作成する

📄 08_LINE_POLY_TEST.vwx（完成版：08_LINE_POLY_TEST_after.vwx）

BEFORE　　**AFTER**

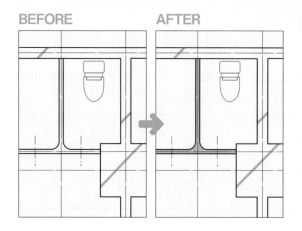

基本パレットの[結合/合成ツール]の[合成モード]を使用すると、複数の既存の線を合成して、閉じた1つの図形（「面図形」と呼ぶ）を作成できます。図形に色をつけるには、面（P.65を参照）が必要です。線（直線、円弧、開いた曲線、開いた多角形）だけで構成されている図形（「線図形」と呼ぶ）の領域に色をつけたい場合などに、この方法を使用します。たとえば、線図形で作成した壁に着色するとき、面図形に変換して色をつけます。

線図形を面図形に変換する

直線と円弧で作図された壁を合成して、色のつけられる壁を作成します。

1 基本パレットの[結合/合成ツール]をクリックする。

2 ツールバーの[合成モード]をクリックする。

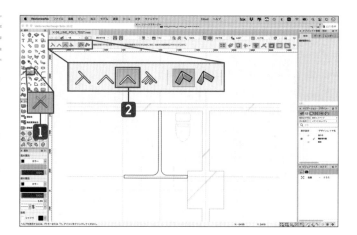

3 左側の壁の線🄰にカーソルを合わせる。線がハイライト表示されるので、クリックして選択する。

> わかりやすいように、間仕切り壁以外はグレイ表示にしています。

4 隣り合う線🄱にカーソルを合わせる。線がハイライト表示されるので、クリックして選択する。

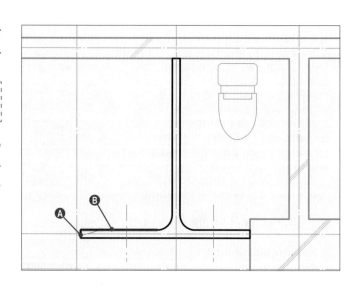

5 選択した線の内側に面が作成される。

思いどおりの位置に面ができない場合は、[command（Ctrl）]＋[Z]キーを押して元に戻り、線を指定し直してください。

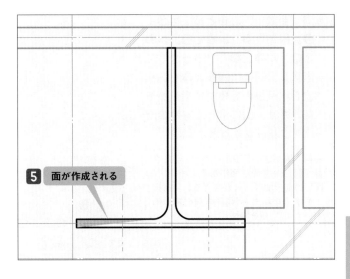

5 面が作成される

DAY
03

続けて、隣り合う2線を選択していきます。

6 隣り合う線**B**と**C**を選択する。

円弧、曲線などの図形タイプも合成できます。

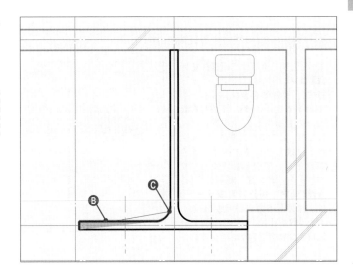

B **C**

7 選択した線が合成され、面が追加される。

面は、合成された線の端点同士をつなぐ形で作成されます。一時的に意図せぬ部分に面が作成されますが、気にせず進めます。

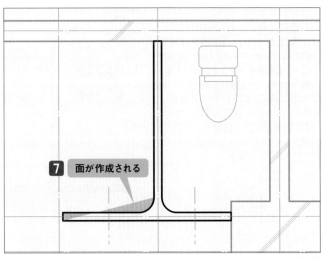

7 面が作成される

（続く）

8 同じ要領で、線**C**と**D**、線**D**と**E**、線**E**と**F**、線**F**と**G**、線**G**と**H**、線**H**と**I**とクリックして選択し、最後に線**I**と**J**を選択する。最後の線**J**が選択しづらいときは、図に示した線**J**の端点をクリックするとよい。

> 最後の線が選択しづらいのは、合成された図形が線の前面にあるためです。図形の前後関係を入れ替えると、選択しやすくなります(図形の前後関係についてはP.86を参照)。

9 線図形が面図形に変換される。

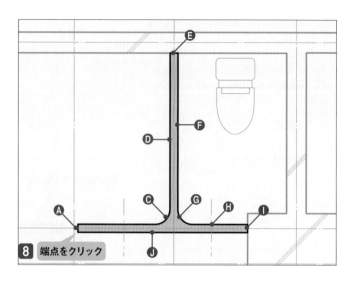

8 端点をクリック

ポイント　[図形を合成]コマンド

すべての線を選択して、**[図形を合成]**コマンド(メニューバーから**[加工]**-**[図形を合成]**を選択)を使用すると、一度に線図形を面図形に変換することができます。ただし、このコマンドでは、線図形を構成しているすべての線の端点が接している必要があります。一方、この節で解説した**[結合/合成ツール]**の**[合成モード]**は、線図形の端点が接していなくても、線を延長／トリミングして面図形に変換できるのが特徴です。

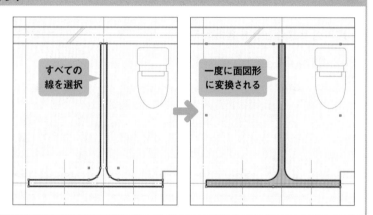

すべての線を選択

一度に面図形に変換される

ポイント　[図形を分解]コマンド

面図形を線のみの図形(線図形)に変換するには、**[図形を分解]**コマンド(メニューバーから**[加工]**-**[図形を分解]**を選択)を使用します。分解後も円弧や曲線などは面の属性を持ちますが、属性パレットで**[面の属性]**から**[なし]**を選択すると線のみとなります。

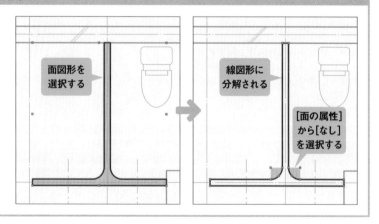

面図形を選択する

線図形に分解される

[面の属性]から**[なし]**を選択する

DAY 03-09 等間隔で複製する(直線状)

📄 09_ALINECOPY_TEST_01.vwx(完成版:09_ALINECOPY_TEST_01_after.vwx)

BEFORE　　　　　AFTER

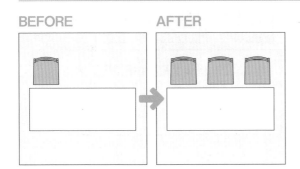

図形を決められた値で等間隔に複製するには、[配列複製...]コマンドを使用します。
[配列複製]ダイアログの[複製の形式]で[直線状に並べる]を選択すると、図形を直線状(水平、垂直、斜め)に同じ間隔を空けて複製できます。

水平方向に配列複製する

椅子を水平方向に620mm間隔で2つ複製します。

1 椅子を選択する。

2 メニューバーから[編集]－[配列複製...]を選択する。[配列複製]ダイアログが表示される。

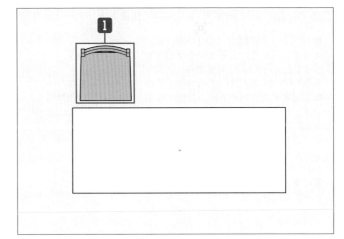

3 [複製の形式]で[直線状に並べる]を選択する。

4 [複製の数]に「2」と入力する。

5 [複製位置の指定方法]で[X-Y座標を基準に設定]を選択する。[X]に「620」と入力し、[Y]と[Z]に「0」と入力する。

6 [元の図形]の[残す]にチェックを入れる。

7 [OK]をクリックする。

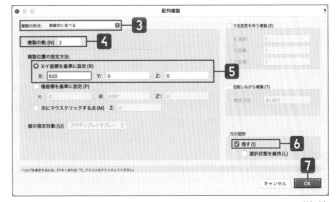

(続く)

8 水平方向に620mm間隔で2つ
の椅子が複製される。

前ページの手順 **5** で指定した値は、
図形の中心からの距離を表します。こ
こでは手順 **6** で[**残す**]にチェックを
入れたため、元の図形を残して配列複
製が行われています。

前ページの手順 **5** で[**Z**]に数値を指
定すると、3D空間での配列複製がで
きます（3D空間の座標系については
P.186を参照）。

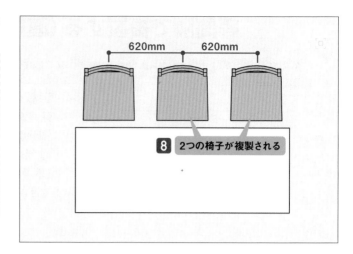

8 2つの椅子が複製される

ポイント 　**垂直／斜め方向への配列複製**

前ページの手順 **5** では[**X**]のみに距離
を指定したので、水平方向の複製とな
りました。[**Y**]のみに距離を指定すると
垂直方向の複製、[**X**]と[**Y**]の両方に距
離を指定すると斜め方向の複製になり
ます。
図の例では、[**X**]に「**620**」、[**Y**]に「**500**」
と入力して、斜め方向の配列複製をし
ています。
斜め方向の複製をする場合は、[**複製位
置の指定方法**]で[**極座標を基準に設定**]
を選択し、極座標で指定したほうが便
利なこともあります（極座標の使用例に
ついてはP.108のポイントを参照）。

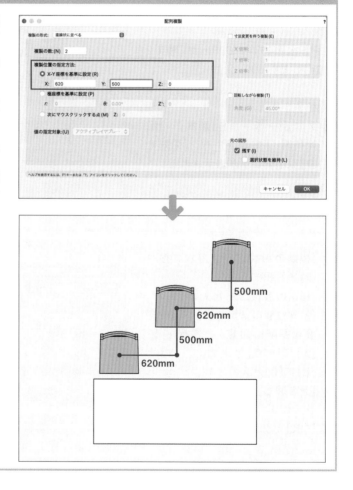

DAY 03-10 等間隔で複製する（行列状）

📄 10_ALINECOPY_TEST_02.vwx（完成版：10_ALINECOPY_TEST_02_after.vwx）

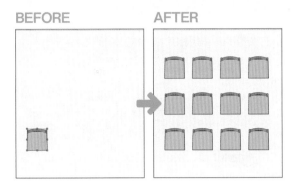

BEFORE AFTER

図形を決められた値で等間隔に複製するには、[配列複製...]コマンドを使用します。
[配列複製]ダイアログの[複製の形式]で[行列状に並べる]を選択すると、図形を行と列に等間隔で複製できます。

DAY
03

行列状に配列複製する

椅子を4列×3行に複製します。水平方向は600mm間隔、垂直方向は750mm間隔で複製します。

1 椅子を選択する。

2 メニューバーから[編集]－[配列複製...]を選択する。[配列複製]ダイアログが表示される。

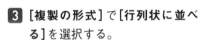

3 [複製の形式]で[行列状に並べる]を選択する。

4 [列数]に「4」、[行数]に「3」と入力する。

5 [列の間隔]に「600」、[行の間隔]に「750」と入力する。

6 [元の図形]の[残す]にチェックを入れる。

7 [OK]をクリックする。

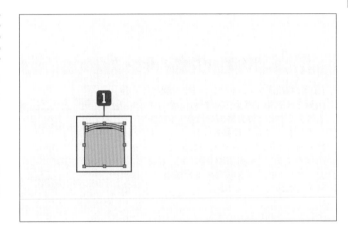

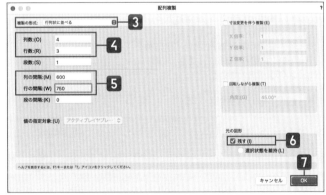

（続く）

8 水平方向に4列の椅子が600mm
間隔で、垂直方向に3行の椅子が
750mm間隔で並んで複製される。

前ページの手順 **5** で指定した値は、
図形の中心からの距離を表します。こ
こでは手順 **6** で [残す] にチェックを
入れたため、元の図形を残して配列複
製が行われています。

前ページの手順 **4**、**5** で [段数] およ
び [段の間隔] に数値を指定すると、
3D空間での配列複製ができます。
「段」は3D空間のZ軸を表します（3D空
間の座標系についてはP.186を参照）。

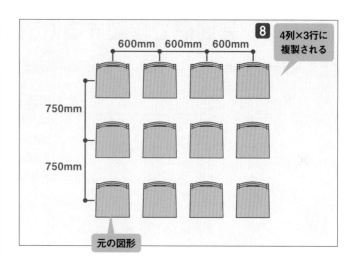

ポイント　配列複製で複製と移動を一度に行う

[配列複製...] コマンドは、本来、複数の
図形をまとめて複製するために使用す
るコマンドですが、複製の数を1つに設
定すると、複製と移動を一度に行う手
段としても利用できます。たとえば次
の手順では、[配列複製...] コマンドを
使って1つの図形を複製すると同時に、
右上に移動しています。

① 複製する図形を選択する。
② メニューバーから [編集] － [配列複
　製...] を選択する。
③ [配列複製] ダイアログで [複製の形式]
　から [直線状に並べる] を選択する。
④ [複製の数] に「1」と入力する。
⑤ [複製位置の指定方法] から [極座標を
　基準に設定] を選択し、[r]（距離）に
　「1000」、[θ]（角度オフセット）に「35」
　と入力する。
⑥ [OK] をクリックする。

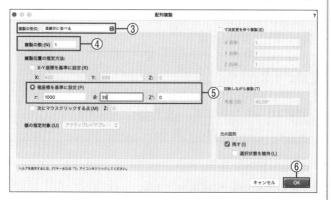

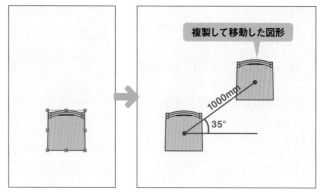

等間隔で複製する（円弧状）

📄 11_ALINECOPY_TEST_03.vwx（完成版：11_ALINECOPY_TEST_03_after.vwx）

BEFORE

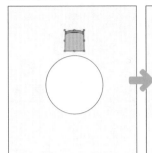

AFTER

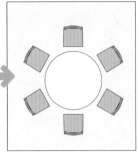

図形を決められた値で等間隔に複製するには、[配列複製...]コマンドを使用します。
[配列複製]ダイアログの[複製の形式]で[円弧状に並べる]を選択すると、指定した点を中心として、図形を円弧状に複製できます。

円弧状に配列複製する

椅子を円テーブルの周囲に円弧状に複製します。60°ずつ回転しながら、5つの複製を作成します。

1 椅子を選択する。

2 メニューバーから[編集]－[配列複製...]を選択する。[配列複製]ダイアログが表示される。

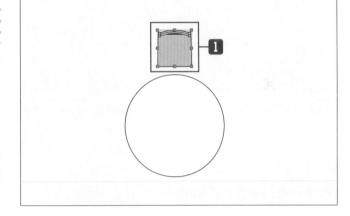

3 [複製の形式]で[円弧状に並べる]を選択する。

4 [複製の数]に「5」と入力する。

5 [複製の角度]に「60」と入力する。

6 [円の中心点]で[次にマウスクリックする点]を選択する。

> [次にマウスクリックする点]を選択すると、複製の中心点を後でクリックして指定できます。中心点の座標が決まっている場合は、[X]と[Y]に座標を入力してもかまいません。

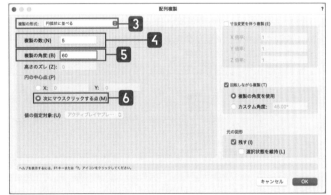

（続く）

7 [回転しながら複製]にチェック
を入れる。

8 [元の図形]の[残す]にチェック
を入れる。

9 [OK]をクリックする。

10 円テーブルの中心をクリックする。

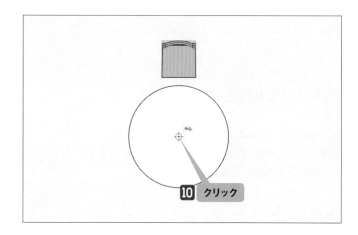

11 椅子が円テーブルの周囲に配列
複製される。

手順**7**で[回転しながら複製]に
チェックを入れたため、すべての椅子
が円テーブルの中心を向くように回転
して複製されます。チェックを外した
場合は下図のようになります。

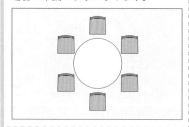

[配列複製]ダイアログの[複製の数]と
[複製の角度]に指定した値によって、
円周のどの角度まで複製されるかが決
まります。
[元の図形]の[残す]にチェックを入
れて、1周（360°）に図形を均等に並
べる場合の複製の数は、（360÷複製
の角度）−1と覚えましょう。

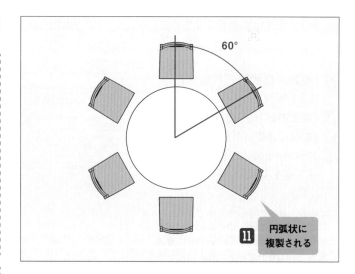

DAY 03-12 図形を反転する

📄 12_MIRROR_TEST.vwx（完成版：12_MIRROR_TEST_after.vwx）

BEFORE　　　　　　　**AFTER**

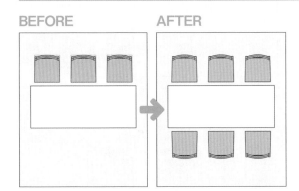

図形を反転して鏡像を作成するには、基本パレットの[ミラー反転ツール]を使用します。[ミラー反転ツール]は、指定した軸を基準として、線対称の図形を作成します。元の図形を残したまま鏡像を作成するには[複製モード]、元の図形を残す必要がない場合は[標準モード]を使用します。

図形を反転する対称軸は、垂直や水平だけでなく、斜めの軸も指定できます。

DAY
03

図形を反転複製する

3つの椅子をテーブルの反対側に上下反転して複製します。

1 3つの椅子を選択する。

2 基本パレットの[ミラー反転ツール]をクリックする。

3 ツールバーの[複製モード]をクリックする。

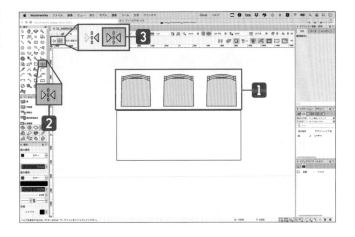

4 テーブルの左辺の中点をクリックする。

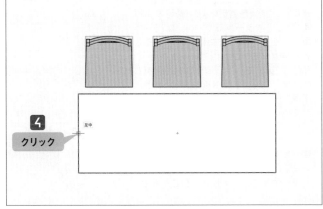

（続く）

5 カーソルを移動するとガイドが引き出されるので、水平右方向に移動し、任意の点をクリックして確定する。

> ここでかいたガイドが対称軸となります。軸の長さは短くてもかまいません。正確に上下反転させるために、スナップやスクリーンヒントを利用して、水平なガイドを指定してください。

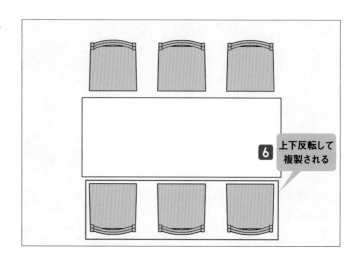

6 手順**5**のガイドを対称軸として線対称の図形が複製される。

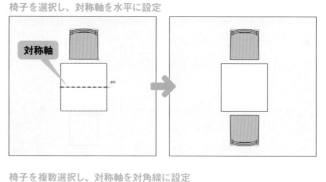

ポイント **［ミラー反転ツール］の対称軸**

［ミラー反転ツール］は、指定した軸を基準として、線対称の図形を作成します。図形を反転させるコマンドとしては、ほかに**［水平反転］**と**［垂直反転］**（メニューバーから**［加工］**－**［回転］**－**［水平反転］**または**［垂直反転］**を選択）がありますが、**［ミラー反転ツール］**は図形を反転する対称軸を自由に設定できることが特徴です。図の例では、正方形（ここでは、テーブル）の四方に同じ図形（ここでは、椅子）を並べる操作に**［ミラー反転ツール］**を使用しています。

ちなみに**［ミラー反転ツール］**を選択中でも、**［command（Alt）］**キーを押すことで一時的に**［セレクションツール］**に切り替わり、図形選択可能な状態になります。さらに**［shift］**キーを押しながら選択することで複数選択ができます。

椅子を選択し、対称軸を水平に設定

椅子を複数選択し、対称軸を対角線に設定

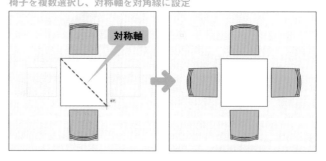

DAY 03-13 図形をグループ化する

📄 13_GROUP_TEST.vwx（完成版：13_GROUP_TEST_after.vwx）

BEFORE **AFTER**

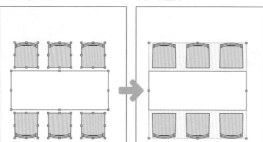

複数の線や図形をまとめて1つの図形として扱えるのが「グループ」です。グループ化すると、複数の図形を1つの図形として扱えるので、選択、移動、複製などが行いやすくなります。
グループ化した後に、グループ内の図形を編集したり、グループから削除したりすることも可能です。また、いくつかのグループをさらにグループにすること（階層化）もできます。

複数の図形をグループ化する

6つの椅子とテーブルをグループ化します。

1 椅子とテーブルをすべて選択する。

> 椅子は複数の図形から構成されていますが、すでにグループ化されているので、ワンクリックで選択できます。

2 メニューバーから[加工]−[グループ]を選択する。

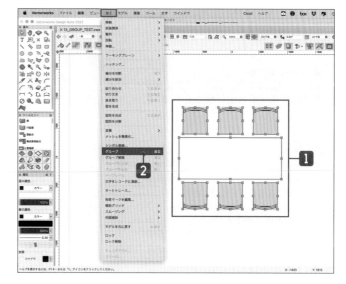

3 選択した図形がグループ化される。

> グループ化されると、個々の図形の周りではなく、グループの周りにハンドルが表示されます。

> グループを解除するには、グループを選択して、メニューバーから[加工]−[グループ解除]を選択します。ショートカットキーは[グループ]が[command(Ctrl)]＋[G]キー、[グループ解除]が[command(Ctrl)]＋[U]キーです。

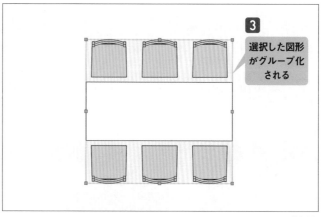

選択した図形がグループ化される

（続く）

　グループ内の図形の編集

グループ図形は、そのままでは加工（切り欠き、貼り合わせなど）ができない図形タイプの1つです。また、線の太さや線／面の色などを変更すると、グループ化した図形すべてが同じ属性になってしまいます。そのため、グループを加工したり編集したりする場合は「**グループに入る**」という操作が必要です。

■**グループに入る**

グループに入るには、グループをダブルクリックするか、グループを選択して、メニューバーから[**加工**]－[**グループに入る**]を選択します（上図）。グループに入ると、作業領域が太いオレンジ色の枠で囲まれます（グループ編集モード）。グループ編集モードでは、グループ外の他の図形はクイック設定コマンドの[**編集モード時に他の図形を表示**]をオンにしているとグレイ表示（淡色表示）されます。グレイ表示された図形へのスナップも有効です。

■**グループを出る**

グループを出るには、グループ編集モードで作業領域の右上に表示される[**グループを出る**]をクリックします（中図）。

■**グループの階層を下る／戻る**

グループ内にさらにグループがある場合は、それをダブルクリック（他の図形が選択状態であるときは、一度空クリックしてから）することで、下層のグループに入ることができます（下図）。

下層のグループから1つ上の階層に戻るには、[**グループを出る**]をクリックします。下層のグループから一気にすべてのグループを出るには、メニューバーから[**加工**]－[**トップレベル**]を選択します。

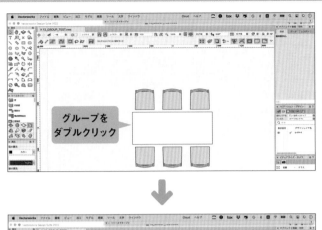

グループをダブルクリック

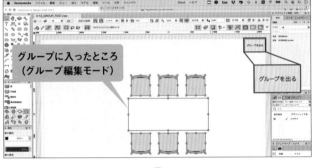

グループに入ったところ（グループ編集モード）

グループを出る

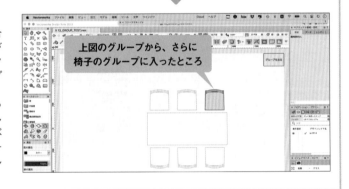

上図のグループから、さらに椅子のグループに入ったところ

グループ編集モード時に、グレイ表示された他の図形が重なっていて、操作しづらい場合は、クイック設定コマンドの[**編集モード時に他の図形を表示**]をオフにして、他の図形を非表示にできます。適宜、表示／非表示を使い分けましょう。

クイック設定コマンド

[編集モード時に他の図形を表示]をオフ

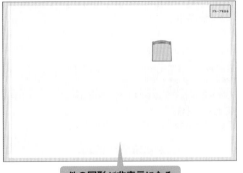

他の図形が非表示になる

DAY 03-14 図形を整列させる

14_ALINE_TEST.vwx（完成版：14_ALINE_TEST_after.vwx）

BEFORE　　　　**AFTER**

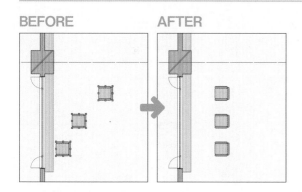

複数の図形の位置を正確に揃えるには、[整列...]コマンドを使用します。どの位置に揃えるかは、[整列]ダイアログで指定します。左揃え、右揃え、上揃え、下揃えのほかに、左右中央、上下中央に揃えることができます。

DAY
03

図形を左右中央に揃える

バラバラの位置にある3つの椅子を、現在位置の左右中央に揃えます。

1 3つの椅子を選択する。

2 メニューバーから[加工]－[整列]－[整列...]を選択する。[整列]ダイアログが表示される。

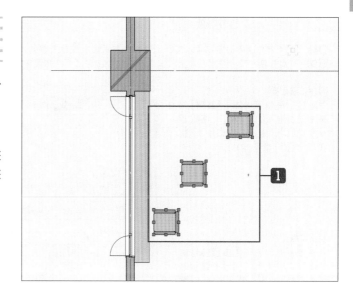

3 プレビューの下にある[整列]にチェックを入れ、[左右中央]を選択する。

4 [OK]をクリックする。

ここでは水平方向の位置基準を指定するので、プレビューの下にある[整列]にチェックを入れます。垂直方向の位置基準を指定するときは、プレビューの右にある[整列]にチェックを入れます。
プレビューには現在の設定の状態が表示されるので、思いどおりの配置になっていることを確認してから[OK]をクリックしましょう。

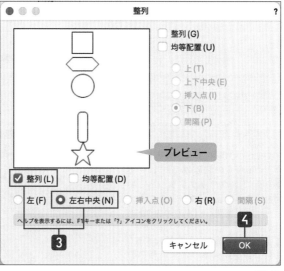

（続く）

5 3つの椅子が手順**1**の配置の左
右中央に整列される。

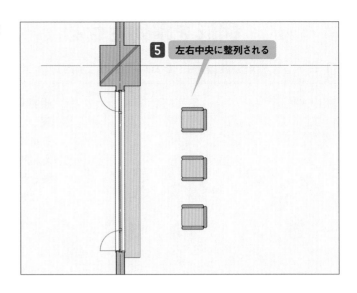

ポイント　その他の整列

[整列]ダイアログの設定によって、図形をさまざまな並びで整列させることができます。この節で使用した練習ファイルを使って、左または上に揃える場合の設定とその結果を紹介します。

■左に揃える
プレビューの下にある**[整列]**に
チェックを入れ、**[左]**を選択し
ます（プレビューの右にある**[整
列]**はチェックを外す）。

■上に揃える
プレビューの右にある**[整列]**に
チェックを入れ、**[上]**を選択し
ます（プレビューの下にある**[整
列]**はチェックを外す）。

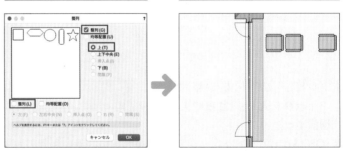

ポイント　指定した図形に整列させる

指定した図形を基準にして整列させる
こともできます。
①整列させたい図形をすべて選択する。
②基準となる任意の図形（左図では一番
右の椅子）を右クリックする。
③表示されるメニュー（コンテキストメ
ニュー）から**[整列]**－**[左右中央]**を選
択する。
④指定した図形を基準にして整列する。
ほかにもコンテキストメニュー独自の
整列コマンドが用意されているので、
試してみましょう。

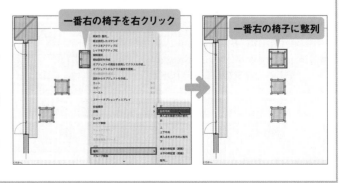

DAY 03-15 : 2D基準点で整列させる

📄 15_POINT_TEST.vwx（完成版：15_POINT_TEST_after.vwx）

BEFORE　　　**AFTER**

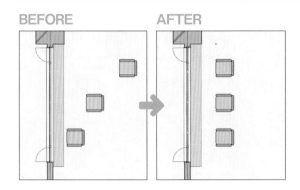

基本パレットの[2D基準点ツール]を使用すると、2D基準点を作成できます。2D基準点は、線や面を持たない「点」の図形であり（印刷もされない）、[整列...]コマンドで図形を整列させる基準として使用できます。

DAY
03

基準点に合わせて整列する

柱から右に500mm離れた位置に2D基準点を作成し、それに合わせて3つの椅子を左揃えにします。

1 基本パレットの[**2D基準点ツール**]をクリックする。

2 柱の右下端点をクリックし、2D基準点を作成する。

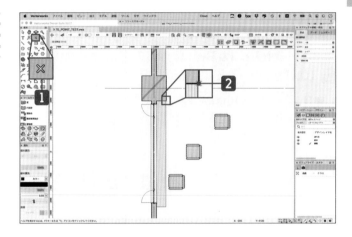

3 2D基準点をX軸プラス方向に500mm移動する。

┌─────────────────────────┐
│ 図形の移動については、P.80を参照 │
│ してください。 │
└─────────────────────────┘

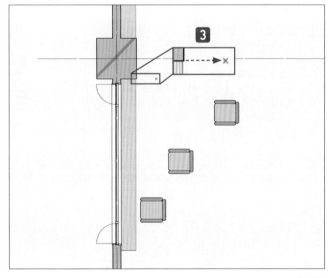

（続く）

4 2D基準点と3つの椅子を選択する。

5 メニューバーから[**加工**]−[**整列**]−[**整列...**]を選択する。[**整列**]ダイアログが表示される。

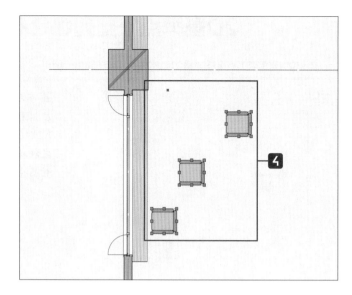

6 プレビューの下にある[**整列**]にチェックを入れ、[**左**]を選択する。

7 [**OK**]をクリックする。

整列については、P.115を参照してください。

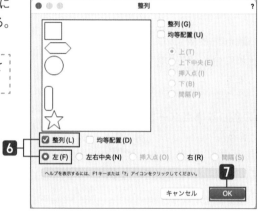

8 2D基準点に合わせて3つの椅子が左揃えで整列される。

2D基準点は印刷はされませんが、スナップポイントになるため誤動作の原因となります。作業が完了したら、不要になった2D基準点を削除する習慣をつけましょう。

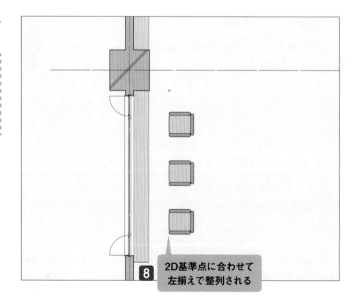

2D基準点に合わせて
左揃えで整列される

2D作図の応用 (1)

4日目は、通り芯、寸法、文字、壁など、建物の2D図面で必要になる要素のかき方を学びます。

通り芯／通り番号を作成する

📄 01_BL_MARK_TEST.vwx（完成版：01_BL_MARK_TEST_after.vwx）

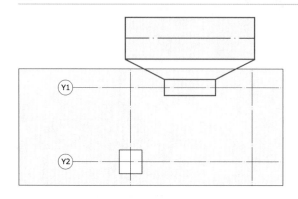

通り芯に使用する一点鎖線は、ラインタイプ（P.60を参照）を新規作成してから適用しましょう。新規ラインタイプは、リソースマネージャから作成します。

通り番号は、ここではシンボル（P.158〜P.168 DAY05-04〜07を参照）を使用します。シンボルを他のファイルでも流用できるようにするため、テンプレートに含めて保存しておくとよいでしょう。

∷∷ ラインタイプを新規作成する

図のような一点鎖線を作成します。

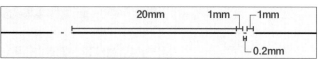

1 リソースマネージャのファイルブラウザペインの[開いているファイル]で、アクティブファイル（太字表示）が選択されていることを確認する。

2 [新規リソース...]をクリックする。[リソースの作成]ダイアログが表示される。

3 [ラインタイプ]を選択し、[作成]をクリックする。[新規ラインタイプ]ダイアログが表示される。

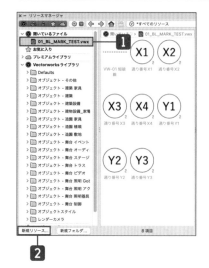

4 [名前]に「センターライン」と入力し、[線の長さ]に「20」、[間隔の長さ]に「1」と入力する。

5 [単一]のプレビューエリアの右端にあるレバーを左にドラッグすることで、破線要素を追加する。[線の長さ]に「0.2」、[間隔の長さ]に「1」と入力し、[OK]をクリックしてダイアログを閉じる。

> 1つの破線要素は、線となる長さ[線の長さ]と、空白となる長さ[間隔の長さ]で構成されます。

5 レバーを左にドラッグする

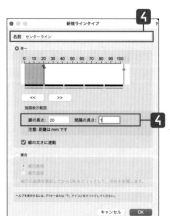

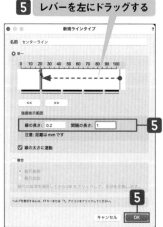

6 リソースマネージャのリソース
ビューアペインに「センターライン」のラインタイプが追加されたことを確認する。

> リソースマネージャの詳細については P.181を参照してください。

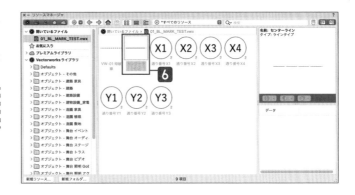

作成したラインタイプを通り芯に適用する

作成したラインタイプを通り芯に適用します。

1 すべての通り芯を選択する。

> ショートカットキーは [command（Ctrl）] ＋[A]キーです。

> レイヤは、「通り芯・寸法線」と「躯体」に分けてあります。「通り芯・寸法線」レイヤをアクティブにして、他のレイヤを[表示＋スナップ]にすることで、「躯体」レイヤの図形（柱）が選択されなくなります。

2 属性パレットの[ラインタイプ]リストをクリックする。リソースセレクタが表示される。

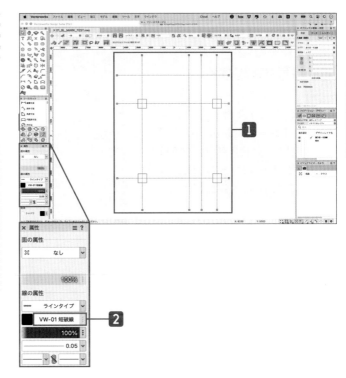

3 ファイルブラウザペインの[開いているファイル]でアクティブファイル（太字表示）が選択されていることを確認する。

4 リソースビューアペインから「センターライン」を選択する。

5 [選択]をクリックする。

（続く）

6 通り芯のラインタイプが変更される。

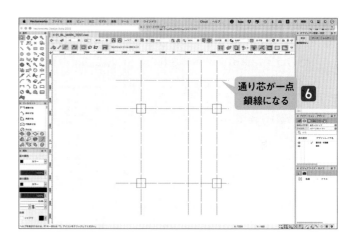

通り芯が一点鎖線になる **6**

通り番号を配置する

この節で使用する練習用ファイルには、通り番号をシンボル(P.158〜P.168 DAY05-04〜07を参照)として登録してあります。ここでは、シンボルの配置の手順を解説します。

1 基本パレットの[**シンボルツール**]をクリックする。

2 ツールバーの(左から)[**標準配置モード**]と[**シンボル挿入点モード**]をクリックする。

> ここで[**シンボル挿入点モード**]がクリックできない状態でも、気にせず進めます。

3 ツールバーのアクティブシンボルのリストをクリックする。

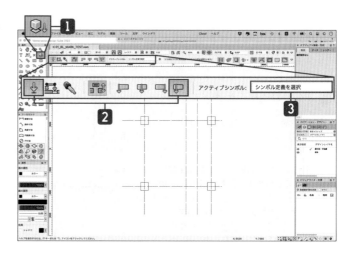

4 リソースセレクタが表示されるので、リソースビューアペインから「**通り番号Y1**」を選択する。

> 手順 **2** で[**シンボル挿入点モード**]がクリックできない状態の場合は、ここで確認または選択します。

5 [**選択**]をクリックする。カーソル付近にシンボルが仮表示される。

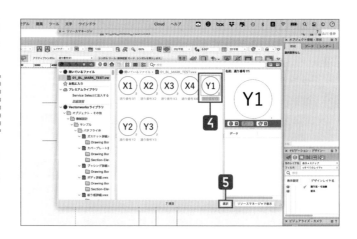

6 一番上の通り芯の左端にカーソルを合わせ、**「端点」**と表示されたらダブルクリックする。

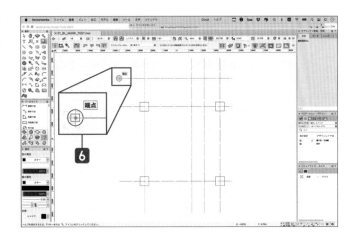

7 **「Y1」**の通り番号が配置される。

8 同様にして2つ目の通り芯に**「Y2」**、3つ目の通り芯に**「Y3」**を配置する。

手順 **2** ～ **6** と同様の操作を繰り返すことで、**「Y2」**および**「Y3」**を配置します。その際、手順 **4** では**「通り番号Y2」**または**「通り番号Y3」**を選択します。

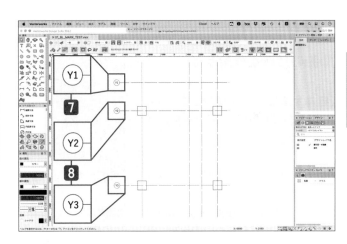

DAY
04

DAY 04-02 寸法を作成する

📄 02_DIMENSION_LINE_TEST.vmx(完成版:02_DIMENSION_LINE_TEST_after.vwx)

BEFORE AFTER

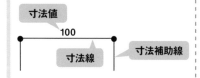

縦横の寸法を作成するには、基本パレットの[縦横寸法ツール]を使用します。[縦横寸法ツール]にはいくつかの作成モードがあり、単独の寸法線や連続した寸法を作成できます。頻繁に使用する寸法規格は、テンプレートに含めて保存しておくとよいでしょう(寸法規格についてはP.28〜P.30を参照)。

単独の寸法を作成する

[標準寸法モード]を使用して、X1通りとX4通りの通り芯の間に単独の寸法を作成します。

1 基本パレットの[縦横寸法ツール]をクリックする。

2 ツールバーの[標準寸法モード]をクリックし、[寸法規格]で「ORIGINAL」が選択されていることを確認する。

> 寸法規格「ORIGINAL」の設定については、P.28〜P.30を参照してください。

3 X1通りの通り芯上の点をクリックする。

4 [shift]キーを押しながらカーソルを水平右方向に移動し、X4通りの通り芯上の点をクリックする。

> 手順**3**でクリックした位置が寸法補助線の基点になります。寸法の各部の名称は次のとおりです。

寸法値
100
寸法線 寸法補助線

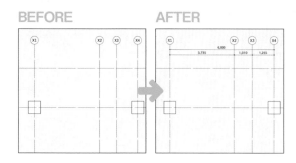

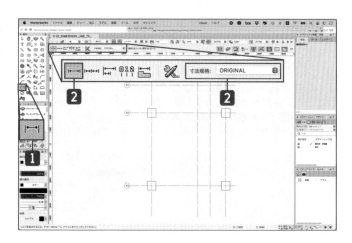

> 寸法は、初期設定で自動的に寸法クラスが割り当てられるように設定されています。練習用ファイルでは、寸法の属性(線の色・太さ、フォントの種類・サイズ)はクラス属性で自動的に統一されるように設定しています。寸法線・寸法補助線の色は黒色、太さは0.05mm、寸法値のフォントの種類・サイズは文字スタイルを適用してOsakaフォント(Windowsでは、MSゴシック)、9ポイントで統一されます。クラスおよびクラス属性については、P.209のポイント、P.210手順**6**〜**10**、文字スタイルについては、P.129のポイントを参照してください。

5 仮の寸法線が表示されたらカーソルを上方向に移動し、通り番号の円の下部でクリックして寸法補助線の長さを確定する。

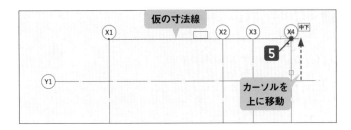

6 寸法値が表示される。

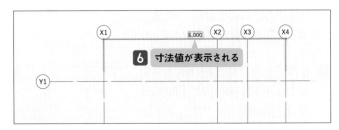

7 オブジェクト情報パレットの[**オフセット**]の値の後ろに「**-300**」と入力し、[**return（Enter）**]キーを押して確定する。

8 寸法補助線が300mm短くなり、寸法線と寸法値が移動する。

> オブジェクト情報パレットの[**オフセット**]で寸法線の位置を移動できます。元のオフセット値（1095）は、手順 **5** でクリックした位置で決まるので、それを基準として延長する場合はプラスの値を、短くする場合はマイナスの値を入力します。

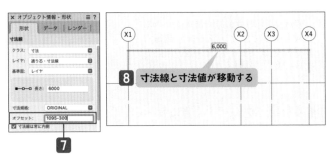

DAY
04

連続した寸法を作成する

[**直列寸法モード**]を使用して、X1、X2、X3、X4通りの通り芯の間に連続した寸法を作成します。

1 基本パレットで[**縦横寸法ツール**]が選択されていることを確認する。

2 ツールバーの[**直列寸法モード**]をクリックする。

3 [**ツール設定**]をクリックする。[**直列寸法の設定**]ダイアログが表示される。

4 [**新規直列寸法線の設定**]の[**直列寸法線を作成**]を選択し、[**OK**]をクリックする。

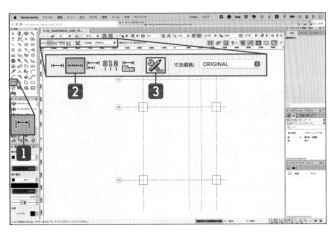

（続く）

5 X1通りの通り芯上の点をクリックする。

「6,000」の寸法の寸法補助線の下端(スクリーンヒント「挿入点」が表示される位置)をクリックするとよいでしょう。

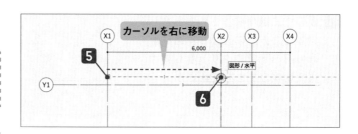

6 [shift] キーを押しながらカーソルを水平右方向に移動し、X2通りの通り芯上の点をクリックする。

7 仮の寸法線が表示されたらカーソルを上方向に移動し、「6,000」の寸法線上でクリックして寸法補助線の長さを確定する。

一度「6,000」の寸法線に重なるように作成してから、オブジェクト情報パレットの[オフセット]で一定の間隔を空けるように移動します。

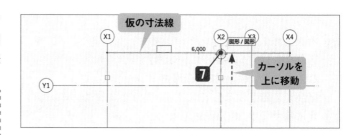

8 手順**6**でクリックした点にカーソルを合わせる(クリックしない)。

9 スマートポイント(赤い四角形)が表示されたら、カーソルを右に移動する。

スマートポイントについては、P.19の表とP.85のポイントを参照してください。

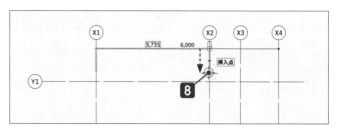

10 スマートポイントから表示された補助線とX3通りの通り芯の交点(「図形/平行」のスクリーンヒントが表示される)でクリックする。

11 カーソルを右に移動し、X4通りの通り芯上でダブルクリックして寸法の作成を終了する。

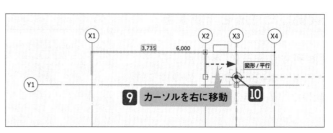

X1通りで寸法補助線の下端でクリックした場合は、X4通りも「6,000」の寸法の寸法補助線の下端(スクリーンヒント「挿入点」が表示される位置)をダブルクリックするとよいでしょう。

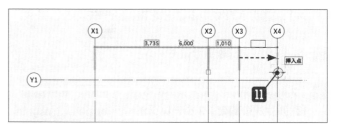

12 「6,000」の寸法線上に連続した寸法が作成される。

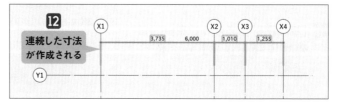

13 オブジェクト情報パレットの[オフセット]の値の後ろに「-300」と入力し、[return(Enter)]キーを押して確定する。

14 寸法補助線が300mm短くなり、寸法線と寸法値が移動する。

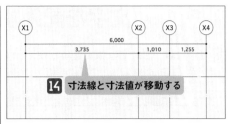

ポイント [直列寸法モード]で作成した寸法線を個別に編集する

[直列寸法モード]で直列寸法線を作成すると、1つにまとまった寸法となるため個別に編集ができません。直列寸法内の各寸法を個別に編集する場合は、グループ解除を行ってから編集します。手順は次のとおりです。

①作成した直列寸法線を選択する。

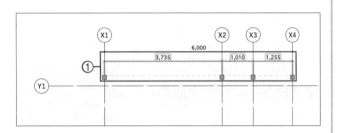

②メニューバーから[加工]－[グループ解除]を選択する(ショートカットキーは[command(Ctrl)]＋[U]キー)。3つの寸法に分解され、それぞれ個別に選択／編集できる状態になる。

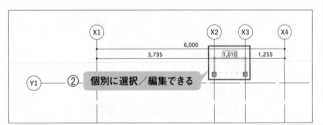

③たとえば、X1－X2通り間の寸法をX1－X3通り間の寸法に変更する場合は、X1－X2通り間の寸法を選択し、右側の寸法補助線下端のハンドルにカーソルを合わせる。リサイズカーソルに変わったことを確認してからクリックし、カーソルを右に移動する。

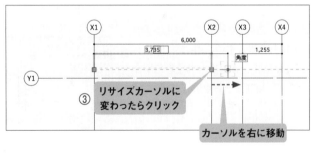

④スマートポイントの補助線を利用し、X3通りの通り芯上でクリックして確定する。

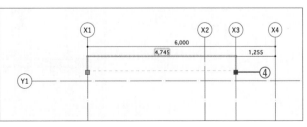

DAY 04-03 文字を記入する

📄 03_TEXT_TEST.vwx（完成版：03_TEXT_TEST_after.vwx）

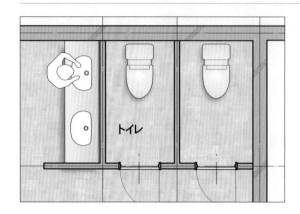

図面に文字を記入するときは、基本パレットの[文字ツール]を使用します。

ここでは、文字の記入後に書式（フォントやサイズなど）をオブジェクト情報パレットで編集する方法を解説します。なお、あらかじめ書式を変更するには、一度空クリックをして文字を選択解除しておき、メニューバーの[文字]－[フォント]（[サイズ]）で任意の書式を選択します。

また、よく使用する室名、図面名称などは、「文字スタイル」として登録しておくと同じフォント、サイズで統一できます（次ページのポイントを参照）。

文字の記入後に書式を編集

「トイレ」という文字を記入した後に、フォントと文字サイズを変更します。

1 基本パレットの[文字ツール]をクリックする。

2 ツールバーの[水平モード]をクリックし、[文字スタイル]から[＜なし＞]を選択する。

3 トイレの内部をクリックし、「トイレ」と入力する。基本パレットの[セレクションツール]をクリックして入力モードを終了する。

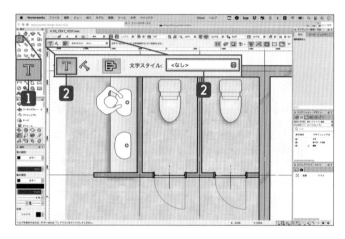

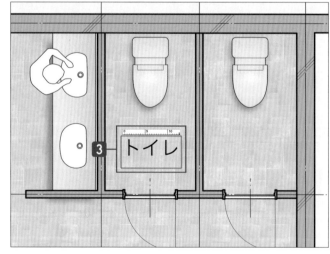

4 記入した文字が選択された状態で、オブジェクト情報パレットの[**フォント**]から[**Osaka**]、[**サイズ**]から[**9pt**]を選択する。

> 必要に応じて、文字スタイル、位置揃え、色なども変更できます。

> Windowsの場合は、適宜異なるフォントを選択してください。

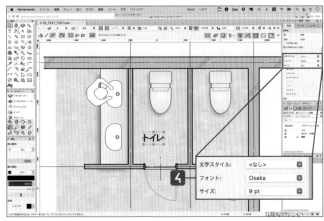

5 文字の書式が変更される。

> 文字を微小に移動したいときは、[**セレクションツール**]で文字を選択して[**shift**]+[**矢印**]キーを押すと、文字が矢印方向に1ピクセル単位で移動します。

> 文字の背景が不透明となっている場合は、環境設定(P.20の手順**3**を参照)を確認しましょう。

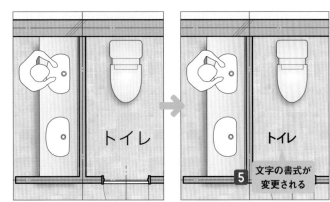

文字の書式が変更される

DAY 04

ポイント 　**文字スタイルを新規作成して書式を統一する**

文字の書式を後から変更する代わりに、新規の文字スタイルを作成し、文字に適用することで書式を統一することができます。次の手順では、「**室名 9ポイント**」という文字スタイルを作成してから、文字を記入しています。

①基本パレットの[**文字ツール**]をクリックする。
②ツールバーの[**文字スタイル**]から[**新規...**]を選択する。[**文字スタイルの作成**]ダイアログが表示される。
③[**スタイル名称**]に「**室名 9ポイント**」と入力する。
④[**フォント**]から任意のフォントを選択する。
⑤[**サイズ**]に「**9**」と入力する。
⑥[**文字の配列**]の[**垂直方向**]から[**中央揃え**]を選択する。
⑦[**色**]の[**アミ掛けの色**]のチェックを外す。
⑧[**OK**]をクリックし、ダイアログを閉じる。

この節の手順**2**で、文字スタイルを選択することにより、書式を統一できます。作成した文字スタイルはリソースとして扱われ、リソースマネージャで編集できます。リソースマネージャについては、P.181を参照してください。

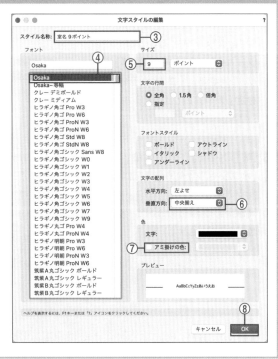

DAY 04-04 線図形で壁を作成する（ダブルラインツール）

📄 04_WALL_DOUBLE_TEST_01.vwx（完成版：04_WALL_DOUBLE_TEST_01_after.vwx）

BEFORE AFTER

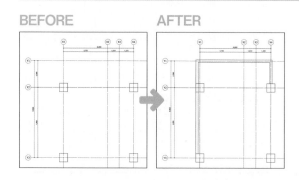

Vectorworksで壁（躯体）をかくには、2Dで線または面を使って作成する方法と、[壁ツール]（P.141を参照）を使って2Dと3Dを同時に作成する方法があります。

なじみやすいのは、従来から用意されている、前者の基本パレットの[ダブルラインツール]または[ダブルライン多角形ツール]を使う方法です。これらのツールを使用すると、2本の平行線を簡単に作成できます。

ここでは、線を使ってシンプルな壁をかく方法を解説します。

直線状の壁を作成する

[ダブルラインツール]を使用して、柱の外面に合わせて厚み200mmの直線の壁を作成します。

1 基本パレットの[**ダブルラインツール**]をクリックする。

2 ツールバーの（左から）[**任意角度モード**]と[**上側線作成モード**]をクリックする。

3 ツールバーの[**ツール設定**]をクリックする。[**ダブルラインの設定**]ダイアログが表示される。

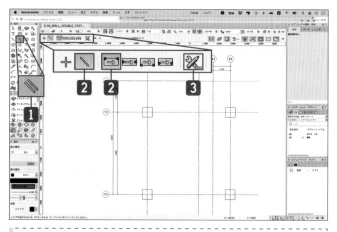

[任意角度モード]では、自由な角度のダブルラインを作成できます。[上側線作成モード]は、画面に対して右回りに作図した場合、指定した点が（描画方向に向かって）ダブルラインの幅の左端となります。

4 [幅]に「200」と入力する。

5 [オプション]から[線を作る]を選択する。

6 [OK]をクリックして、ダイアログを閉じる。

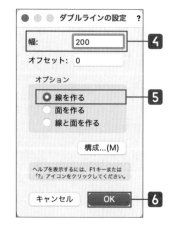

ダブルラインの設定 ?

幅: 200 ──4

オフセット: 0

オプション

◉ 線を作る ──5
○ 面を作る
○ 線と面を作る

構成...(M)

ヘルプを表示するには、F1キーまたは「?」アイコンをクリックしてください。

キャンセル | OK ──6

7 左下の柱の左上角にカーソルを合わせ、スクリーンヒント「**左上**」が表示されたらクリックする。

8 [**shift**] キーを押しながらカーソルを上に移動して、Y1通りの通り芯上でクリックする。

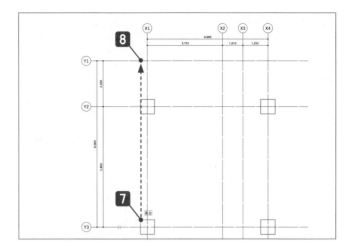

9 壁となる2本の線（ダブルライン）が作成される。

> 前ページの手順 **5** で [**線を作る**] を選択したので、2本の線が作成されます。[**面を作る**] を選択した場合は、ダブルラインが1つの多角形として作成されます。

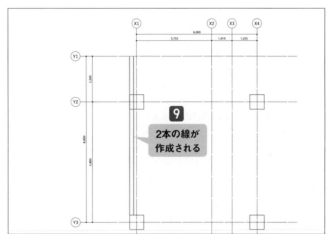

DAY
04

L字型の壁を作成する

[**ダブルライン多角形ツール**] を使用して、厚み200mmのL字型の壁を作成します。

1 基本パレットの [**ダブルライン多角形ツール**] をクリックする。

2 ツールバーの [**中央ドラッグモード**] をクリックする。

> [**中央ドラッグモード**] では、指定した点がダブルラインの幅の中心となります。

3 ツールバーの [**ツール設定**] をクリックする。[**ダブルラインの設定**] ダイアログが表示される。

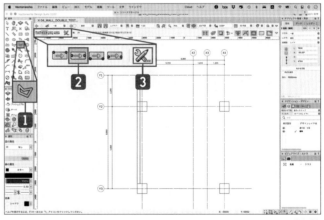

（続く）

4 [幅]に「200」と入力する。

5 [オプション]から[線を作る]を
選択する。

6 [OK]をクリックして、ダイア
ログを閉じる。

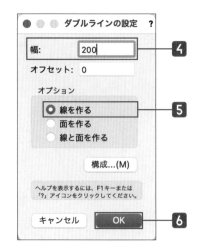

7 X1通りとY1通りの通り芯の交
点をクリックする。

8 X4通りとY1通りの通り芯の交
点をクリックする。

クリックする位置を間違えた場合は、
[delete]キーを1回押すと1つ前の位
置に戻ります。

9 右上の柱の上辺とX4通りの通り
芯の交点をダブルクリックして、
ダブルラインの作成を終了する。

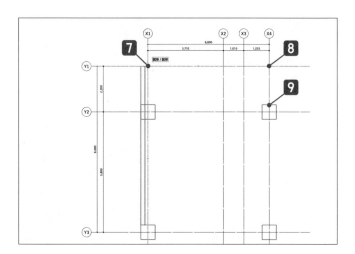

10 壁となるダブルラインが作成さ
れる。

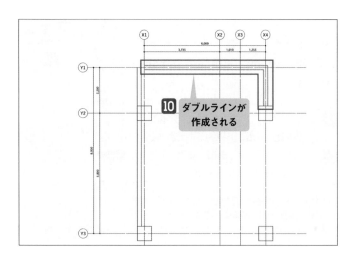

壁を結合する

X1通りとY1通りのダブルラインが開いたままなので、包絡結合させます。

1 X1通りとY1通りのダブルライン（4本）を選択する。

2 メニューバーから[**加工**]−[**線分を結合**]−[**結合（直）**]を選択する。

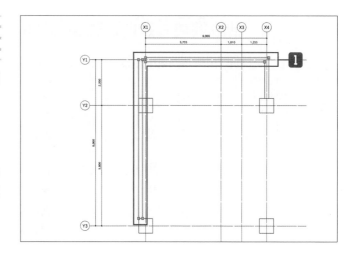

3 2組のダブルラインが結合される（ダブルラインと柱の包絡処理についての詳細は、下記のポイントを参照）。

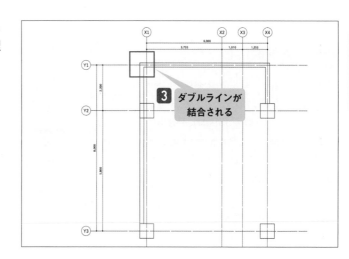

3 ダブルラインが結合される

ポイント 　[ダブルラインツール][ダブルライン多角形ツール]で作成した壁と柱の包絡処理

[**トリミングツール**]などを使用して、[**ダブルラインツール**]または[**ダブルライン多角形ツール**]で作成した壁と柱（四角形）の接合部の不要な線を削除（包絡処理）します。

この例では、[**トリミングツール**]を使用して壁と柱の接合部を包絡処理しています（[**トリミングツール**]についてはP.101のポイントを参照）。

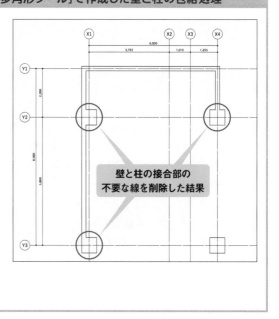

壁と柱の接合部の不要な線を削除した結果

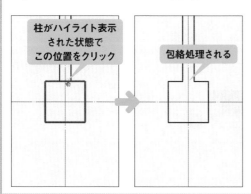

柱がハイライト表示された状態でこの位置をクリック

包絡処理される

DAY 04-05 構成要素を表現した壁を作成する（ダブルラインツール）

📄 05_WALL_DOUBLE_TEST_02.vwx（完成版：05_WALL_DOUBLE_TEST_02_after.vwx）

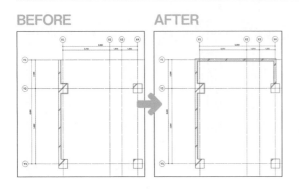

BEFORE　AFTER

[ダブルラインツール]と[ダブルライン多角形ツール]は、下地材や仕上げ材など壁の構成要素を設定することで、2本以上の線をまとめて作成できます。さらに、構成要素に面を設定して、ハッチングなども同時に作成できます（ハッチングについての詳細はP.169を参照）。

面と線が分けられて作成され、自由度が高く詳細な表現ができるため、実施図などの作成に適しています。

構成要素を表現した壁を設定する

[ダブルライン多角形ツール]を使用して、コンクリート厚が150mm、内部の仕上げ厚が50mmとなる壁を設定します。仕上げ線は太さ0.3mm、壁内の下地線は太さ0.05mmとします。

> ここでは、断熱材＋空気層＋ボードを合わせて、簡易的に「仕上げ厚」としています。

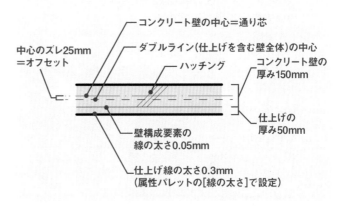

- コンクリート壁の中心＝通り芯
- 中心のズレ25mm＝オフセット
- ダブルライン（仕上げを含む壁全体）の中心
- ハッチング
- コンクリート壁の厚み150mm
- 仕上げの厚み50mm
- 壁構成要素の線の太さ0.05mm
- 仕上げ線の太さ0.3mm（属性パレットの[線の太さ]で設定）

1 属性パレットの[線の太さ]で[0.30]が選択されていることを確認する。

> この設定で壁の仕上げ線の太さが決定されます。

2 基本パレットの[ダブルライン多角形ツール]をクリックする。

3 ツールバーの[オフセットモード]をクリックする。

> コンクリート壁芯を通り芯としたいので、[オフセットモード]を選択します。

4 ツールバーの[ツール設定]をクリックする。[ダブルラインの設定]ダイアログが表示される。

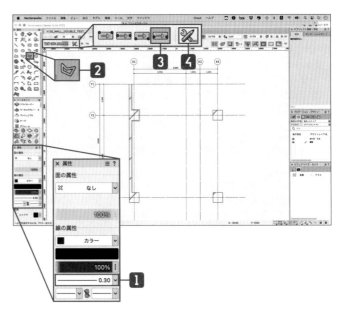

5 [オプション]から[線と面を作る]を選択する。

> この時点で幅に入力されている値が「150」以外でも、気にせずに進めます。

> ここでは、コンクリートを表すハッチングを表示するため、面が同時に作成される[線と面を作る]を選択します。

6 [構成...]をクリックする。[ダブルラインの構成要素]ダイアログが表示される。

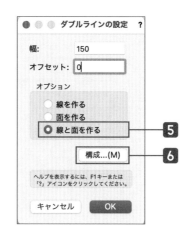

7 [新規...]をクリックする。[ダブルライン 構成要素の設定]ダイアログが表示される。

> [新規...]をクリックする前に、[ダブルラインの構成要素]ダイアログの[構成要素]にすでに何か表示されていたら選択し、[削除]をクリックして消しておきます。

DAY 04

コンクリート壁を設定します。

8 [厚み]に「150」と入力する。

9 [面]の[スタイル]から[ハッチング]を選択し、[ハッチング]から[コンクリート]が選択されていることを確認する。

10 [線種(左側)]の[スタイル]から[カラー]を、[色]から黒色を、[太さ]から[0.05]を選択する。

11 [線種(右側)]も手順**10**と同様に設定する。

12 [OK]をクリックして、ダイアログを閉じる。

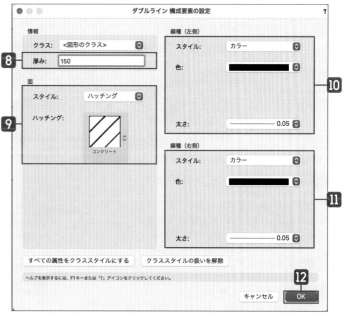

(続く)

135

さらに、仕上げ厚を追加設定します。

13 [**ダブルラインの構成要素**]ダイアログに戻るので、前ページの手順**7**を繰り返し、[**ダブルライン 構成要素の設定**]ダイアログで次のように設定する。

[**情報**]
[**厚み**]：50

[**面**]
[**スタイル**]：なし

[**線種(左側)**]および[**線種(右側)**]
[**スタイル**]：カラー
[**色**]：黒色
[**太さ**]：0.05

14 [**OK**]をクリックして、ダイアログを閉じる。

15 [**ダブルラインの構成要素**]ダイアログに戻るので、[**構成要素**]および壁のプレビュー画面で構成要素の設定を確認する。

16 [**OK**]をクリックして、ダイアログを閉じる。

> 手順**13**〜**14**の操作を繰り返すことで、各部材をそれぞれ個別に設定して表現することもできます。

17 [**ダブルラインの設定**]ダイアログで[**幅**]が「200」になっていることを確認する。

> 構成要素で[**厚み**]を設定すると、[**幅**]は自動計算されます。ここでは、コンクリート壁の厚み「150」に仕上げ厚「50」が足されて、[**幅**]が「200」と計算されています。

18 [**オフセット**]に「25」と入力する。

> コンクリート壁の中心を通り芯とするためオフセットします(P.134の図を参照)。[**オフセットモード**]では、指定した点とダブルラインの幅の中心との距離を設定できます。

19 [**OK**]をクリックする。

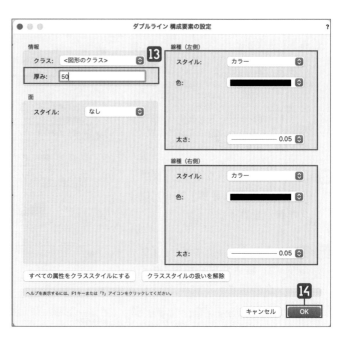

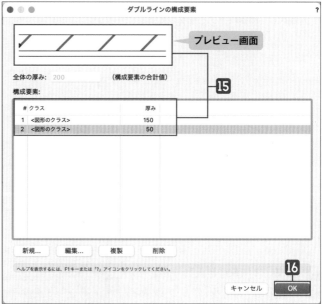

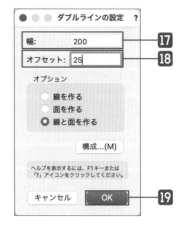

L字型の壁を作成する

[ダブルライン多角形ツール]の[オフセットモード]で、通り芯の交点をクリックして、L字型の壁を作成します。

1 X1通りとY1通りの通り芯の交点をクリックする。

2 X4通りとY1通りの通り芯の交点をクリックする。

> クリックする位置を間違えた場合は、[delete]キーを1回押すと1つ前の位置に戻ります。

3 右上の柱の上辺とX4通りの通り芯の交点をダブルクリックして、ダブルラインの作成を終了する。

4 構成要素（コンクリート壁と仕上げ厚）を表現した壁が作成される。

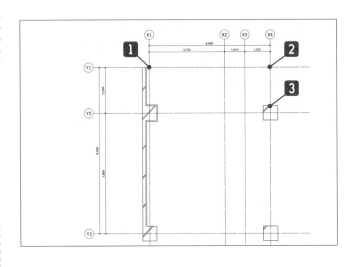

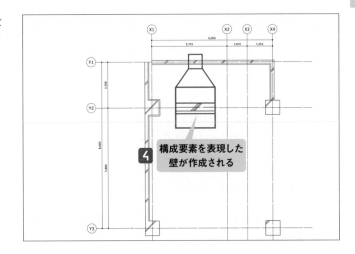

構成要素を表現した壁が作成される

壁を結合する

X1通りとY1通りのダブルラインが開いたままなので、包絡結合させます。

1 X1通りとY1通りの仕上げ線のダブルライン（4本）を選択する。

2 メニューバーから[加工]-[線分を結合]-[結合（直）]を選択する。

3 仕上げ線が結合される。

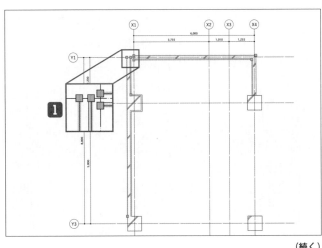

（続く）

DAY
04

4 X1通りとY1通りの下地線のダ
ブルライン(2本)を選択する。

5 メニューバーから[**加工**]－[**線
分を結合**]－[**結合(直)**]を選択
する。

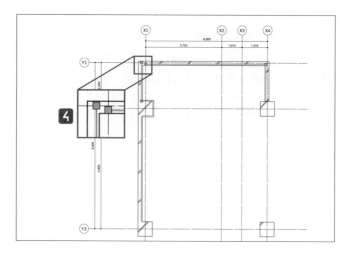

6 下地線が結合される。

> ハッチングは、ここで結合した図形
> (線)ではなく、壁の面に対して適用さ
> れています。面も結合させる場合は、
> [**四角形ツール**]で不足個所を追加して
> [**貼り合わせ**]コマンドを実行します
> (詳しくは、下記のポイントを参照)。

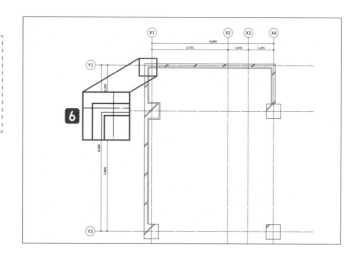

ポイント 　[ダブルラインツール][ダブルライン多角形ツール]で作成した壁の面の貼り合わせ

[**ダブルラインツール**]または[**ダブルライン多角形ツール**]で[**面と線を作る**]を選択して面と線を作成したとき
は、面の貼り合わせが必要になる場合(面の属性に色を適用したときなど)があります。手順は次のとおりです。

①基本パレットの[**四角形ツール**]をクリックする。
②壁の面の幅に合わせて四角形をかく。
③壁の面2つと四角形を選択して、メニューバーから[**加工**]－[**貼り合わせ**]を選択する。

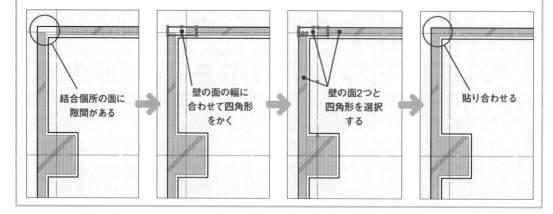

結合個所の面に　　　　壁の面の幅に　　　　壁の面2つと　　　　　貼り合わせる
隙間がある　　　　　合わせて四角形　　　　四角形を選択
　　　　　　　　　　をかく　　　　　　　　する

DAY 04-06 壁を結合する（ダブルライン）

📄 06_WALL_LINE_TEST.vwx（完成版：06_WALL_LINE_TEST_after.vwx）

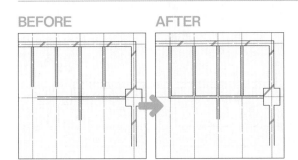

BEFORE　　　　　AFTER

ダブルラインで作成した2つの壁が交差する（または2つの壁の延長線上が交差する）場合は、[線分を結合]コマンドを使用して包絡結合できます。ショートカットキーを使うことで、より素早く2本の直線を結合できるので効率的です。

また、突き合わせ結合（包絡処理のない結合。材料の異なる壁同士の結合に用いる）の場合は、[結合/合成ツール]を使用します。

ダブルラインの壁を包絡結合する

ダブルラインで作成した壁をL字型に結合し、コーナーを作成します。

1 ダブルラインの壁🄰と🄱を選択する。

> [option（Alt）]キーを押しながら図のように矩形選択すると、素早く4本の線を選択できます。

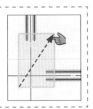

2 メニューバーから[加工]−[線分を結合]−[結合（直）]を選択する。

> ショートカットキーは[command（Ctrl）]＋[J]キーです。

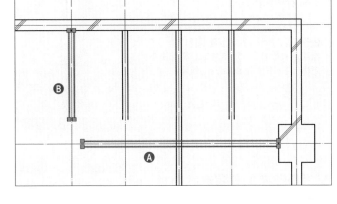

3 ダブルラインの壁が包絡結合される。

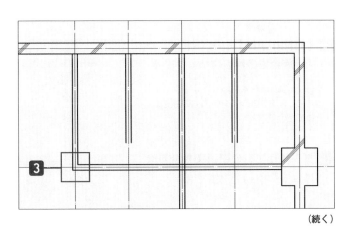

（続く）

DAY 04

同様にしてダブルラインで作成した壁をT字型、十字型に包絡結合させます。

4 ダブルラインの壁Ⓐと©を選択する。

5 メニューバーから[**加工**]－[**線分を結合**]－[**結合(直)**]を選択する。

6 ダブルラインの壁がT字型に包絡結合される。

7 同様にダブルラインの壁Ⓐと①を選択し、手順**5**を繰り返す。

8 ダブルラインの壁が十字型に包絡結合される。

> 同じ[**結合(直)**]コマンドを選択しても、2組のダブルラインの配置関係によって結果が異なります。コマンド実行後を想像して作図を進めることが重要です。

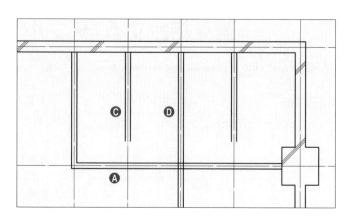

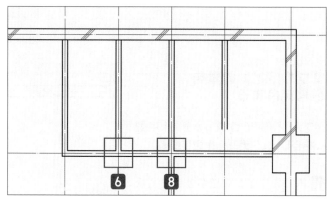

ダブルラインを突き合わせ結合する

下地線などは、突き合わせ結合させます。

1 ダブルラインの壁Ⓔを選択する。

2 基本パレットの[**結合/合成ツール**]をクリックする。

3 ツールバーの[**基準図形への結合モード**]をクリックする。

4 結合するダブルラインのどちらか一方の線をクリックする。

5 [option(Alt)]キーを押しながら、結合先の線をクリックする。

> [option(Alt)]キーを押しながらクリックすると、ダブルラインの両方の線をまとめて結合できます。

6 ダブルラインの壁が突き合わせ結合される。

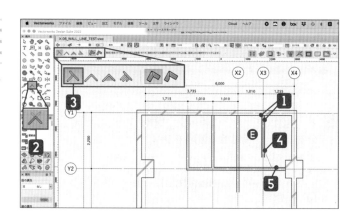

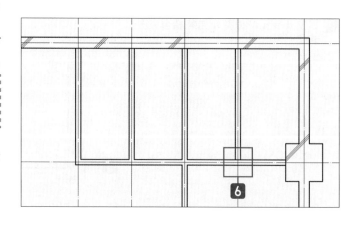

DAY 04-07 壁を作成する（壁ツール）

📄 07_WALL_KABETOOL_TEST_01.vwx（完成版：07_WALL_KABETOOL_TEST_01_after.vwx）

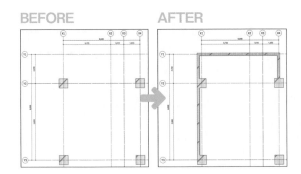

BEFORE　　　AFTER

壁を作成するには、[ダブルラインツール]の
ほかに[壁ツール]を使う方法があります。[壁
ツール]で作成した壁は、「壁」という図形タイ
プになります。2Dと3Dの特性を併せ持ち、2D
の壁を入力するだけで3Dモデルを作成できる
ので便利です（「壁」の3Dの機能については
P.206を参照）。

[壁ツール]では、壁の構成要素（仕上げ材や下
地材）を設定し、壁の仕様を[壁スタイル]として
登録しておくことができます。[壁スタイル]はリ
ソースとして扱われるので、他のファイルで使用
することも可能です。

構成要素を表現した壁を設定する

まず、壁スタイルとして登録するための、
構成要素を表現した壁を設定します。

1 ツールセットパレットの[建物]
をクリックする。

2 [壁ツール]をクリックする。

3 ツールバーの[上側線作成モー
ド]をクリックする。

4 ツールバーの[多角形モード]を
クリックする。

5 ツールバーの[ツール設定]をク
リックする。[壁の設定]ダイア
ログが表示される。

6 [新規...]をクリックする。[壁
構成要素の設定]ダイアログが
表示される。

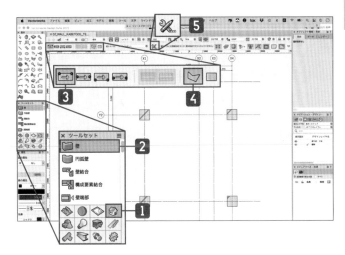

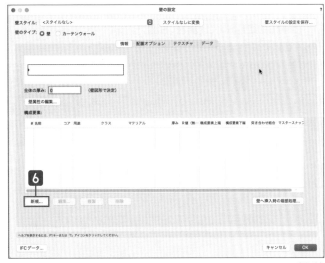

（続く）

コンクリート壁を設定します。

7 [情報]の[名前]に「コンクリート」と入力する。

8 [厚み]に「150」と入力する。

9 [面]の[スタイル]から[ハッチング]を選択し、[ハッチング]から[コンクリート]が選択されていることを確認する。

10 [線種(左側)]の[スタイル]から[カラー]を、[色]から黒色を、[太さ]から[0.05]を選択する。

11 [線種(右側)]も手順**10**と同様に設定する。

12 [OK]をクリックして、ダイアログを閉じる。

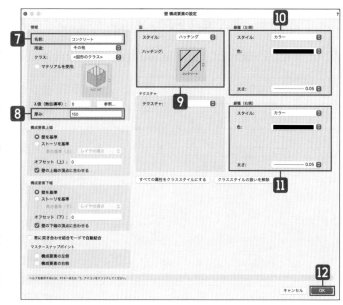

さらに、仕上げ厚を追加設定します。

13 [壁の設定]ダイアログに戻るので、前ページの手順**6**を繰り返し、[壁 構成要素の設定]ダイアログで次のように設定する。

[情報]
[名前]：内部仕上げ
[厚み]：50

[面]
[スタイル]：カラー
[色]：グレイ色

[線種(左側)]および[線種(右側)]
[スタイル]：カラー
[色]：黒色
[太さ]：0.05

14 [OK]をクリックして、ダイアログを閉じる。

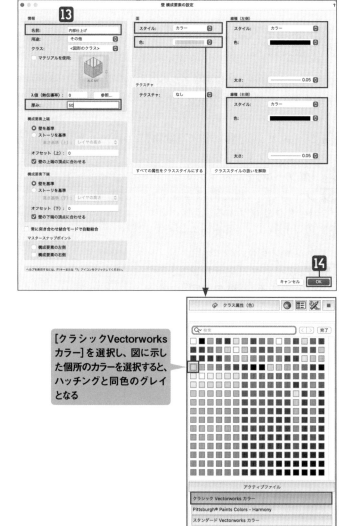

[クラシックVectorworksカラー]を選択し、図に示した個所のカラーを選択すると、ハッチングと同色のグレイとなる

15 ［**壁の設定**］ダイアログに戻るので、［**構成要素**］および壁のプレビュー画面で構成要素の設定を確認し、「**コンクリート**」の［**コア**］にチェックを入れる。

> ここで［**コア**］にチェックを入れた構成要素に、手順❸で選択した作成モードが適用されます。ここでは［**上側線作成モード**］を選択したので、画面に対して右回りに作図した場合、指定した点がコンクリートの壁の左端となります。

16 ［**壁属性の編集...**］をクリックする。［**壁の属性**］ダイアログが表示される。

17 ［**面**］の［**スタイル**］から［**カラー**］を選択し、［**色**］からグレイ色（内部仕上げと同色）を選択する。

18 ［**線**］の［**スタイル**］から［**カラー**］を、［**色**］から黒色を、［**太さ**］から［**0.30**］を選択する。

> ここで設定した面の色や線の太さは、壁全体での面の色、線の太さを決定します。面の色は、構成要素で設定している色が優先されます。

19 ［**OK**］をクリックして、ダイアログを閉じる。

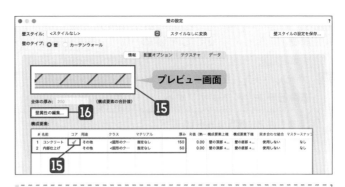

> ここでは、断熱材＋空気層＋ボードを合わせて、簡易的に「**内部仕上げ**」としています。手順⓭〜⓮の操作を繰り返すことで、各部材をそれぞれ個別に設定して表現することもできます。

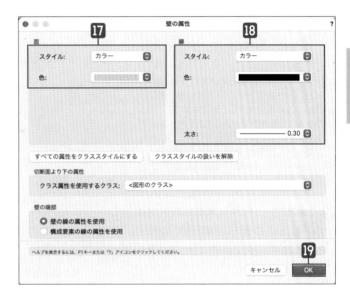

DAY 04

壁スタイルを登録する

壁スタイルを登録します。

1 ［**壁の設定**］ダイアログに戻るので、［**壁スタイルの設定を保存...**］をクリックする。［**名称設定**］ダイアログが表示される。

2 ［**壁スタイル名**］に「**外周壁**」と入力する。

3 ［**OK**］をクリックして、ダイアログを閉じる。

4 ［**壁の設定**］ダイアログの［**OK**］をクリックして、ダイアログを閉じる。

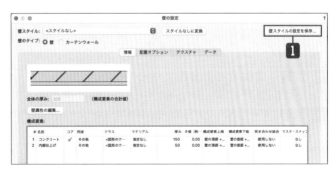

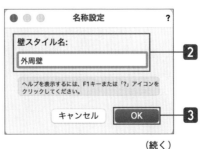

（続く）

5 ツールバーの壁スタイルが「**外周壁**」になっていることを確認する。

6 ツールバーの[**制御線をコアに適用モード**]をクリックする。

[制御線をコアに適用モード]を選択すると、特定の構成要素にのみ手順 3 の作成モードを適用できます。

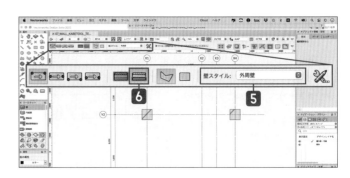

直線状の壁を作成する

1 左下のY3通りの柱の左上角をクリックする。

ここであらかじめ作図されている柱の図形タイプは「**柱**」になっています。「**柱**」は2Dと3Dの特性を併せ持つ図形のため、「**壁**」と包絡結合することができます。
ちなみに[**四角形ツール**]や[**円ツール**]などでかいた2Dの面図形を「**柱**」に変換するには、図形が選択された状態でメニューバーから[**建築**]－[**柱...**]を選択します。

2 [shift]キーを押しながらカーソルを上に移動し、Y2通りの柱の左下角でダブルクリックして壁の終点を指定する。

3 柱間に壁が作成される。

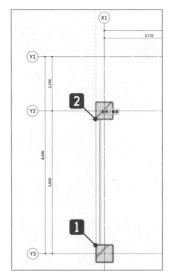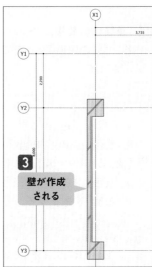

手順 2 でカーソルを柱に合わせたときに柱がハイライト表示されるのは、包絡結合を実行するサインです。ハイライト表示されない場合は、[壁の自動結合]がオフになっているので、クイック設定コマンドの[壁の自動結合]をクリックしてオンにします。

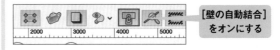

[壁の自動結合]をオンにする

4 Y2通りの柱の左上角をクリックする。

5 [shift]キーを押しながらカーソルを上に移動して、Y1通りの通り芯に交差する点でダブルクリックして壁の終点を指定する。

6 壁が作成される。

[**壁ツール**]は選択したまま、続けてL字型の壁を作成します。

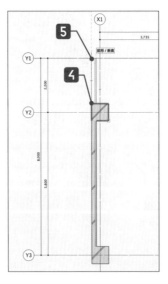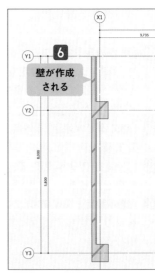

L字型の壁を作成する

通り芯の交点をクリックして、L字型
の壁を作成します。

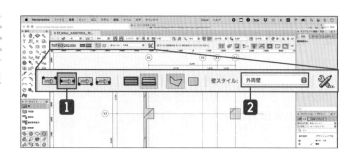

1 ツールバーの[**両側線作成モー
ド**]をクリックして、配置モー
ドを切り替える。

> [**両側線作成モード**]を選択すると、こ
> こでは指定した点がコンクリートの壁
> の幅の中心となります。

2 ツールバーの[**壁スタイル**]が「**外
周壁**」であることを確認する。

> [**壁スタイル**]を登録することで、[**壁スタ
> イル**]のリストから該当する壁スタイルを
> 選択して壁の仕様を切り替えられます。

3 X1通りとY1通りの通り芯の交
点をクリックする。

4 X4通りとY1通りの通り芯の交
点をクリックする。

> クリックする位置を間違えた場合は、
> [**delete**]キーを1回押すと1つ前の位
> 置に戻ります。

5 右上の柱の上辺とX4通りの通
り芯の交点をダブルクリックして
壁の終点を指定する。

6 壁スタイル「**外周壁**」の構成要素
を表現したL字型の壁が作成さ
れる。

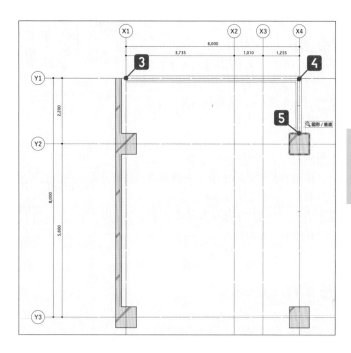

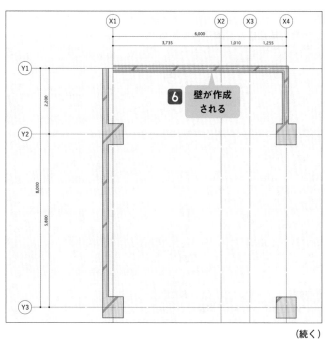

6 壁が作成
される

（続く）

DAY
04

壁を結合する

X1、Y1通りの壁を包絡結合します。[壁ツール]で作成した壁は、[壁結合ツール]と呼ばれる専用ツールで結合します。

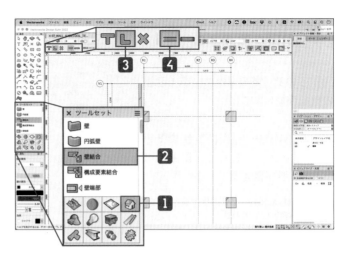

1 ツールセットパレットの[建物]をクリックする。

2 [壁結合ツール]をクリックする。

3 ツールバーの[隅結合モード]をクリックする。

4 ツールバーの[包絡結合モード]をクリックする。

5 カーソルをX1通りの壁の上に移動し、壁がハイライト表示されたらクリックする。

6 カーソルをY1通りの壁の上に移動し、壁がハイライト表示されたらクリックする。

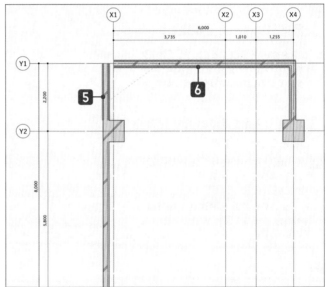

7 壁が包絡結合される。

> 2つの壁を選択して[結合(直)]コマンドを実行しても包絡結合できます(P.139参照)。

> L字型の壁の作図開始位置を図に示した壁の端部にし、[壁の自動結合]を使って結合させながら作図できます。

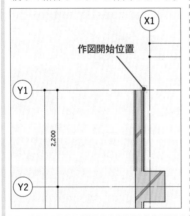

作図開始位置

> [壁結合ツール]では、壁の構成要素も包絡結合できます。[壁結合ツール]の詳細は、次ページを参照してください。

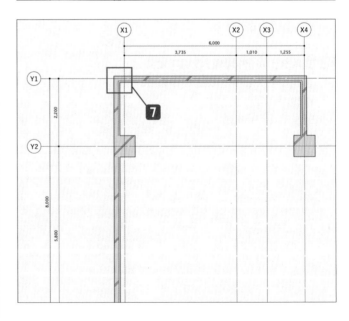

DAY 04-08 壁を結合する（壁結合ツール）

08_WALL_KABETOOL_TEST_02.vwx、08_WALL_KABETOOL_point.vwx
（完成版：08_WALL_KABETOOL_TEST_02_after.vwx、08_WALL_KABETOOL_point_after.vwx）

BEFORE **AFTER**

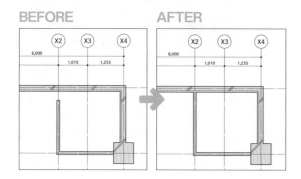

[壁ツール]で作成した壁は、ツールセットパレットの[壁結合ツール]を使用して結合します。壁を包絡して結合することも、突き合わせ結合することもできます。

DAY
04

壁を包絡結合する

離れた位置にある壁を、T字型に包絡結合します。

1 ツールセットパレットの[建物]をクリックする。

2 [壁結合ツール]をクリックする。

3 ツールバーの（左から）[T字結合モード]と[包絡結合モード]をクリックする。

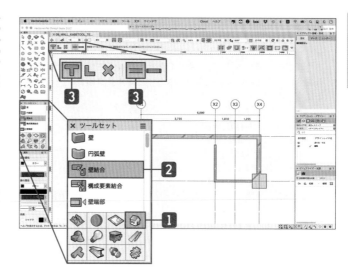

4 カーソルを間仕切り壁Ⓐの上に移動し、壁がハイライト表示されたらクリックする。

> [T字結合モード]は、延長したい壁を先にクリックします。

5 カーソルを外周壁Ⓑの上に移動し、壁がハイライト表示されたらクリックする。

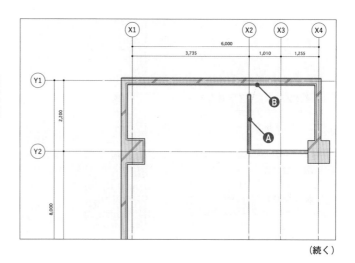

（続く）

6 間仕切り壁と外周壁が包絡結合
される。この際、接合部の仕上
げ線は自動的に消去される。

突き合わせ結合したい場合は、前ペー
ジの手順 **3** で[包絡結合モード]の代わ
りに[突き合わせ結合モード]をクリック
します。

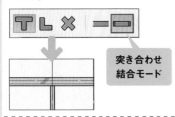

突き合わせ
結合モード

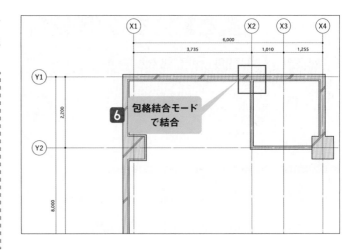

6 包絡結合モード
で結合

ポイント   **壁の構成要素を結合する**

図形タイプが「**柱**」の図形は、構成要素を複数設定することはで
きません。そのため、柱型を表現するには、仕上げ厚のみの壁
を作成する必要があります。壁の「**仕上げ厚**」と「**柱型**」を結合す
る場合は、構成要素の結合となるため、[**構成要素結合ツール**]
を使用します。

① 練習用ファイル「**08_WALL_
　 KABETOOL_point.vwx**」の
　 ような仕上げ厚のみの壁ス
　 タイルを作成する（壁スタイ
　 ルの詳細については、P.141
　 ～P.145を参照）。
② 柱型が外周壁と壁全体で結
　 合しないように[**壁の自動結
　 合**]をオフにする。
③ ツールセットパレットの[**壁
　 ツール**]、[**上側線作成モー
　 ド**]をクリックする。
④ 上記の壁スタイルを選択し、
　 柱の各頂点を **A**→**B**→**C**の
　 順でクリックし、最後に **D**
　 でダブルクリックして柱型を
　 作成する。
⑤ ツールセットパレットの[**壁
　 結合ツール**]、[**T字結合モー
　 ド**]をクリックする（ここで
　 は、[**T字結合モード**]を適用
　 する）。
⑥ 柱型の壁と外周壁を **E**→**F**、
　 G→**H**の順にクリックする。
⑦ ツールセットパレットの[**構
　 成要素結合ツール**]、[**隅結
　 合モード**]をクリックする（必
　 ず[**壁結合**]を実行してから
　 [**構成要素結合**]を行う）。
⑧ 各構成要素の**面上**をクリッ
　 クする。

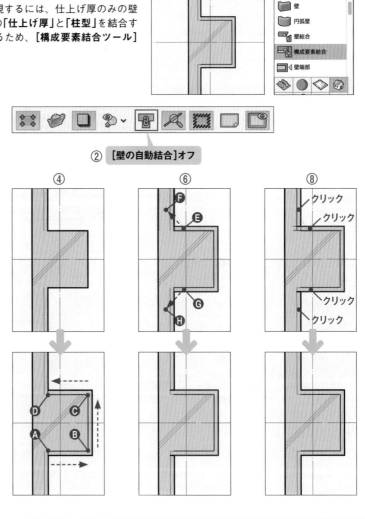

② [**壁の自動結合**]オフ

DAY 04-09 壁を修復する（壁復元ツール）

📄 09_WALL_KABETOOL_TEST_03.vwx（完成版：09_WALL_KABETOOL_TEST_03_after.vwx）

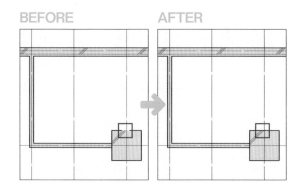

BEFORE AFTER

図形タイプが「柱」の図形と[壁ツール]で作成した壁を包絡結合し、その後に壁を削除すると、柱の一部が欠損します。欠損個所を修復するには、ツールセットパレットの[壁復元ツール]を使用します。

また、[壁結合ツール]で結合した個所を切り離す場合も、[壁復元ツール]を使用します。

DAY 04

柱の欠損個所を修復する

壁を削除した後に、柱の欠損個所を修復します。

1 図に示した壁を選択する。

2 [delete]キーを押して削除する。柱の一部が欠けてしまうことを確認する。

> 壁と柱の結合個所は修復する必要がありますが、壁同士の結合個所は自動修復されるので修復の必要はありません。

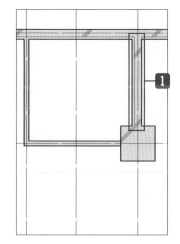

壁同士の結合個所は、自動修復される

3 ツールセットパレットの[建物]をクリックする。

4 [壁復元ツール]をクリックする。

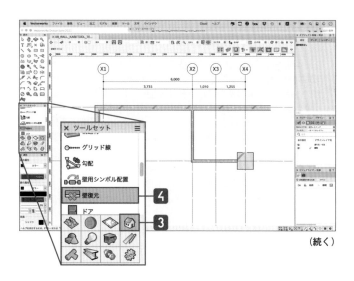

（続く）

149

5 柱の欠けている部分を囲むように、Ⓐ、Ⓑをクリックする。

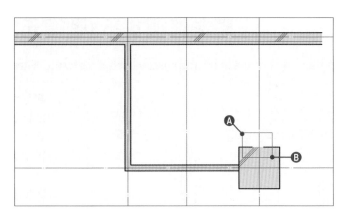

6 柱が修復される。

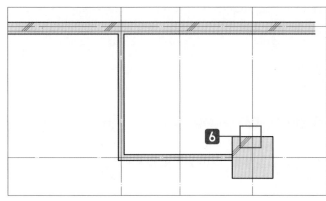

ポイント ［壁結合ツール］で包絡結合した壁を切り離す

［**壁結合ツール**］で包絡結合した壁の削除を繰り返していると、結合していた個所に欠損が残り、結合できなくなるときがあります。このような問題を回避するため、壁の削除を行う前に、［**壁結合ツール**］で包絡結合した個所を、［**壁復元ツール**］で切り離しておきます。［**構成要素結合ツール**］で結合に失敗した場合も、［**壁復元ツール**］で一度切り離してから再度結合します。手順は次のとおりです。

①ツールセットパレットの［**壁復元ツール**］をクリックする。
②切り離したい壁、または結合個所を囲むように、点Ⓐ、Ⓑをクリックする。
③結合個所が切り離されるので、再度結合をやり直す。

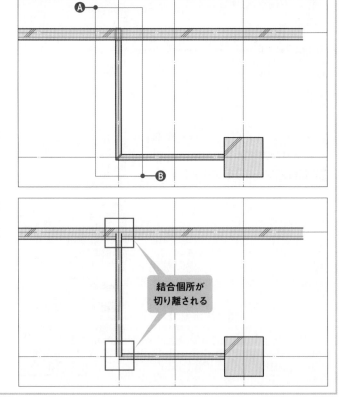

結合個所が
切り離される

DAY 05

6000

2110　　　3890

2D作図の応用（2）

910

5日目は、2D図面を効率的に作成する方法を学びます。

特に、シンボルとリソースマネージャについて重点的に学習します。

1730

学習ポイント

☐ 線／面図形をオフセットする

☐ 線の端点にマーカーを設定する

☐ シンボルを登録する

☐ シンボルを配置する

☐ シンボルを編集する

☐ 壁にシンボルを挿入する

☐ ハッチングを作成して適用する

☐ グラデーションを作成して適用する

☐ イメージを作成して適用する

☐ リソースマネージャを使用する

8000

5360

DAY 05-01 線をオフセットする

01_OFFSET_LINE_TEST.vwx（完成版：01_OFFSET_LINE_TEST_after.vwx）

BEFORE

AFTER

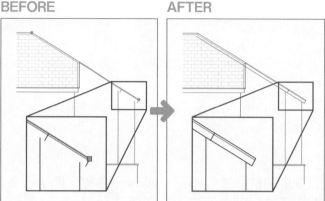

線を指定の距離だけ離れた位置に移動または複製する（オフセット）には、基本パレットの［オフセットツール］を使用します。水平線や垂直線だけでなく、斜線に対しても使用できます。元の線を残したままオフセットするには［複製とオフセットモード］、元の線を残す必要がない場合は［元図形のオフセットモード］を使用します。

斜線をオフセットする

屋根の仕上げ線を150mm下側にオフセットして、破風板（はふいた）の仕上げ線を作成します。

1 屋根の仕上げ線を選択する。

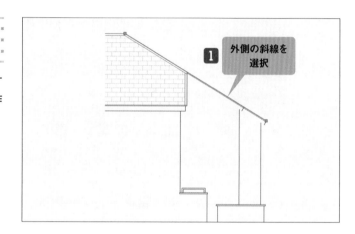

2 基本パレットの［オフセットツール］をクリックする。

3 ツールバーの（左から）［数値入力カモード］と［複製とオフセットモード］をクリックする。

4 ツールバーの［ツール設定］をクリックする。［オフセットの設定］ダイアログが表示される。

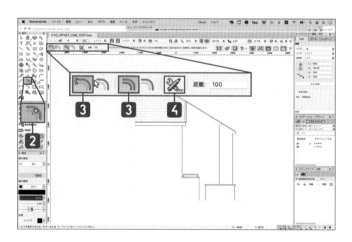

> ［オフセットツール］選択後、図形を選択する場合や連続して他の図形をオフセットする場合は、［command(Alt)］キーを押します。キーを押している間、一時的に［セレクションツール］に切り替わるので、図形が選択できます。

5 [**方法**]の[**距離**]にオフセット距離として「150」と入力する。

> オフセット距離はツールバーの[**距離**]で指定することもできます。

6 [**OK**]をクリックして、ダイアログを閉じる。

7 選択されている斜線の下側をクリックする。

> ここでは屋根面の斜線を下側にオフセットするために、斜線の下側をクリックしています。斜線の上側をクリックすると、斜線が上側にオフセットされます。

8 屋根面の斜線が下側にオフセットされ、破風板の仕上げ線が作成される。

> [**オフセットツール**]は、正確に距離を指定して、元の線に対して平行に複製（オフセット）することができます。

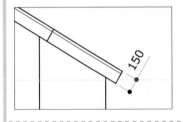

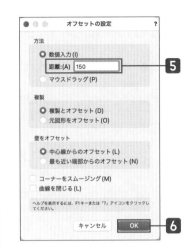

7 クリック

8 オフセットで作成された斜線

> [**オフセットツール**]使用後は、オフセットされた図形が選択状態であるため、クリックを繰り返すことで連続的にオフセットされます。複製する図形の数が少ない場合は、[**配列複製**]コマンドよりも設定項目が少なくて扱いやすいのでおすすめです。連続的にオフセットしない場合は、意図せずオフセットされてしまうので、[**セレクションツール**]など他のツールに切り替えておきましょう。

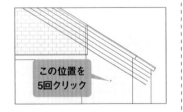

この位置を5回クリック

ポイント ｜ **複数の線をまとめてオフセットする**

複数の線を選択して[**オフセットツール**]を使用すると、すべての線がクリックした側にまとめてオフセットされます。この方法を利用して、壁の仕上げ線や柱型を作成できます。

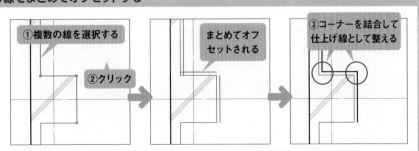

①複数の線を選択する
②クリック
まとめてオフセットされる
③コーナーを結合して仕上げ線として整える

DAY 05-02 面図形をオフセットする

📄 02_OFFSET_POLY_TEST.vwx（完成版：02_OFFSET_POLY_TEST_after.vwx）

BEFORE　　　**AFTER**

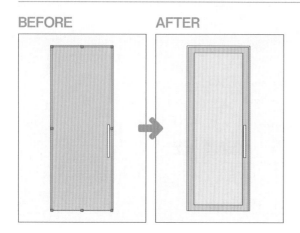

面図形を指定した距離で内側もしくは外側に拡大／縮小（オフセット）するには、基本パレットの[オフセットツール]を使用します。元の図形を残したままオフセットするには[複製とオフセットモード]、元の図形を残す必要がない場合は[元図形のオフセットモード]を使用します。

四角形を内側にオフセットする

扉を構成する四角形を内側に80mmオフセットして、框扉（かまちとびら）のガラス面を作成します。

1 扉を構成している内側の四角形を選択する。

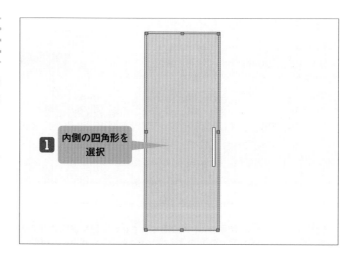

1 内側の四角形を選択

2 基本パレットの[オフセットツール]をクリックする。

3 ツールバーの（左から）[数値入力モード]と[複製とオフセットモード]をクリックする。

4 ツールバーの[ツール設定]をクリックする。[オフセットの設定]ダイアログが表示される。

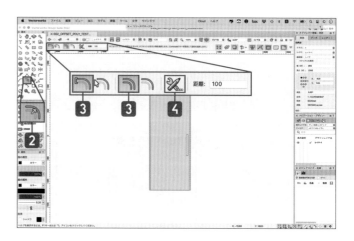

距離：100

5 [方法]の[距離]にオフセット距
離として「80」と入力する。

> オフセット距離はツールバーの[距離]
> で指定することもできます。

6 [OK]をクリックして、ダイア
ログを閉じる。

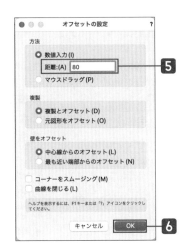

7 選択している四角形の内側をク
リックする。

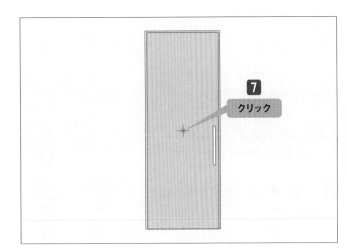

7
クリック

DAY
05

8 手順**1**で選択した四角形を内側
に80mmずつ縮小した四角形が
作成される。

> 図では、わかりやすいようにオフセッ
> トで作成された四角形の色を変えてい
> ます。

手順**7**で四角形
の外側をクリック
すると、図のよう
に外側にオフセッ
トされます(図では
わかりやすいよう
にアウトラインの
みにしている)。

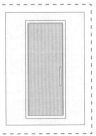

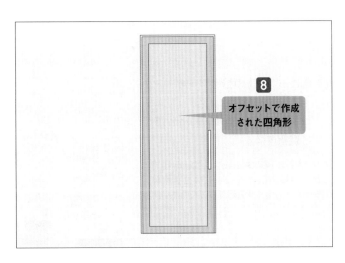

8
オフセットで作成
された四角形

DAY 05-03 線の端点にマーカーを設定する

📄 03_LINE_MARK_TEST.vwx（完成版：03_LINE_MARK_TEST_after.vwx）

BEFORE　　　　AFTER

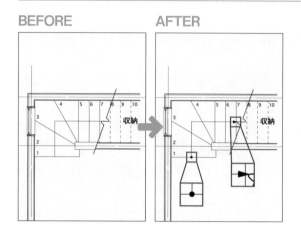

属性パレットを使用して、線の端点に丸や矢印などの「マーカー」を設定できます。始点と終点を同じマーカーにすることも、別々のマーカーにすることもできます。

Vectorworksにはさまざまな種類のマーカーがあらかじめ用意されていますが、必要に応じて、マーカーの大きさや色などをカスタマイズできます。

マーカーを設定する

階段の昇降方向を示す垂直線の下端に、黒丸マーカーを設定します。

1 階段の昇降方向を示す垂直線を選択する。

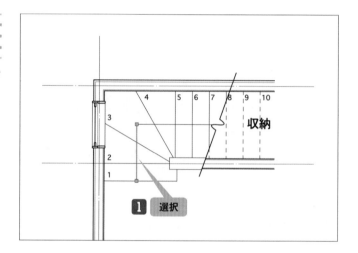

1 選択

2 属性パレットの始点マーカースタイルボタンをクリックし、リストから[●0.90mm×0.90mm15°]を選択する。

> リストに[●0.90mm×0.90mm15°]がない場合は、P.23〜P.24を参考にマーカースタイルを追加してください。

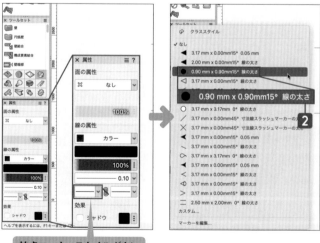

始点マーカースタイルボタン

この垂直線は、下端点から上端点の順
でかかれたものなので、線の下端点が
始点となります。始点（終点）が不明の
場合は、オブジェクト情報パレットの
[**向きを表示**]にチェックを入れると線
上にかき順の方向を示す矢印が表示さ
れるので、始点（終点）を確認できます。

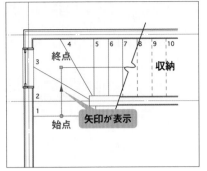

3 垂直線の始点に黒丸マーカーが
  表示されていることを確認する。

手順 2 で黒丸マーカーを選択したた
め、始点マーカースタイルボタンには
[●]と表示されています。

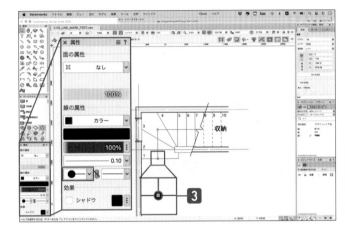

続けて、階段の昇降方向を示す水
平線の右端に、黒矢印マーカーを
設定します。

4 階段の昇降方向を示す水平線を
  選択する。
5 属性パレットの終点マーカース
  タイルボタンから[▶2.00mm×
  0.00mm15°]を選択する。
6 水平線の右端に黒矢印マーカー
  が表示されていることを確認する。

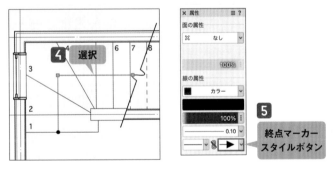

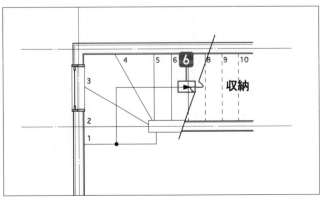

DAY
05

DAY 05-04 シンボルを登録する

📄 04_SYMBOL_TEST_01.vwx（完成版：04_SYMBOL_TEST_01_after.vwx）

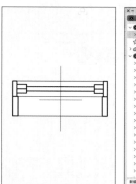

「シンボル」とは、建具などを構成する複数の図形を1つにまとめてファイル内に登録し、同じ図面ファイル内または別の図面ファイルで使い回しできるデータです。グループに似ていますが、リソースとして扱われるので名前が付けられるなど管理が容易です。

シンボルは、基本パレットの[シンボルツール]を使用して図面に配置します。シンボルの登録には[シンボル登録]コマンドを使用し、配置するときのために挿入点と挿入位置を指定します。

挿入点を指定してシンボルを登録する

上げ下げ窓の図形を、「上げ下げ窓_W400」という名前のシンボルとして登録します。

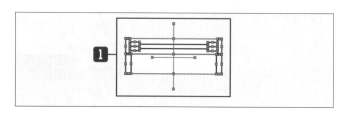

1 上げ下げ窓の図形をすべて選択する。

2 メニューバーから[加工]－[シンボル登録...]を選択する。[シンボル登録]ダイアログが表示される。

3 [名前]に「上げ下げ窓_W400」と入力する。

4 [挿入点]の[次にマウスクリックする点]を選択する。

5 [挿入位置]のチェックを外す。

> [壁ツール]でかかれた「壁」に挿入（配置）する場合（P.163を参照）は、[挿入位置]にチェックを入れ、挿入位置を指定します。通常は[挿入位置]の[壁 - 中心線]と、[壁の処理]の[線を消す（小口なし）]を選択します（図の破線で指示した部分）。

6 [その他]の[元の図形を用紙に残す]のチェックを外す。

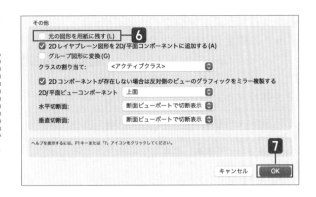

> [元の図形を用紙に残す]のチェックを外すと、シンボル登録と同時に作図領域から図形が削除されます。図形の登録が正しくできたかを確認できるので、チェックを外すほうがよいでしょう。

7 [OK]をクリックして、ダイアログを閉じる。

8 上げ下げ窓中央の十字の交点でクリックする（挿入点の指定）。[シンボル登録]ダイアログが表示される。

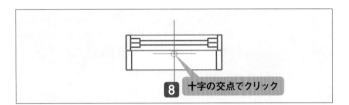

8 十字の交点でクリック

ポイント 　[ダブルラインツール]でかかれた壁にシンボルを配置する場合

[ダブルラインツール]または[ダブルライン多角形ツール]（P.130、P.134を参照）でかかれた壁にシンボルを配置する場合は、挿入点の位置はどこでもよいので、クリックして配置するときにスナップしやすい位置に指定します。ここでは、サッシ幅の中心線と、壁に配置したときの通り芯との交点を挿入点としています。

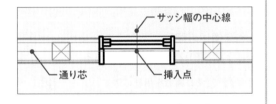

サッシ幅の中心線
通り芯
挿入点

DAY
05

ポイント 　[壁ツール]でかかれた壁にシンボルを挿入する場合

[壁ツール]（P.141を参照）でかかれた「壁」にシンボルを挿入する場合は、手順**5**で[挿入位置]にチェックを入れて[挿入位置]の[壁-中心線]を選択し、サッシ幅の中心線と、壁の厚みの中心線との交点を挿入点とします。

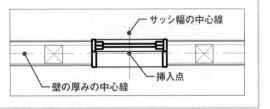

サッシ幅の中心線
壁の厚みの中心線
挿入点

（続く）

9 [**フォルダ選択**]ダイアログの[**フォルダの指定**]リストでアクティブファイル（04_SYMBOL_TEST_01.vwx）が選択されていることを確認する。

作成したシンボルを分類する場合は、①[**新規フォルダ...**]をクリック（図の破線で指示した部分）→②「**家具**」「**建具**」「**衛生器具**」などの名称のフォルダを作成→③シンボルを登録するフォルダを選択（図）して[**OK**]をクリックします。なお、作成されたフォルダの削除、フォルダ名の変更は、リソースマネージャのリソースビューアペインで行います。

10 [**OK**]をクリックして、ダイアログを閉じる。

11 作図領域の図形が削除され、上げ下げ窓のシンボルが作成される。

手順**6**で[**元の図形を用紙に残す**]のチェックを外したため、作図領域から図形が削除されます。図形が残っている場合は、手順**1**での図形選択が不十分なので、手順**1**からやり直します。

12 リソースマネージャの[**開いているファイル**]で太字表示されたファイルを選択するか、ホームボタン🏠をクリックする。[**リソースタイプ**]が[**すべてのリソース**]になっているか確認して、アクティブファイルに[**上げ下げ窓_W400**]シンボルが登録されていることを確認する。

[**リソースタイプ**]が[**すべてのリソース**]または[**シンボル/プラグインオブジェクト**]になっていないと、[**上げ下げ窓_W400**]シンボルは表示されません。

リソースマネージャについての詳細はP.181を参照してください。

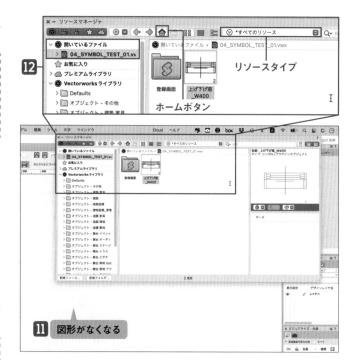

DAY 05-05 シンボルを配置する

05_SYMBOL_TEST_02.vwx、04_SYMBOL_TEST_01_after.vwx（完成版：05_SYMBOL_TEST_02_after.vwx）

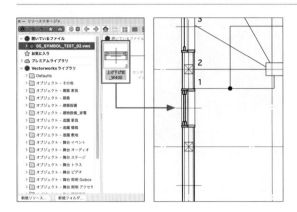

ここではリソースマネージャ（P.181を参照）を利用して、[ダブルラインツール]（P.130を参照）で作成された壁に、他のファイルに登録されている建具シンボルを配置します（配置後の図形タイプは[シンボル]となる）。

なお、同じ形状の図形を複数配置するときは、通常の図形を複製するよりも、シンボルを配置したほうがファイルサイズを軽減できます。1つのデータ量が大きい家具の3Dデータを配置する際などに有効です。

他のファイルからシンボルを取り込んで配置する

他のファイルに登録されている[上げ下げ窓_W400]シンボルを取り込んで配置します。

1 練習用ファイル「**05_SYMBOL_TEST_02.vwx**」を開いた状態で、リソースマネージャで「**04_SYMBOL_TEST_01_after.vwx**」ファイルを参照し、[**上げ下げ窓_W400**]シンボルを取り込む。

> リソースマネージャでの外部ファイルの参照とリソース取り込みの詳しい手順については、P.182の「他のファイルのリソースを閲覧する」、およびP.183の「他のファイルからリソースを取り込む」を参照してください。

2 リソースマネージャの[**開いているファイル**]で太字表示されたファイルを選択するか、ホームボタン🏠をクリックする。リソースビューアペインで[**上げ下げ窓_W400**]シンボルがアクティブファイルに取り込まれたことを確認する。

DAY 05

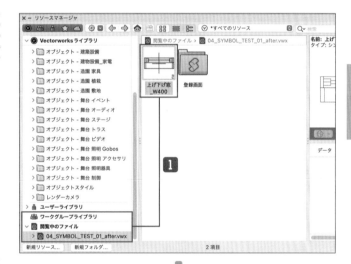

（続く）

3 リソースマネージャのリソース
ビューアペインで[**上げ下げ窓_
W400**]シンボルをダブルクリッ
クする。このシンボルの選択と、
基本パレットの[**シンボルツー
ル**]の選択が同時に行われる。

> シンボルを配置するには、[**シンボル
> ツール**]を先に選択する方法もあります
> （P.122を参照）。

4 ツールバーの（左から）[**標準配置
モード**]と[**シンボル挿入点モー
ド**]をクリックする。カーソル付
近にシンボルが仮表示される。

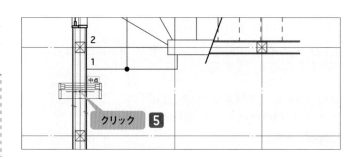

5 通り芯と窓の中心線の交点に
カーソルを合わせ、クリックし
て確定する。

> シンボルの仮表示は、カーソルの動き
> に合わせて移動します。手順**4**で[**シ
> ンボル挿入点モード**]を選択しているた
> め、シンボルの挿入点がカーソル位置
> に重なります。

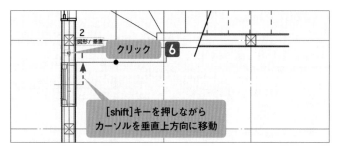

6 [**shift**]キーを押しながらカーソ
ルを垂直上方向に移動して、シ
ンボルの仮表示を90°回転させ
る。クリックして確定する。

> シンボルの配置後も[**シンボルツール**]
> は選択されたままなので、連続してシ
> ンボルを配置できます。配置が終了し
> たら、基本パレットの[**セレクション
> ツール**]を選択し、[**シンボルツール**]
> の選択を解除します。

7 シンボルが配置される。

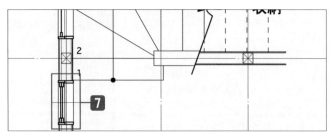

窓のシンボルを配置した部分は壁が削除（包絡処理）されたわけではなく、シンボ
ルの面のある図形によって壁の線が隠れて見えない状態です。Vectorworksのみ
でデータを扱う場合はこの状態でも問題ありませんが、他のCADで図面データ
を開いた際に、図のように背面にある壁の線が表示されてしまうことがありま
す。この問題を回避するには、あらかじめシンボルと重なる壁の線を削除してお
く必要があります。

壁ツールで作成された壁にシンボルを挿入する

06_SYMBOL_TEST_03.vwx（完成版：06_SYMBOL_TEST_03_after.vwx）

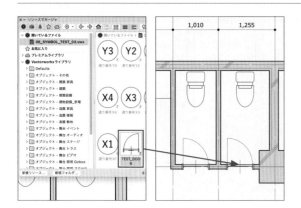

前節では建具シンボルを[ダブルラインツール]で作成された壁に配置しましたが、ここでは[壁ツール]（P.141を参照）で作成された[壁]に挿入する手順を解説します。挿入されたシンボルは[壁の中のシンボル]となり、再挿入するとそれに合わせて自動的に壁が復元、あるいは削除（包絡処理）されます。

なお、挿入する建具シンボルは、登録時に[挿入位置]を指定（通常は[壁 - 中心線]に）しておく必要があります（P.159のポイントを参照）。

[壁]にシンボルを挿入する

ファイルに登録されている[TEST_DOOR]シンボルを[壁]に挿入します。

1 リソースマネージャのリソースビューアペインで[TEST_DOOR]シンボルをダブルクリックする。このシンボルの選択と、基本パレットの[シンボルツール]の選択が同時に行われる。

> ここでは[リソースタイプ]を[シンボル/プラグインオブジェクト]にしているので（図の破線で指示した部分）、シンボルのみが表示されています。

2 ツールバーの（左から）[標準配置モード][壁への挿入のON/OFFモード][シンボル挿入点モード]をクリックする。カーソル付近にシンボルが仮表示される。

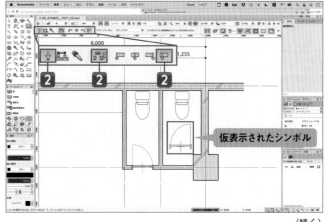

仮表示されたシンボル

（続く）

DAY
05

3 壁の上にカーソルを移動すると、壁がハイライト表示される。図に示した壁の中点でクリックすると、壁の中心に自動的に配置される。

> シンボル登録時に挿入位置が設定されていないと（P.159のポイントを参照）、ハイライト表示されません。

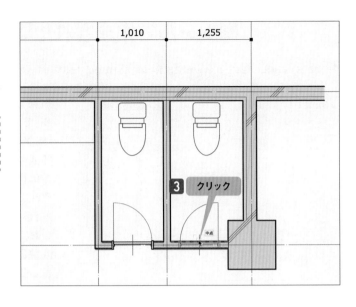

4 そのまま、ドアの周りに円をかくようにカーソルを移動する。仮表示されたシンボルを確認しながら、隣のドアと同じ向きになったところでクリックし、開閉方向を指定する。

> 壁に挿入するシンボルは、カーソルを移動することで上下左右の向きが変わります。

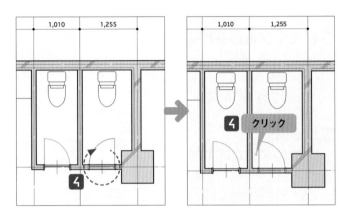

5 シンボルが配置される。

> 壁に挿入されたシンボルは、図形タイプが**[壁の中のシンボル]**になります。正しく挿入されていないと図形タイプが**[シンボル]**と表示されるので、その場合は手順**3**からやり直します。

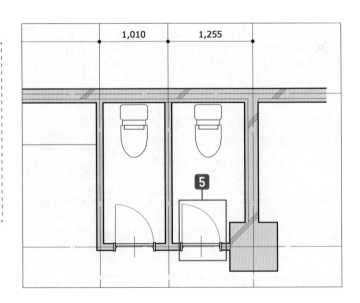

ポイント 挿入個所を修正する

挿入個所を間違えた場合は、基本パレットの**[セレクションツール]**で、シンボルを一度壁の外に移動し、再挿入します。手順は次のとおりです。

まず、シンボルを壁の外に移動します。

① 基本パレットの**[セレクションツール]**をクリックする。
② ツールバーの**[壁への挿入のON/OFFモード]**をクリックする。
③ シンボルの上にカーソルを移動し、リサイズカーソルに切り替わったらドラッグを開始する。
④ シンボルが壁の外に移動したら、ドラッグを終了する。

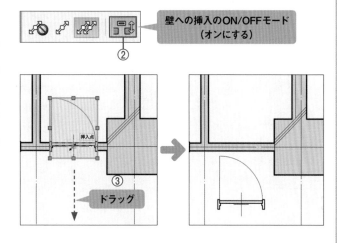

壁への挿入のON/OFFモード
（オンにする）
②

挿入点
③
ドラッグ

次に、シンボルを再挿入します。

⑤ シンボルの挿入点にカーソルを移動する。
⑥ ドラッグカーソルに切り替わったら、ドラッグを開始する。
⑦ 挿入個所（壁がハイライト表示される）で、ドラッグを終了する。

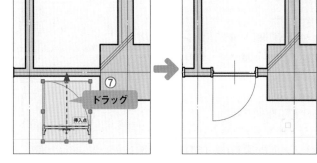

⑦
ドラッグ
挿入点

オブジェクト情報パレットから向き（開閉方向）を変更できます。

⑧ 壁に挿入されたシンボルを選択する。
⑨ 意図する向きになるまで、オブジェクト情報パレットの**[反転]**を繰り返しクリックする。

× オブジェクト情報 - 形状　　≡ ?

| 形状 | データ | レンダー |

壁の中のシンボル

クラス：	一般
レイヤ：	躯体
名前：	TEST_DOOR
シンボル単位：	寸法に合わせる-縮尺追従
壁への挿入位置：	壁 - 中心線
オフセット：	0
壁の処理：	線を消す（小口なし）
高さ：	0

反転　　　　　　　　⑨
位置を設定...

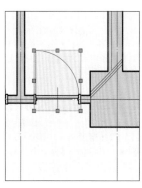

05-07 シンボルを編集する

📄 07_SYMBOL_TEST_04.vwx（完成版：07_SYMBOL_TEST_04_after.vwx）

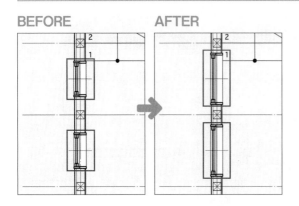

BEFORE　　　AFTER

シンボルとして登録した図形を編集するには「シンボルに入る」（シンボル編集モードにする）という操作が必要です。

1つのファイル内に同じシンボルを複数配置している場合、シンボルは互いにリンクしています。そのため、いずれかのシンボルを編集すると、その編集結果が他の個所に配置されたシンボルにも反映されます。

上げ下げ窓のサッシ幅を編集する

[上げ下げ窓_W400]シンボルのサッシ幅を400mmから600mmに変更します。

1 上部に配置された、上げ下げ窓のシンボルをダブルクリックする。[シンボル編集]ダイアログが表示される。

> ここでは、[上げ下げ窓_W400]シンボルが上下2カ所に配置されています。

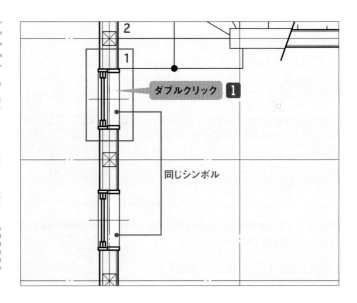

ダブルクリック **1**

同じシンボル

> シンボルをダブルクリックしても[シンボル編集]ダイアログが表示されない場合は、シンボルを右クリックして表示されるメニューから[編集]を選択するとダイアログが表示されます。また、このダイアログで[ダブルクリック]（下図の破線で示した部分）のリストから[このダイアログボックスを表示]を選択しておくと、次回から[シンボル編集]ダイアログが表示されるようになります。

2 [編集する属性]で[2D]が選択されていることを確認する。

3 [編集]をクリックして、ダイアログを閉じる。

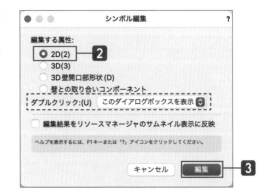

シンボル編集

編集する属性：
- ◉ 2D(2) ── **2**
- ○ 3D(3)
- ○ 3D壁開口部形状 (D)
- ○ 壁との取り合いコンポーネント

ダブルクリック：(U) 　このダイアログボックスを表示

☐ 編集結果をリソースマネージャのサムネイル表示に反映

ヘルプを表示するには、F1キーまたは「?」アイコンをクリックしてください。

キャンセル　　編集 ── **3**

4 作業領域が太いオレンジ色の線で囲まれ、シンボルを構成する線だけが濃い色で表示される（シンボル編集モード）。

> 手順 **1** でシンボルを選択してメニューバーから[**加工**]−[**シンボルに入る**]を選択しても、シンボル編集モードに入ることができます。

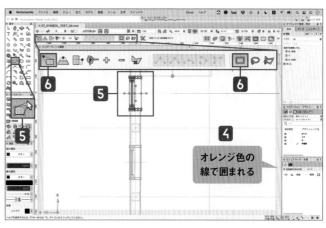

オレンジ色の線で囲まれる **4**

5 シンボルを構成するすべての線を選択し、[**変形ツール**]を選択する。

6 ツールバーの(左から)[**頂点移動モード**]と[**矩形モード**]をクリックする。

7 図のように、サッシの中心線から上部の変形ハンドルを選択枠で囲むようにドラッグして選択する。

ドラッグ **7**

8 メニューバーから[**加工**]−[**移動**]−[**移動...**]を選択する。[**図形を移動**]ダイアログが表示される。

9 [**X-Y座標**]の[**X方向**]に「**0**」、[**Y方向**]に「**100**」と入力し、[**OK**]をクリックする。

10 サッシの中心線から上部の変形ハンドルが上方向に100mm移動される。

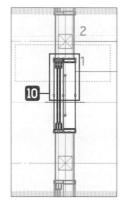

10

> サッシの図形全体を変形カーソルで変形すると、サッシの構成部材や木枠まで変形してしまいます。構成部材の大きさを変えずにサッシ幅を変更するためには、手順 **5** 〜 **10** のような操作が必要です。

11 同様にサッシの中心線から下部の変形ハンドルを選択枠で囲むようにドラッグして選択する。

12 メニューバーから[**加工**]−[**移動**]−[**移動...**]を選択する。[**図形を移動**]ダイアログが表示される。

13 [**X-Y座標**]の[**X方向**]に「**0**」、[**Y方向**]に「**−100**」と入力し、[**OK**]をクリックする。

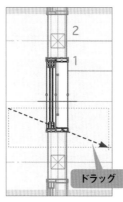

ドラッグ **11**

13

（続く）

DAY
05

14 サッシの中心線から下部の変形
ハンドルが下方向に100mm移
動される。

15 ［**シンボルを出る**］をクリックし
て、シンボル編集モードを終了
する。

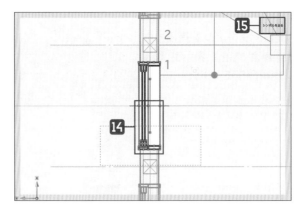

16 サッシ幅が変更され、 200mm
広がる。下部に配置された上げ
下げ窓のサッシ幅も同時に変更
されていることを確認する。

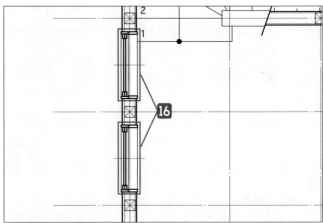

念のため、シンボルの編集前にはシン
ボルの複製を作成しておき、編集前の
シンボルも残しておきましょう。シン
ボルの複製はリソースマネージャで行
います（リソースマネージャについて
の詳細はP.181を参照）。

ポイント　　**シンボルをグループに変換して個別に編集する**

ここで解説したように、シンボルは互
いにリンクしています。そのため、い
ずれかのシンボルを編集するとすべて
の図形に編集結果が適用されます。
配置されている1つのシンボルだけを個
別に編集する場合は、編集対象のシン
ボルをグループに変換します。変換後
のグループを編集しても、他のシンボル
に影響が及ぶことはありません。グルー
プに変換する手順は次のとおりです。

①配置されているシンボルを選択する。
②メニューバーから［**加工**］－［**変換**］－
　［**グループに変換**］を選択する。
③シンボルがグループに変換される（オ
　ブジェクト情報パレットの図形タイ
　プに［**グループ**］と表示される）。

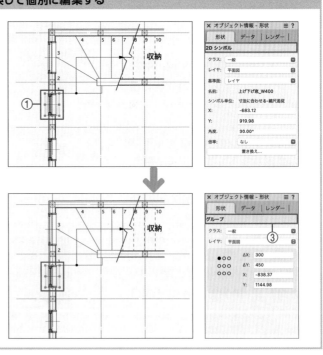

DAY 05-08 ハッチングを作成して適用する

📄 08_HATCHING_TEST.vwx（完成版：08_HATCHING_TEST_after.vwx）

BEFORE　　　　**AFTER**

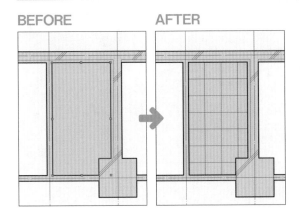

フローリング、タイルなどの仕上げを表現するときや、断面にコンクリート、木材などの材料を表現するときは、「ハッチング」を利用して連続する線のパターンを描画します。あらかじめ用意されているハッチングのほか、新たに作成したハッチングを利用することが可能です。
ハッチングの適用は、メニューバーの[ハッチング...]コマンドから行う方法と、属性パレットの[面の属性]から行う方法があります。

ハッチングを作成する

300角タイルのハッチングを作成します。[ハッチング編集]ダイアログで、縦横の線から成るグリッド状のハッチングパターンを設定します。

1 リソースマネージャの[開いているファイル]でアクティブファイルが選択されていることを確認し、[新規リソース...]をクリックする。[リソースの作成]ダイアログ（P.184を参照）からハッチングを新規作成する。[ハッチング編集]ダイアログが表示される。

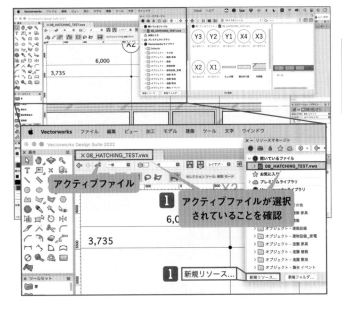

アクティブファイル

1 アクティブファイルが選択されていることを確認

1 新規リソース...

2 [名前]に「300角タイル」と入力する。

3 プレビュー画面に●、○、■の3つのハンドルが見えていることを確認する。

> ●、○、■の3つのハンドルが見えない場合は、[拡大/縮小]の虫眼鏡ボタン（図の破線で示した部分）をクリックし、プレビュー画面にすべてのハンドルが見える状態に調整します。

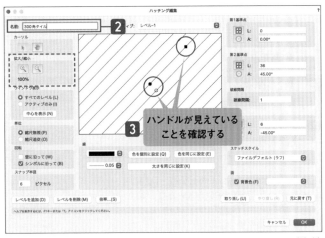

3 ハンドルが見えていることを確認する

DAY 05

（続く）

4 ［単位］の［縮尺追従］を選択する。

> ［縮尺追従］は、図面の縮尺に合わせてハッチングの間隔などサイズが調整されます。タイルなどの仕上げ材を表現する際に選択します。［縮尺無視］は、図面の縮尺に関係なくハッチングが設定したサイズのままとなります。コンクリートの断面に材料を示す記号として用いるハッチングなどで選択します。

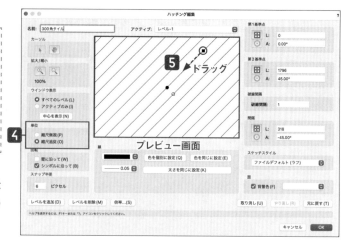

5 ■のハンドルをおおよそ図に示した方向にドラッグする。□のハンドルが表示される。

ポイント　ハッチングの「レベル」と設定要素

ハッチングの「**レベル**」とは、レイヤのようなものです。複数のレベルを重ね合わせることができ、1つのレベルで描画できるのは1つのハッチングパターンのみとなります。そのためここでは「**レベル-1**」に水平線、「**レベル-2**」に垂直線を設定して、グリッド状のハッチングパターンとします。ハッチングパターンを作成するにあたっては、「**第1基準点**」（線をかき始める位置）、「**第2基準点**」（線をかき終わる位置）、「**破線間隔**」（破線ピッチの間隔）、「**間隔**」（線同士の間隔）という4つの要素を設定します。これらは、プレビュー画面上で各ハンドルをドラッグして直接設定することもできますが、ここでは数値入力により座標を設定（座標の設定については、P.57のポイントを参照）してハッチングパターンを作成します。

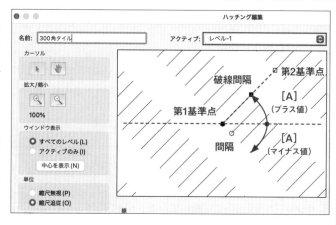

まず「**レベル-1**」に、水平線を設定します。

6 ［アクティブ］に「**レベル-1**」と表示されていることを確認する。

7 ［第1基準点］の［L］と［A］に「0」と入力する。

> 設定しやすいようにハッチングの原点と［第1基準点］を一致させます。

8 ［第2基準点］の［A］に「0」と入力する。線の傾きが水平になる。

9 ［破線間隔］に「1」と入力する。実線となる。

> ［破線間隔］は、破線ピッチの間隔を割合で設定します。「0.6」を入力すると［第2基準点］の［L］の値の6割が線となり、4割が間隔（空白）となります。「1」を入力すると連続した線（実線）となります。

以降の手順で数値を入力した後に［return（Enter）］キーを押すと、ダイアログが閉じてしまいます。カーソルを次の欄に移動するときは［tab］キーを押すか、直接入力ボックスをクリックします。

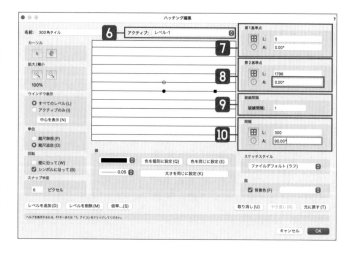

10 [間隔]の[A]に「90」、[L]に
「300」と入力する。300mm間
隔の水平線となる。

水平線が設定できたので、次に新
しいレベルを追加して、垂直線を
設定します。

11 [レベルを追加]ボタンをクリッ
クする。

12 [アクティブ]に「レベル-2」と表
示され、プレビュー画面に新た
な線が追加される。

> ここでは、わかりやすいように「レベ
> ル-2」の線を水色にしています。

13 [間隔]の[A]に「45」と入力する。

14 [第2基準点]の[A]に「90」と入
力する。線の傾きが垂直になる。

15 [間隔]の[L]は「300」のまま、
[A]に「0」と入力する。300mm
間隔の垂直線となる。これでグ
リッド状のハッチングパターン
が作成される。

16 [OK]をクリックして、ダイア
ログを閉じる。

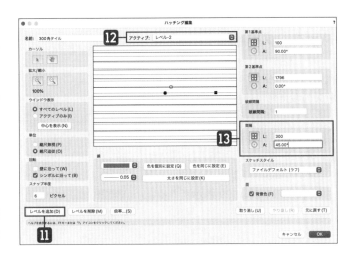

> 手順**13**で入力する値は、「90」または「0」以外であれば適当な値で
> かまいません。これは手順**14**で[第2基準点]の[A]に「90」を入力
> するための準備です。[第2基準点]と[間隔]の[A]に同じ値を入力
> することはできないため、一時的に他の値に変更します。

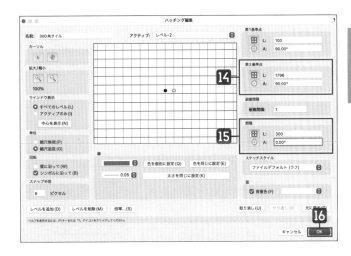

17 リソースマネージャのリソースビュー
アペインにハッチング[300角タイ
ル]が表示されていることを確認
する。

> 表示されないときは、アクティブファ
> イルと、パレットツールバーから[す
> べてのリソース]が選択されているこ
> とを確認しましょう(図の破線で示し
> た部分)。

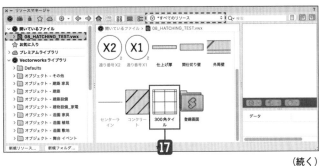

(続く)

DAY
05

ハッチングを適用する

作成したハッチング[300角タイル]
を床の多角形に適用します。

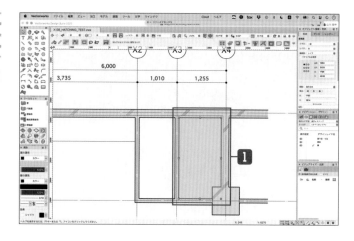

1 床の多角形を選択する。

2 メニューバーから[加工]−[ハッ
チング...]を選択する。[ハッチ
ング]ダイアログが表示される。

3 [ハッチング名]から[300角タイ
ル]を選択する。

4 [OK]をクリックして、ダイア
ログを閉じる。

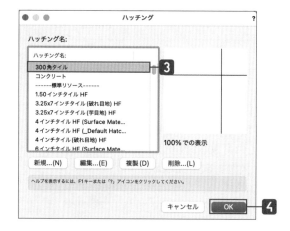

5 カーソルがバケツの形状に変わ
るので、多角形の左上隅の点を
クリックする。

> ここではタイル割の開始位置を左上隅
> 基準とするために、この点を指定して
> います。

6 角度を決定するための基準枠が
表示される。ここでは角度を付
けないため、カーソルを水平に
移動し、多角形の辺の上でク
リックする。

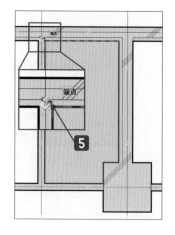

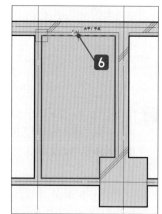

7 ハッチングが多角形の左上隅の点を基準に適用される。

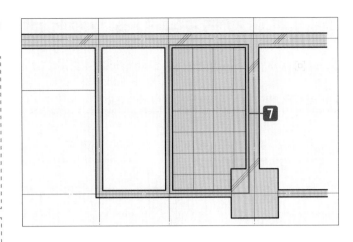

[ハッチング…]コマンドで適用したハッチングは、床の多角形とは別の複数の直線から成るグループ図形です（非結合ハッチング）。適用直後は、床の多角形とハッチング図形の両方が選択されています。ハッチングの線の色、太さなどを変更する場合は、一度空クリックした後（選択解除）、ハッチングの図形を選択（線上をクリック）して、属性パレットで設定します。

適用したハッチングを変更するときは、ハッチング（グループ図形）を削除し、異なるハッチングを再度適用します。

手順 **6** でハッチングに角度を付けたい場合は、カーソルを斜め方向に移動して基準枠の角度を変更し、クリックして確定します。図はハッチングを45°回転して適用した結果です。

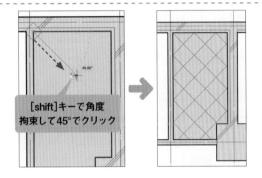

[shift]キーで角度拘束して45°でクリック

DAY
05

ポイント 　**属性パレットでハッチングを適用する（結合ハッチング）**

ハッチングは、属性パレットの[面の属性]からも適用できます。このハッチングは、床の多角形と一体になったハッチングです（結合ハッチング）。リソースセレクタから異なるハッチングが選択でき、変更が容易です。手順は次のとおりです。

①床の多角形を選択する。
②属性パレットの[面の属性]リストから[ハッチング]を選択する。
③[ハッチング]リストをクリックして、表示されるリソースセレクタから任意のハッチングを選択する。

この節の[ハッチング...]コマンドから適用したハッチングはグループ図形に変換されて適用されましたが、[面の属性]で適用した場合はリソースとして適用されます。複数の図形に同じハッチングを適用したときは、リソースを編集することで一括して変更できるのが特徴です。
なお、個別にハッチングの角度やサイズを変更したい場合は、イメージ（画像データ）と同様（P.179を参照）に基本パレットの[属性マッピングツール]を使用できます。

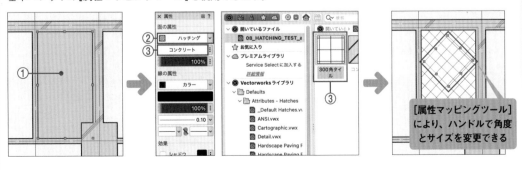

[属性マッピングツール]により、ハンドルで角度とサイズを変更できる

DAY 05-09 グラデーションを作成して適用する

📄 09_GRADATION.vwx（完成版：09_GRADATION_after.vwx、09_GRADATION_point.vwx）

BEFORE **AFTER**

Vectorworksでは、2D図形の[面の属性]として単色の塗りつぶしだけでなく、グラデーションを適用できます。これにより通常の図面を、プレゼンテーション用の図面にブラッシュアップすることができます。

グラデーションは、リソースとして扱われ、属性パレットの[面の属性]またはリソースマネージャから適用します。なお、グラデーションは、3D図形に適用しても表示されないので注意しましょう。

グラデーションを作成する

ここでは、白色からオークの色（ベージュ色）にシンプルに変化するグラデーションを作成して平面図の床に適用します。

1 リソースマネージャでアクティブファイルにリソース[グラデーション]を作成する（P.184を参照）。[グラデーションの編集]ダイアログが表示される。

2 [名前]に「グラデーション_オーク」と入力する。

3 それぞれのカラースポットをクリックして選択し、[色]から任意の色を選択する。ここでは、左のカラースポットに白色、右のカラースポットにオークの色（ベージュ色）を選択する。

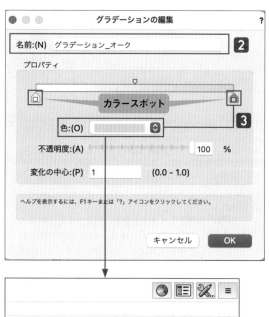

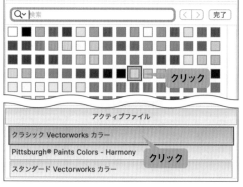

4 中間点を選択し、[変化の中心] に「**0.5**」と入力する。

> 中間点は、色の変化のバランスを調整します。中間点を直接ドラッグして指定することもできますが、[**変化の中心**] に数値を入力するほうが扱いやすいでしょう。グラデーションバー全体の長さを1.0として、位置を割合(0.0〜1.0)で入力します。

5 [**OK**] をクリックして、ダイアログを閉じる。

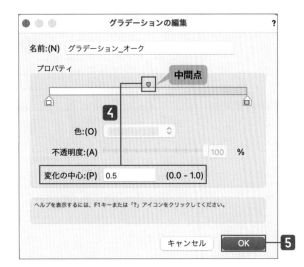

> 3色以上のカラースポットを指定してグラデーションを作成したい場合は、グラデーションバーの下をクリックして、カラースポットを追加します。[**変化の中心**] でカラースポットの位置を指定できます。

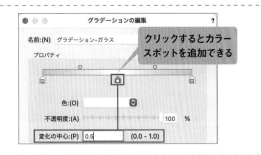

6 リソースマネージャのリソースビューアペインにグラデーション [**グラデーション_オーク**] が作成されたことを確認する。

グラデーションを適用する

作成した[**グラデーション_オーク**]を床の多角形に適用します。

1 床の多角形を選択する。

2 リソースマネージャの[**グラデーション_オーク**]をダブルクリックする。

> グラデーションの適用は、属性パレットの[**面の属性**]からも行えます。

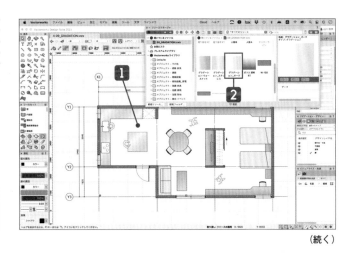

(続く)

3 グラデーションが床に適用される。

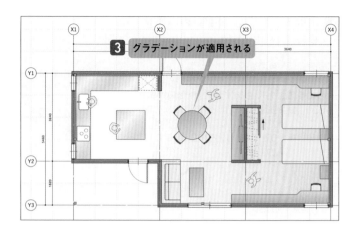

グラデーションの
サイズや角度を編集する

床に適用したグラデーションのサイズ
や角度を編集します。

1 グラデーションを適用した床を
選択する。

2 基本パレットの[**属性マッピン
グツール**]をクリックする。

3 水平に表示された赤いラバーバ
ンドの両端点の変形ハンドルを
ドラッグして移動し、変化の方
向とサイズを編集する。

ラバーバンドの両端点の位置に、[**グラデーションの編集**]ダイ
アログで設定した両端のカラースポットの色が表示されます。ラ
バーバンドの両端点は、適用先の2D図形の外側に移動することも
できます。

ポイント　　**グラデーションとハッチングを併用する**

図のように、グラデーションとハッチン
グを併用して仕上げ材を表現することが
できます。
まず、2D図形にグラデーションを適用
します。その後に2D図形を選択し、メ
ニューバーから[**加工**]－[**ハッチング...**]
を選択してハッチングを適用します。
この場合、適用したハッチングはグルー
プ図形なので、線の太さと色は属性パレッ
トの[**線の属性**]で編集します。図では、
ハッチングの線の太さを「**0.05**」、色をグ
レイとしています。

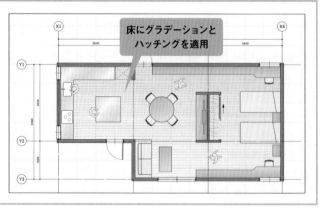

05-10 イメージを作成して適用する

📄 10_IMAGE.vwx、TEST_FLOORING.jpg（完成版：10_IMAGE_after.vwx、10_IMAGE_point.vwx）

BEFORE

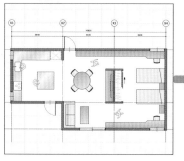

AFTER

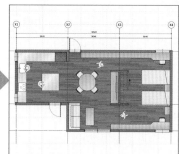

グラデーションと同様に、2D図形の[面の属性]としてイメージ（画像データ）を適用できます。実際に使用する建材を図面上で表現する際などに用います。

イメージは、リソースとして扱われ、属性パレットの[面の属性]またはリソースマネージャから適用します。なお、イメージは、3D図形に適用しても表示されないので注意しましょう（3D図形では「テクスチャ」を使用する）。

画像データを取り込む

ここでは、フローリングの画像データを取り込み、イメージリソースとして登録して平面図の床に適用します。

1 リソースマネージャでアクティブファイルにリソース[**イメージ**]を作成する（P.184を参照）。[**選択イメージ**]ダイアログが表示される。

2 [**イメージファイルの取り込み**]を選択し、[**OK**]をクリックする。

> 既存のイメージリソースがアクティブファイル内にない場合は、[**選択イメージ**]ダイアログは表示されません。

3 ファイル選択ダイアログで「**TEST_FLOORING.jpg**」を選択し、[**開く**]をクリックする。

4 [**イメージファイルの情報**]ダイアログで[**圧縮方法**]から[**JPEG**]を選択する。[**OK**]をクリックして、ダイアログを閉じる。

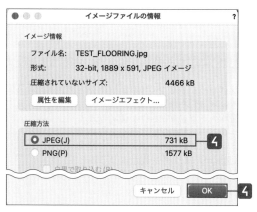

（続く）

177

5 リソースマネージャのリソース
ビューアペインにイメージ[**TEST_
FLOORING**]が作成されたこと
を確認する。

仕上げ材のイメージに使用する画像
データは建材メーカーなどからダウン
ロードできます。また、フローリング
など大きな面積に適用する場合は、小
さな画像を複数タイル状に並べるた
め、シームレス（継ぎ目がない）処理さ
れた画像が必要となります。

イメージを適用する

作成したイメージ[TEST_FLOORING]
を床の多角形に適用します。

1 床の多角形を選択する。
2 リソースマネージャの[**TEST_
FLOORING**]をダブルクリック
する。

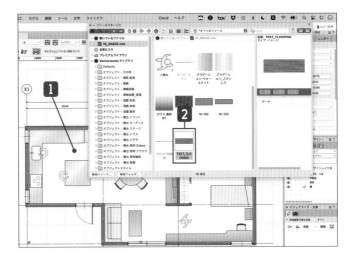

イメージの適用は、属性パレットの
[**面の属性**]からも行えます。

3 イメージが床に適用される。

ここでは、適用したイメージ（板の木
目）がつぶれて表示されますが、次項
でサイズを編集します。

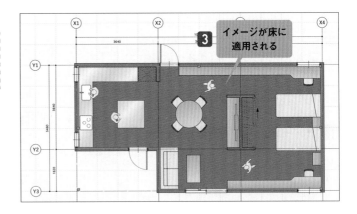

イメージが床に
適用される

ポイント　ハッチング、グラデーション、イメージをドラッグ＆ドロップで適用

リソースマネージャからハッチング（結合ハッチン
グ）、グラデーション、イメージを適用するには、
アイコンを直接図形へドラッグ＆ドロップする方法
もあります。この場合、適用したい図形をあらかじ
め選択しておく必要はありません。アイコンを適用
したい図形の上（図形がハイライト表示になること
を確認する）にドラッグしてマウスのボタンを放す
と適用されます。

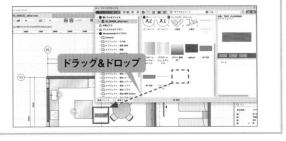

ドラッグ＆ドロップ

イメージのサイズや角度を編集する

床に適用したイメージのサイズや角度を編集します。

1 イメージを適用した床を選択する。

2 属性パレットの[**イメージの設定**]ボタンをクリックする。イメージの設定ポップオーバーが表示される。

3 [高さ]に「**1440**」と入力する。

> 取り込んだフローリングの画像は、16枚の板が並んでいる画像です。1枚の板幅を90mmと想定して、16枚で1440mmと入力しています。

4 [**繰り返し**]にチェックが入っていることを確認する。

> この項目にチェックを入れることで、画像が複数タイル状に並びます。

5 イメージの設定ポップオーバーの外側をクリックし、ポップオーバーを閉じる。

6 床に適用したイメージが編集される。

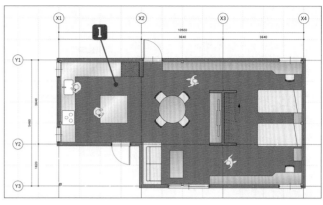

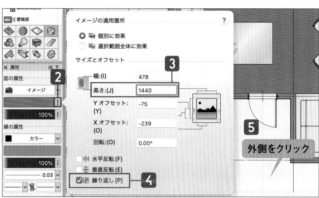

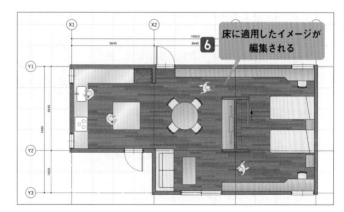

床に適用したイメージが編集される

DAY
05

サイズや角度の編集は、フローリングやタイルなど材料の寸法が得られるものは、イメージの設定ポップオーバーから数値入力で編集するほうが効率的ですが、グラデーションと同様に[**属性マッピングツール**](P.176を参照)で適用結果の様子を見ながら編集することもできます。
イメージを適用した床を選択して基本パレットの[**属性マッピングツール**]をクリックすると変形ハンドルが表示されるので、ハンドルを移動することでイメージのサイズと角度を編集します。

頂点をクリック→移動→クリックするとサイズが変更

中点をクリック→移動→クリックすると角度が変更

(続く)

　イメージとグラデーションを併用する

濃い色のイメージを適用すると全体的に重い印象を与えがちです。そのような場合は、透明度の設定されたグラデーションを適用すると、軽い印象に仕上げることができます。手順は次のとおりです。

①イメージを適用した床を複製する。
②複製した床にあらかじめ用意されたグラデーションの[**透過 白 GR**]（透明から白色に変化するグラデーション）を適用する。

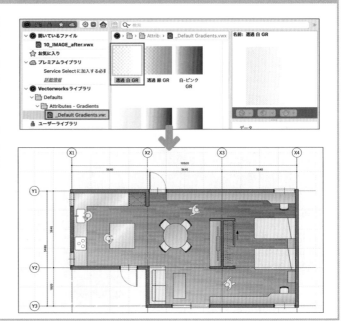

　ドロップシャドウで影を付ける

プレゼンテーション用の図面にする表現手段として、ハッチングやグラデーション、イメージのほかに、ドロップシャドウ（影付きの表現）があります。家具などは、ドロップシャドウを使用することで立体感のある表現になります。手順は次のとおりです。

①ドロップシャドウを適用したい図形を選択する（複数選択も可。ここでは、家具レイヤをアクティブにしている）。
②属性パレットの[**効果**]の[**シャドウ**]にチェックを入れる。選択した図形（ここでは家具や添景の人物）に影が付く。
③[**ドロップシャドウ設定**]ボタンをクリックする。ドロップシャドウポップオーバーが表示されるので、各項目を適宜編集する（ここでは、[**不透明度**]を「**50**」%に変更している）。

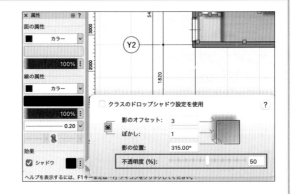

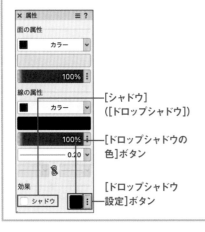

[シャドウ]
（[ドロップシャドウ]）

[ドロップシャドウの色]ボタン

[ドロップシャドウ設定]ボタン

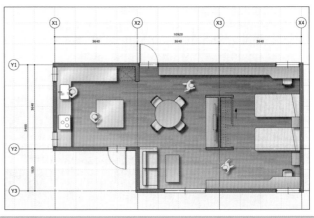

DAY 05-11 リソースマネージャの使い方

シンボルやラインタイプ（線種）、ハッチング、テクスチャなどは「リソース」と呼ばれ、それら各種リソースを管理するのが「リソースマネージャ」です。リソースマネージャでは、アクティブファイル（作業可能なファイル）に登録されているリソースを閲覧・編集・適用できるのはもちろん、Vectorworksにあらかじめ用意されたファイルやほかのファイルからリソースを取り込んだり、リソースを新たに作成したりできます。

リソースマネージャの構成

リソースマネージャは、**「ファイルブラウザペイン」「リソースビューアペイン」「プレビューペイン」**という3つのセクションに分かれています。ファイルブラウザペインで選択したファイル内のリソースが、リソースビューアペインに表示されます。そこでリソースを選択すると、プレビューペインにその内容が表示されます。

[リソースタイプ]をクリックして表示されるメニューから特定のリソースタイプを選択することで、該当するリソースだけをリソースビューアペインに表示させることができます。

> **[リソースタイプ]**で特定のリソースタイプを選択すると、該当しないリソースは表示されません。目的のリソースを探すときには、リソースタイプを指定することを習慣づけましょう。

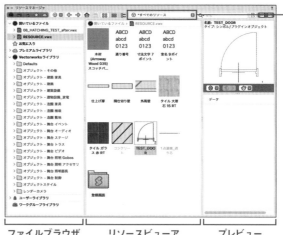

ファイルブラウザ　　　　リソースビューア　　　プレビュー
ペイン　　　　　　　　　ペイン　　　　　　　　ペイン

目的のリソースタイプを選択

リソースタイプ

DAY
05

アクティブファイルのリソースを閲覧する

アクティブファイル内に登録されているリソースを閲覧するときは、ファイルブラウザペインの**[開いているファイル]**で、太字表示されたファイルを選択するか、パレットツールバーのホームボタン🏠をクリックします。

ホームボタン

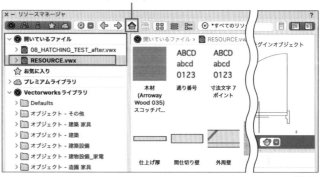

（続く）

他のファイルのリソースを閲覧する

他のファイルのリソースを閲覧するときは、ファイルブラウザペインで目的のファイルを選択します。

1 ［開いているファイル］を閲覧するときは、アクティブファイル（太字表示されたファイル）以外を選択する。

2 Vectorworksにあらかじめ登録されたリソースを閲覧するときは、［Vectorworksライブラリ］のファイルを選択する。

3 閉じているファイルのリソースを閲覧するときは、パレットツールバーの［アクション］から［ファイルを閲覧...］を選択し、表示されるダイアログで目的のファイルを選択する。［閲覧中のファイル］が追加され、目的のファイルが表示されるので選択する。

> 通常Vectorworksでは同時に開くことができるのは、最大8ファイルまでです。これを超える場合は、［ファイルを閲覧...］を利用します。

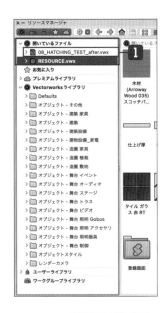

アクション

3 ファイルを閲覧...

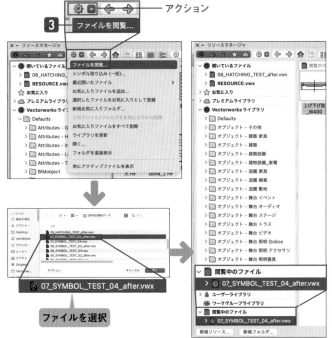

ファイルを選択

07_SYMBOL_TEST_04_after.vwx

ファイルブラウザペインの［Vectorworksライブラリ］には、数多くのファイルが表示されています。その中から目的のファイルを見つけやすくするために、頻繁に閲覧するファイルは［お気に入り］として登録しておくとよいでしょう。手順は、目的のファイルを右クリックし、表示されるメニューから［選択したファイルをお気に入りとして登録］を選択します（図）。
［お気に入り］からファイルを削除する場合は、右クリックして表示されるメニューから［このファイル/フォルダをお気に入りから削除］を選択します。

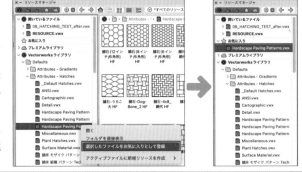

他のファイルから
リソースを取り込む

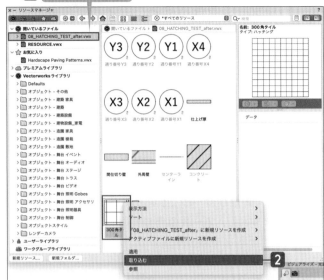

他のファイルを選択

リソースマネージャで閲覧している他
ファイルから、アクティブファイルに
リソースを取り込むことができます。

1 ファイルブラウザペインで、取り込む
リソースが登録されている他のファ
イル（図では「08_HATCHING_
TEST_after.vwx」）を選択する。

2 アクティブファイル（「RESOURCE
.vwx」）に取り込むリソース（図
ではハッチングの[300角タイ
ル]）を右クリックして、メニュー
から[取り込む]を選択する。[リ
ソースの取り込み]ダイアログ
が表示される。

3 [OK]をクリックする。

> [リソースの取り込み]ダイアログで
> [フォルダの指定]を選択すると、取り
> 込み先のフォルダを指定できます。[新
> 規フォルダ...]をクリックすると、新規
> にフォルダを作成することもできます。

4 [開いているファイル]でアク
ティブファイルを選択するか、
ホームボタン🏠をクリックし
て、アクティブファイルにリ
ソース（[300角タイル]）が取り
込まれていることを確認する。

4 アクティブファイルを選択　**4** ホームボタン

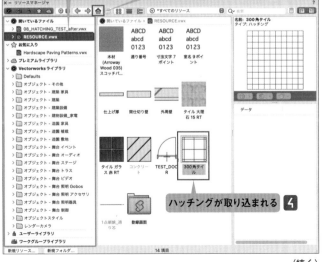

ハッチングが取り込まれる **4**

DAY
05

（続く）

183

新しいリソースを作成する

リソースマネージャで管理される
リソース（ハッチング、イメージ、
テクスチャなど）は、リソースマ
ネージャ左下の[**新規リソース...**]
から作成できます。

リソースを作成するには、リソース
マネージャのファイルブラウザペイ
ンでリソースを作成したいファイル
を選択し、[**新規リソース...**]をク
リックします。[**リソースの作成**]
ダイアログが表示されるので、リ
ソースの種類を選択し、[**作成**]を
クリックします。これにより、各種
リソースの作成ダイアログまたは
編集ダイアログが表示されます。

ただし、シンボルについては、メ
ニューバーの[**加工**]－[**シンボル登
録...**]コマンドで作成します（P.158
を参照）。

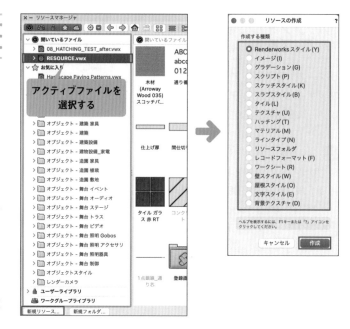

リソースを編集する

リソースは、リソースマネージャで
編集できます。

リソースを編集するには、リソース
マネージャで目的のリソースを右
クリックし、メニューから[**編集...**]
を選択します。これにより、各種リ
ソースの編集ダイアログまたは編
集画面が表示されます（編集できる
のは、アクティブファイルに含まれ
るリソースのみ）。

> 同様に、リソースを右クリックしたとき
> に表示されるメニューから、リソースの
> 名称変更、削除、複製などができます。

> シンボルを編集するときは、最初に編
> 集する属性を選択する[**シンボル編集**]
> ダイアログが表示されます。詳しくは
> P.166を参照してください。

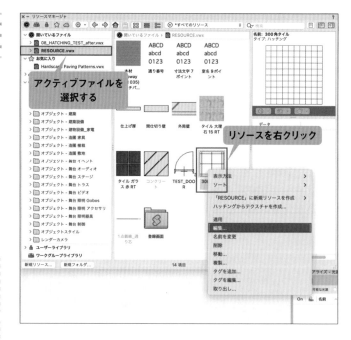

$\underset{\text{DAY}}{}$ 06

3Dモデリングの基本

6日目は、3Dモデリングを行うために必要な基礎知識と、
基本的な3D図形の作成および編集方法を学習します。

DAY 06-01 3D空間の基本

📄 01_3DSPACE_01.vwx、01_3DSPACE_02.vwx

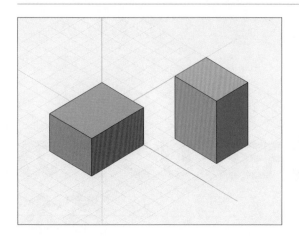

3Dモデリングでは、2D作図で使用するX軸とY軸に加えて、3D空間における高さを表現するZ軸を使用します。2D作図のときよりも図形の形状や位置関係がわかりにくくなるため、上、右、前、斜め右など、視点を切り替えながら作業します。

Vectorworksでは、2D図形を作成し、それに奥行きを与える（視点に向かって押し出す）ことで3D図形を作成できます。2D図形とは異なり、3D図形の大きさ表記と3D空間の座標は必ずしも一致するとは限らないので注意しましょう。

3D空間の座標

Vectorworksの3Dビューでは、X軸が赤、Y軸が緑、Z軸が青で表示されます。これは3D空間におけるX/Y/Z座標を表します。なお、X/Y座標で構成された青い方眼が表示される平面は「**レイヤプレーン**」と呼ばれ、レイヤに関連付けられた3D平面です。

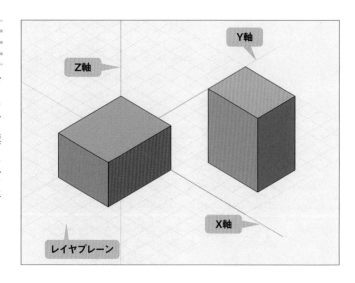

3D図形の大きさと3D空間のX/Y/Z軸の関係

Vectorworksでは、3D図形の大きさは ΔX、ΔY、奥行きで表現されます。しかし、これらの方向は、3D空間のX/Y/Z軸の方向とは必ずしも一致しません。

たとえば、上からの視点（ビュー）で四角形を作成し、奥行きを与えて柱状体にした場合は、図のように柱状体の奥行きがZ軸方向に一致します。

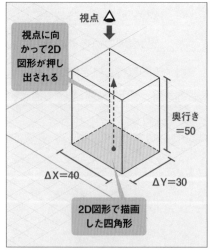

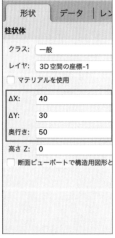

一方、前からの視点（ビュー）で四角形を作成し、奥行きを与えて柱状体にした場合は、左図のように柱状体の奥行きがY軸方向に一致します。オブジェクト情報パレット（右図）で、前ページの図形とこの図形の値が同じであることに注目してください。3D図形のΔX、ΔY、奥行きは、あくまでその形状の大きさを表すだけなので、3D空間のX/Y/Z軸と混同してはいけません。

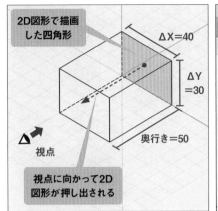

3Dのビュー

Vectorworksには、2D作図で使用する[2D/平面]ビューのほかに、3D空間の図形をさまざまな視点から見るための[斜め右]、[前]、[右]、[上]などのビューが用意されています。
視点を変更するには、メニューバーの[ビュー]－[ビュー]から選択するか、表示バーの[現在のビュー]から選択します。

視点の変更は、テンキーでも行えます。「5」のキーの上に3D図形があると仮定し、各キーの配列から連想して切り替えられるので、素早く直観的な操作ができます。キーボードにテンキーがない場合は、別途用意することをお勧めします。

DAY 06

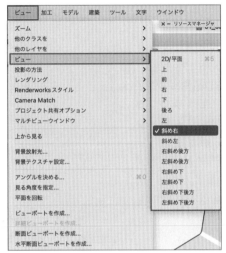

[斜め右]ビュー

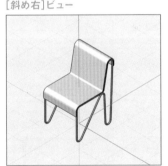

[前]ビュー

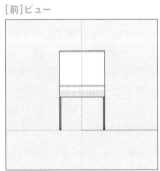

[右]ビュー

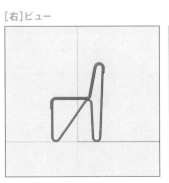

[上]ビュー

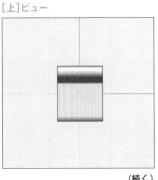

（続く）

あらかじめ用意されているビューでは見たい部分が見られない場合は、[フライオーバーツール]を使用するとよいでしょう。基本パレットの[フライオーバーツール]を選択して作図領域をドラッグすると、視点を自由に回転できます。

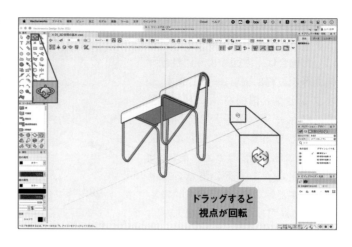

ドラッグすると
視点が回転

レンダリング手法

[2D/平面]ビュー以外の3Dビューは、初期設定では3D図形が「ワイヤーフレーム」というレンダリング手法で表示されます。ワイヤーフレーム表示では、隠線が透過して表示されるため、図形の形状がわかりにくい場合があります。また、面が透過するため、着色した状態を確認できません。

ワイヤーフレーム表示

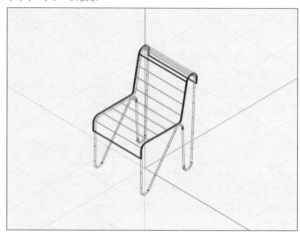

陰線処理された状態や面の色をすぐに確認したい場合は、「シェイド」という簡易的なレンダリング手法を使用します。3D図形をモデリングするときは、シェイド表示とワイヤーフレーム表示を切り替えながら作業していくとよいでしょう。

> 本書では、3Dモデリングの手順を解説するときは基本的にシェイド表示の画面にしています。レンダリングについてはP.242も参照してください。

シェイド表示

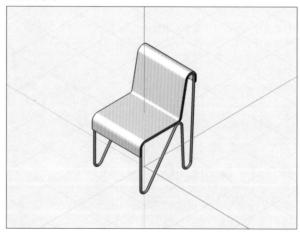

レンダリング手法を切り替えるには、メニューバーの[ビュー]－[レンダリング]から選択するか(左図)、表示バーの[現在のレンダリングモード]から選択します(右図)。

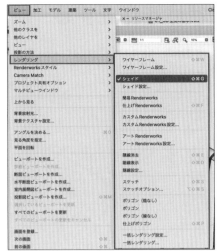

シェイド表示で輪郭線を明確に表示したい場合は、メニューバーの[ビュー]－[レンダリング]または表示バーの[現在のレンダリングモード]から[シェイド設定...]を選択し、[シェイド設定]ダイアログの[輪郭を実線で表示]にチェックを入れます。[太さ](ピクセル設定)と[折り目角度](曲面に現れる線)を設定できます。折り目角度は、隣り合う2面のなす角度より小さな値を入力すると線が表示されます。ここでは、[太さ]に「2」、[折り目角度]に「70」を入力しています。

たとえば折り目角度を「5」とした場合、図のように線が表示されます。

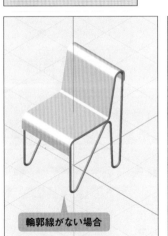

輪郭線がない場合

輪郭線(太さ「2」、折り目角度「70」)がある場合

[シェイド設定]ダイアログの[詳細]では、レンダリングの品位を設定します。[低品位]から[最高品位]まで設定でき、高品位にするほど曲面が滑らかに描画されます。ただし、複雑な図形になると描画処理に時間がかかるので、図形の確認用途であれば[中品位]または[高品位]にとどめましょう。

詳細:低品位

詳細:高品位

DAY 06

DAY 06-02 柱状体を作成する

📄 02_TABLE1_TEST.vwx（完成版：02_TABLE1_TEST_after.vwx）

BEFORE　　　AFTER

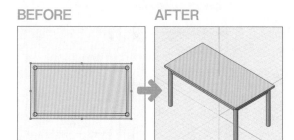

[柱状体...]コマンドを使用すると、2D図形に奥行きを与えて（2D図形を押し出して）、3D図形にできます。元の2D図形が四角形の場合は直方体、円の場合は円柱になります。押し出される方向は、現在の視点によって決定されるので注意しましょう。どの視点から奥行きを与えると目的とする図形を作成できるか、想像しながら作業することが重要です。

四角形から柱状体を作成する

2D図形の四角形を押し出して、厚み30mmのテーブルの天板にします。

1 [2D/平面]ビューで、天板となる四角形を選択する。

2 メニューバーから[モデル]－[柱状体...]を選択する。[生成 柱状体]ダイアログが表示される。

> [柱状体...]のショートカットキーは[command(Ctrl)]＋[E]です。

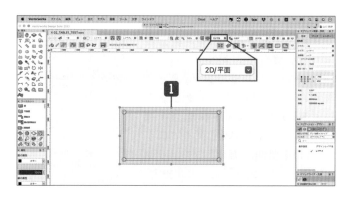

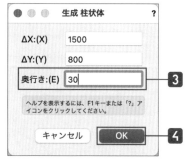

3 [奥行き]に「30」と入力する。

4 [OK]をクリックして、ダイアログを閉じる。

5 [斜め右]ビューに切り替え、天板の形状を確認する。

> 図はシェイド表示（P.189を参照）の状態です。テーブルの脚部はあらかじめ立体化されており、天板は現在のレイヤプレーン（P.186を参照）の高さから押し出されて作成されています。

> 執筆時点のVectorworks 2022（SP3）では、柱状体で2D図形（ここでは四角形）に適用した面の色が3D図形に反映されませんが、これはバグ（不具合）と考えられます。属性パレットで面の色を再度適用すると反映されます。

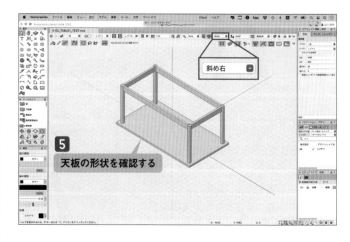

5 天板の形状を確認する

天板をテーブルの高さ（670mm）に
移動します。

6 天板を選択し、オブジェクト情
報パレットの[高さ]に「670」と
入力し、[return（Enter）]キー
を押す。

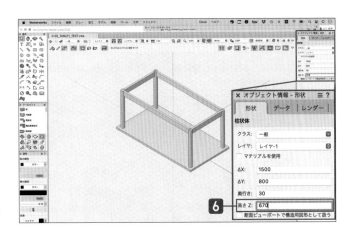

> ここでは、オブジェクト情報パレッ
> トを使用して移動していますが、[移
> 動...]コマンドを使う方法もあります
> （P.80を参照）。

7 天板がY軸のプラス方向に670mm
移動し、テーブルが完成する。

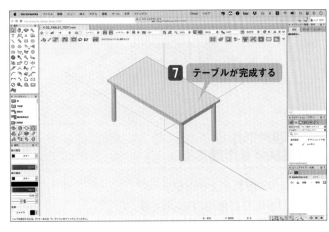

> [柱状体...]コマンドでは、元となる
> 2D図形をそのまま立体にします。そのた
> め、どの視点から2D図形を描画し、奥
> 行きを与えると目的の3D図形となるの
> かをしっかり考えてから、元となる2D図
> 形を作成することが重要です。

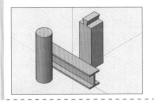

DAY
06

ポイント　[プッシュ/プルモード]によるダイレクトモデリング

3Dビューのまま、「プレイナー図形」（3D空間に存在する四角形、円、多角形などの2D図形）をかくツールで
[プッシュ/プルモード]を使用すると、プレイナー図形を作成した直後に続けて柱状体にできます。このような
モデリング方法を「ダイレクトモデリング」と呼び、Vectorworksに慣れてから使うと素早くモデリングできる
ようになります。手順は次のとおりです。

①基本パレットの[円ツール]をクリックし、ツールバーの[プッシュ/プルモード]をクリックしてオンにする。
②3Dビューのまま、円をかく。
③続けて、円の内側をクリックする。
④奥行き方向へカーソルを移動して、奥行きが決まったらクリックする。ちなみに、クリックする前に[tab]キー
　を押すと、フローティングデータバーが表示されて数値入力で奥行きを指定できる。再度クリックして確定
　する。
⑤柱状体が完成する。

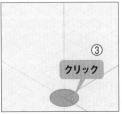

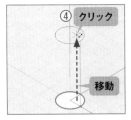

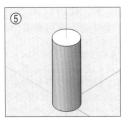

DAY 06-03 多段柱状体を作成する

📄 03_TABLE2_TEST.vwx（完成版：03_TABLE2_TEST_after.vwx）

BEFORE　　　**AFTER**

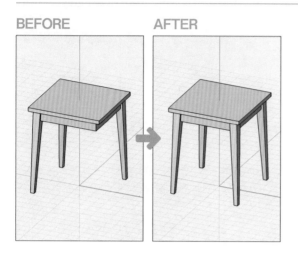

［柱状体...］コマンドでは2D図形を一方向に
まっすぐ押し出します。一方、［多段柱状体...］
コマンドを使用すると、複数の2D図形の頂点
どうしをつなぐように押し出しができます。たと
えば、大きさの異なる底面図形と上面図形を
用意し、2つの図形に対して［多段柱状体...］コ
マンドを使用することで、次第に細く（太く）な
る柱状体を作成できます。

［多段柱状体...］コマンドは、通常は頂点数が
等しい図形（四角形と四角形、六角形と六角
形など）に対して使用しますが、円と多角形の
組み合わせでも機能します。

2つの四角形から多段柱状体を作成する

30×30mmの四角形と60×60mmの
四角形に［多段柱状体...］コマンドを使
用して、テーブルの脚を作成します。脚
の長さ（奥行き）は670mmとします。

1 ［2D/平面］ビューにする。スナッ
プを利用し、幕板の四角形の右
下角を基準点にして、図のよう
に30×30mmの四角形を作成
する。

> 指定した寸法の四角形をかく方法につ
> いては、P.68を参照してください。

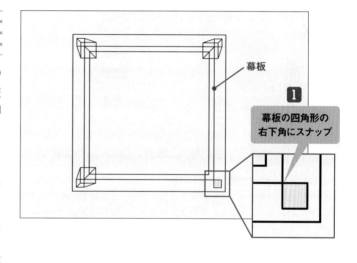

幕板

1

幕板の四角形の
右下角にスナップ

2 スナップを利用し、手順**1**で作
成した四角形の中心を基準点に
して、図のように60×60mmの
四角形を作成する。

> ［多段柱状体...］コマンドでは、2D図
> 形を作成した順序（前面／背面）によっ
> て断面の位置関係が決定されます。先
> に描画した図形が［多段柱状体］の底
> 面、後で描画した図形が上面となりま
> す。逆の順序で作成してしまった場合
> は、後から前面／背面を変更してもか
> まいません（P.86を参照）。

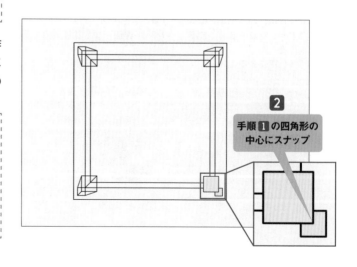

2

手順**1**の四角形の
中心にスナップ

3 手順**1**、**2**で作成した2つの
四角形を選択する。

4 メニューバーから[**モデル**]-[**多
段柱状体...**]を選択する。[**生成
柱状体**]ダイアログが表示される。

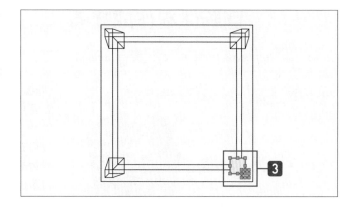

5 [**奥行き**]に「670」と入力する。

6 [**OK**]をクリックして、ダイアログ
を閉じる。

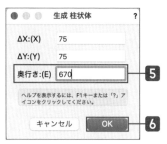

7 脚の形状が作成される。

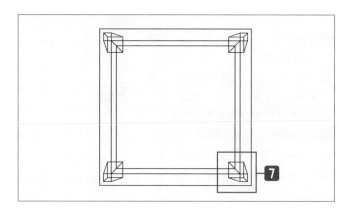

8 [**斜め右**]ビューに切り替え、[**フ
ライオーバーツール**]（P.188を参
照）でさまざまな方向から脚の形
状を確認する。

2D図形から作成された3D図形は、そ
の図形をダブルクリックすることで、
2D図形の編集モードに入ります。多段
柱状体が上下逆さになってしまった場
合は、編集モードに入り図形の前面／
背面を入れ替えることで修正します。

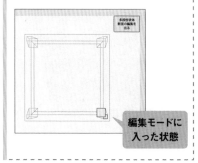

編集モードに
入った状態

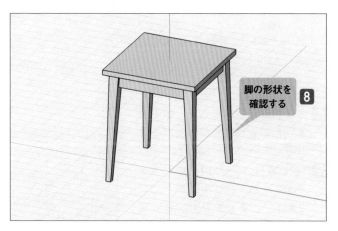

脚の形状を
確認する **8**

DAY
06

DAY 06-04 回転体を作成する

📄 04_CUP_TEST.vwx（完成版：04_CUP_TEST_after.vwx）

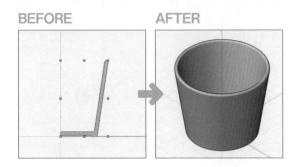

BEFORE → AFTER

[回転体...]コマンドでは、断面となる2D図形を回転させることで3D図形を作成できます。鉢やグラスのように、任意の方向から見て円形のものを作成する場合に適しています。回転軸を特に指定しない場合は、選択している図形の左端点を通る垂直線が回転軸になります。回転軸を任意に設定したい場合は、「2D基準点」を配置します（P.196を参照）。

回転軸を指定せずに回転体を作成する

あらかじめ用意されている断面を360°回転させて、蕎麦猪口を作成します。

1 [**前**]ビューで、断面の2D図形を選択する。

2 メニューバーから[**モデル**]－[**回転体...**]を選択する。[**生成 回転体**]ダイアログが表示される。

3 初期設定のまま[**OK**]をクリックし、ダイアログを閉じる。

> 標準的な回転体を作成するときは、初期設定のままで問題ありません。すべての設定は、作成後にオブジェクト情報パレットから編集可能です。各オプションの機能については、P.196のポイントを参照してください。

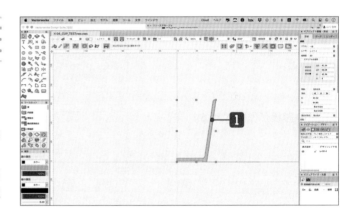

生成 回転体

サイズ
高さ:(E) 65.58
半径:(R) 42.34

角度
開始角度:(S) 0.00°
分割角:(G) 5.62°
円弧のなす角度:(N) 360.00°
ピッチ:(P) 0

ヘルプを表示するには、F1キーまたは「?」アイコンをクリックしてください。

キャンセル　OK

4 断面図形の左端点を通る垂直線を回転軸として回転体が作成される。

5 [**斜め右**]ビューに切り替え、[**フライオーバーツール**]（P.188を参照）でさまざまな方向から蕎麦猪口の形状を確認する。

4 ここを通る垂直線を回転軸として回転体が作成される

蕎麦猪口の形状を確認する **5**

回転体を作成する（基準点を使用）

05_TABLE3_TEST.vwx（完成版：05_TABLE3_TEST_after.vwx、05_TABLE3_TEST_point.vwx）

BEFORE　　　AFTER

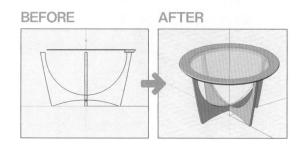

[回転体...]コマンドで任意の回転軸を設定するには、回転軸とする位置に2D基準点（P.117を参照）を配置し、断面となる2D図形と共に選択します。2D基準点がない場合は、断面図形の左端点を通る垂直線が回転軸になります（P.194を参照）。

2D基準点を使って回転体を作成する

あらかじめ用意されている2D基準点を回転軸として、円形ガラステーブルの枠を作成します。

1 [前]ビューで、断面となる2D図形と2D基準点を選択する。

2 メニューバーから[モデル]ー[回転体...]を選択する。[生成回転体]ダイアログが表示される。

3 初期設定のまま[OK]をクリックし、ダイアログを閉じる。

標準的な回転体を作成するときは、初期設定のままで問題ありません。すべての設定は、作成後にオブジェクト情報パレットから編集可能です。各オプションの機能については、次ページのポイントを参照してください。

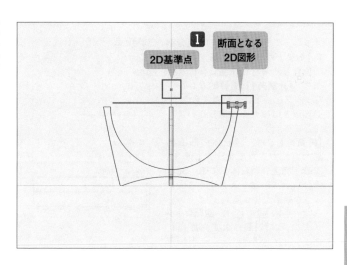

4 2D基準点を回転軸として回転体が作成される。

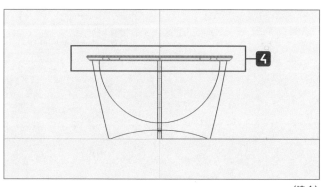

（続く）

DAY 06

5 [斜め右]ビューに切り替え、[フライオーバーツール]（P.188を参照）でさまざまな方向からテーブル枠の形状を確認する。

5 ドーナツ型の形状が作成される

回転軸として使用した2D基準点と、断面となる2D図形との間に距離があるため、ドーナツ型の形状になります。

ここでは、形状がわかりやすいように、中央のガラスに透明度のあるテクスチャを設定しています。テクスチャについては、DAY 08を参照してください。

ポイント 回転体の分割角と円弧角（円弧のなす角度）

オブジェクト情報パレットの[分割角]の値が小さいほど細かい角度で回転し、滑らかな回転体になります。[分割角]は最終的なレンダリングスピードにも影響するので、必要以上に細かく設定しないようにしましょう。

[円弧角]では、回転体の断面図形の回転する角度を決定します。360°で完全な回転体となり、360°よりも小さい値を入力すると図のような結果となります。

なお、手順**3**の[生成 回転体]ダイアログの[円弧のなす角度]は、オブジェクト情報パレットでは[円弧角]と表記されています。

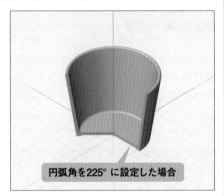

円弧角を225°に設定した場合

ポイント 回転体のピッチ

オブジェクト情報パレットの[ピッチ]では、1回転（円弧角360°）したときの断面のずれを決定します。「0」の場合は通常の回転体となりますが、「0」以外の値を指定した場合は上下にずれて、らせん形状となります。[円弧のなす角度]（[円弧角]）と[ピッチ]を併用して回転体にすると、図のようなスロープ形状を作成できます。

2D基準点

断面図形

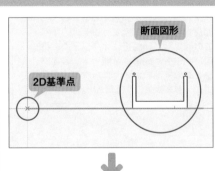

スロープ形状となる

DAY 06-06 3Dパス図形を作成する

📄 06_TABLE4_TEST.vwx（完成版：06_TABLE4_TEST_after.vwx、06_TABLE4_TEST_point.vwx）

BEFORE **AFTER**

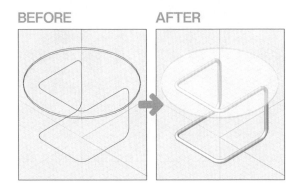

柱状体や多段柱状体は、断面となる2D図形を直線的な軌道に沿って押し出しましたが、[3Dパス図形...]コマンドを使用すると、2D平面または3D空間上の曲線など任意の軌道（パス）に沿って押し出すことができます。パイプや幅木など、曲折した形状を作成する場合に適しています。

円形をパスに沿って押し出す

円形をパスに沿って押し出して、テーブルのパイプフレームを作成します。

1 パスとなる曲線と、断面となる円形を選択する。

> このパスは、NURBS曲線で作成しています（NURBSについてはP.203を参照）。

> [3Dパス図形...]コマンドを使用するときは、軌道を指定するのでビューを意識する必要はありません。

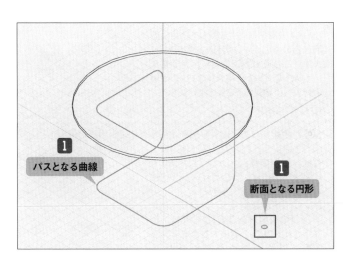

1 パスとなる曲線

1 断面となる円形

DAY
06

2 メニューバーから[モデル]ー[3Dパス図形...]を選択する。[3Dパス図形]ダイアログが表示される。

3 パスとなる曲線がハイライト表示されていることを確認する。断面図形がハイライト表示されている場合は、[3Dパス図形]ダイアログの[<<]または[>>]をクリックして切り替える。

4 [OK]をクリックして、ダイアログを閉じる。

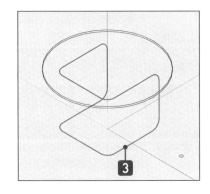

3

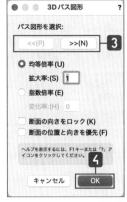

3Dパス図形

パス図形を選択：

<<(P)　　>>(N)　**3**

◉ 均等倍率 (U)
　拡大率:(S) 1

◯ 指数倍率 (E)
　変化率:(H) 0

☐ 断面の向きをロック (K)
☐ 断面の位置と向きを優先 (F)

ヘルプを表示するには、F1キーまたは「?」アイコンをクリックしてください。　**4**

キャンセル　　OK

（続く）

5 円形がパスに沿って押し出され、パイプフレームの3Dパス図形が作成される。

> ここでは、形状がわかりやすいように、天板のガラスに透明度のあるテクスチャを設定し、シェイド表示にしています。テクスチャについては、DAY 08 を参照してください。

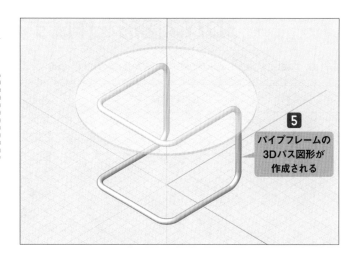

5 パイプフレームの3Dパス図形が作成される

ポイント | **パスの通過点を編集する**

3Dパス図形を作成する際、自動的に断面図形の中心がパスの「**通過点**」となります。この通過点は事前に指定できないため、変更したい場合は3Dパス図形の作成後に編集することとなります。

ここでは、床である四角形の辺から抽出した曲線をパスとし、長方形の断面図形を押し出して3Dパス図形（幅木）を作成します（**図Ⓐ**）。しかし、このままでは幅木が床と壁に半分めり込んだ状態になってしまいます（**図Ⓑ**）。
3Dパス図形（幅木）をダブルクリックすると、[**構成要素を選択**]ダイアログが表示されるので、[**編集する構成要素を選択**]の[**断面**]を選択して[**OK**]をクリックします（**図Ⓒ**）。
表示される断面の編集画面を確認すると、座標の原点、つまりパスが、断面図形の中心を通過していることがわかります（**図Ⓓ**）。
断面図形をドラッグして移動し、座標の原点（パス）の位置を断面図形の左下に変更します（**図Ⓔ**）。[**断面を出る**]をクリックして編集画面を閉じると、3Dパス図形が正しい位置に変更されます（**図Ⓕ**）。

正しい位置に断面図形を移動するのはなかなか難しいので、随時結果を確認しながら試すとよいでしょう。

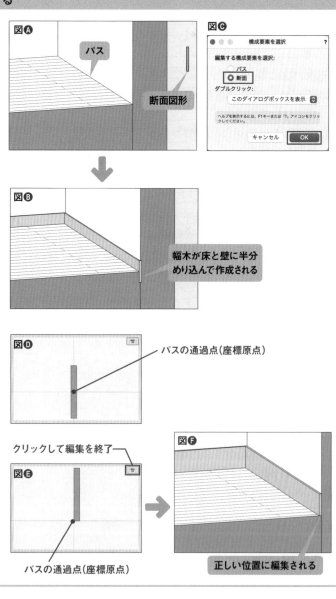

図Ⓐ パス 断面図形

図Ⓒ 構成要素を選択
編集する構成要素を選択：
パス
断面
ダブルクリック：
このダイアログボックスを表示
ヘルプを表示するには、F1キーまたは「?」アイコンをクリックしてください。
キャンセル　OK

図Ⓑ 幅木が床と壁に半分めり込んで作成される

図Ⓓ パスの通過点（座標原点）

クリックして編集を終了

図Ⓔ パスの通過点（座標原点）

図Ⓕ 正しい位置に編集される

DAY 06-07 3D図形を噛み合わせる／削り取る

📄 07_EDIT3D_TEST.vwx（完成版：07_EDIT3D_TEST_after1.vwx、07_EDIT3D_TEST_after2.vwx、07_EDIT3D_TEST_after3.vwx）

BEFORE　　　　AFTER

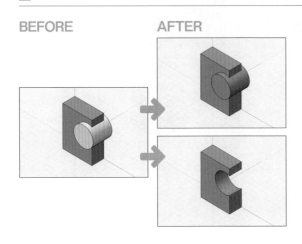

重なる位置にある2つ以上の3D図形を使用して、合成したり、切り欠いたりできます。この操作を組み合わせ、繰り返して、より複雑な3D図形を作成できます。3D図形の合成には[噛み合わせる]コマンドを使用し、切り欠きには[削り取る...]コマンドを使用します。

ある図形に対して、1つだけでなく複数の図形を噛み合わせる／削り取ることが可能です。

3D図形を噛み合わせる

直方体と円柱を合成して、1つの3D図形にします。

1️⃣ 直方体と円柱を選択する。

2️⃣ メニューバーから[モデル]－[噛み合わせる]を選択する。

3️⃣ 直方体と円柱が合成され、1つの3D図形になる。

> どちらかの図形を右クリックして表示されるメニューから[噛み合わせる]を選択することでも実行できます。

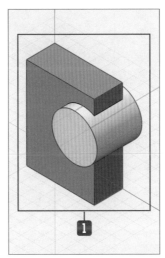

直方体と円柱が合成される

DAY
06

[噛み合わせる]コマンドや[削り取る]コマンド、[重なった部分を残す]コマンドなどを実行して1つの図形になったものは、その図形をダブルクリックすることでコマンド実行前の状態に戻って編集することができます。ダブルクリック後に表示される[編集方式を選択]ダイアログで[ソリッドを編集]を選択して[OK]をクリックすると、元の状態に戻って編集が行えます。

合成図形噛み合わせの編集を出る

元の状態に戻る

（続く）

3D図形を削り取る

直方体から円柱を削り取って、一部が
削り取られた3D図形を作成します。

1 直方体と円柱を選択する。

前項の手順を実行した場合は、作業の
取り消し（P.39を参照）を行って図の
状態に戻してから、この手順を開始し
てください。

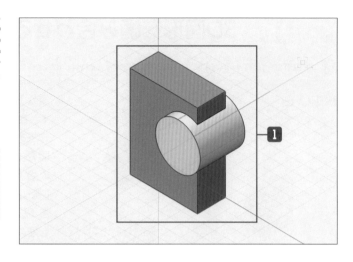

2 メニューバーから[**モデル**]ー[**削
り取る...**]を選択する。[**図形を
選択**]ダイアログが表示される。

3 矢印ボタンをクリックして、削
り取られる側（残す側）の3D図形
（直方体）をハイライト表示する。

4 [**OK**]をクリックして、ダイア
ログを閉じる。

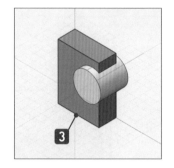

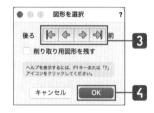

5 直方体から円柱および円柱と重
なっている部分が削り取られる。

手順**3**で[**削り取り用図形を残す**]に
チェックを入れた場合は、削り取る側
の図形（ここでは円柱）も残ります。そ
の場合は、円柱を移動すると、直方体
の一部が削り取られていることが確認
できます。

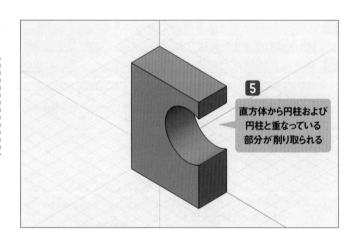

直方体から円柱および
円柱と重なっている
部分が削り取られる

ポイント　　**3D図形の重なった部分を残す**

重なる位置にある2つ以上の3D図形を
選択してメニューバーから[**モデル**]ー
[**重なった部分を残す**]を選択すると、
すべての図形が重なった部分だけを抽
出できます。

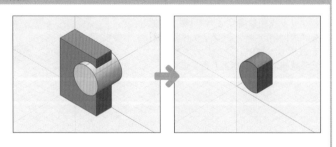

DAY 06-08 3D図形の角を丸める

08_EDIT3D_TEST_02.vwx（完成版：08_EDIT3D_TEST_02_after.vwx）

BEFORE　　　**AFTER**

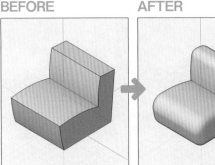

[3Dフィレットツール]を使うことで、作成した3D図形の角（エッジ）を丸めること（フィレット）ができます。複数のエッジをまとめて一度に処理することもできます。[3Dフィレットツール]は、適用する3D図形のエッジに対して適切な半径を指定することが重要です。

ソファや椅子のような、クッション素材が多用された家具などを作成する場合に適しています。

柱状体の角を丸める

柱状体で作成したソファの角に半径の異なる3Dフィレットを適用します。

1 ツールセットパレットの[3D]をクリックする。

2 [3Dフィレットツール]をクリックする。

3 ツールバーの[半径]に「100」と入力する。

4 [shift]キーを押しながら、エッジⒶ〜Ⓓをクリックする。エッジがハイライト表示される。

5 ツールバーの[チェック]ボタンをクリックする。

> 隠れて見えないエッジは、[B]キーを押すと一時的にカーソル周辺がワイヤーフレーム表示となり、位置が確認できます。[shift]キーを押していると表示されないので、一時的に放します。

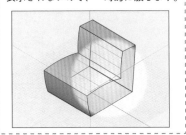

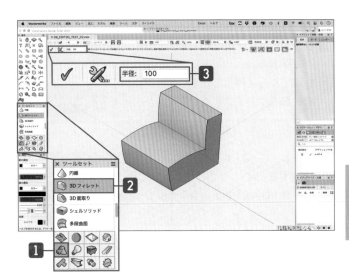

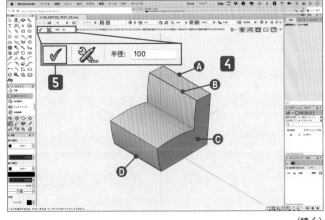

（続く）

DAY 06

6 エッジⒶ〜Ⓓが丸められる。

7 同様にエッジⒺを選択し、ツールバーの[半径]に「160」と入力する。

8 ツールバーの[チェック]ボタンをクリックする。

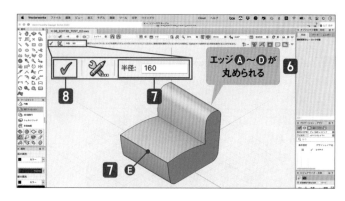

9 エッジⒺが丸められる。

10 ツールバーの[ツール設定]をクリックする。[3Dフィレットの設定]ダイアログが表示される。

11 [正接したエッジを選択]にチェックを入れる。

12 [OK]をクリックして、ダイアログを閉じる。

13 [shift]キーを押しながら、エッジⒻとⒼをクリックする。エッジがハイライト表示される。

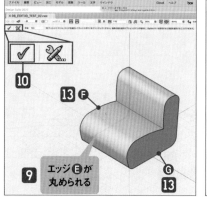

14 ツールバーの[半径]に「100」と入力する。

15 ツールバーの[チェック]ボタンをクリックする。

16 エッジⒻとⒼが丸められる。

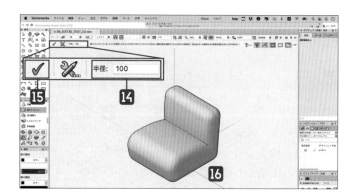

3Dフィレット処理された図形は、オブジェクト情報パレットで半径を編集できます。この節のように複数個所に対してフィレット処理を実行している場合は、図形をダブルクリックして表示される[編集方式を選択]ダイアログ（左図）で[CSGフィーチャを編集]を選択すると、手順をさかのぼらなくても直接目的のフィレットの半径の編集が行えます。右図では、手順8の半径を編集できる状態になっています。

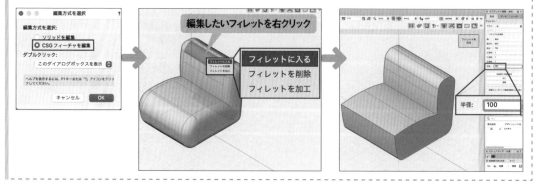

DAY 06-09 3D図形からNURBS曲線を抽出する

09_EDIT3D_TEST_03.vwx（完成版：09_EDIT3D_TEST_03_after.vwx）

BEFORE　　　　　AFTER

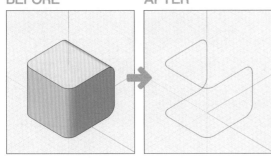

NURBSとは、3D空間に曲線や曲面を幾何学的に表現する技術の1つです。NURBS曲線のパスに対して[3Dパス図形...]コマンド（P.197参照）を実行することで、湾曲した構造部材や手すり、家具などを作成できます。

ここでは一からNURBS曲線をかくのではなく、[抽出ツール]を使う方法を解説します。単純な曲線のモデルを作ってから、簡単にNURBS曲線を取り出せるので効率的です。

3D図形のエッジをNURBS曲線で取り出す

[3Dパス図形...]コマンド（P.197参照）で、06-06で使用したテーブルの脚（3Dパス図形）となるパスを作成します。

1 ツールセットパレットの[3D]をクリックする。

2 [抽出ツール]をクリックする。

3 ツールバーの[NURBS曲線モード]をクリックする。

4 ツールバーの[ツール設定]をクリックする。[抽出設定]ダイアログが表示される。

5 [正接したエッジを選択]にチェックを入れる。

6 [OK]をクリックして、ダイアログを閉じる。

7 NURBS曲線として取り出すエッジを選択する。エッジがハイライト表示される。

8 ツールバーの[チェック]ボタンをクリックする。

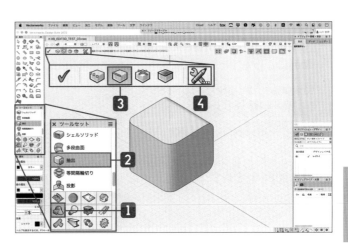

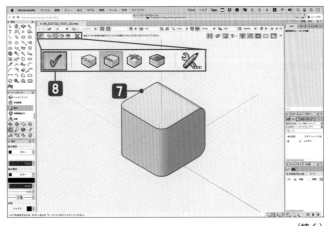

（続く）

DAY
06

9 エッジが抽出される。オブジェクト情報パレットで図形タイプが「**グループ**」であることを確認する。

> 図は、わかりやすいように元の3D図形を削除しています。

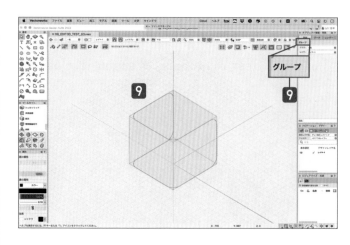

10 メニューバーから[**加工**]-[**グループ解除**]を選択する。

> グループ図形は、2Dと3Dどちらでも加工できない図形タイプです。作業を進めるなかでいつの間にかグループ図形となってしまった場合は、[**グループ解除**]コマンドを実行します。

11 オブジェクト情報パレットで図形タイプが「**16 NURBS曲線（複数）**」になったことを確認する。

> 「**16 NURBS曲線（複数）**」とは、16本のNURBS曲線が選択されていることを示します。

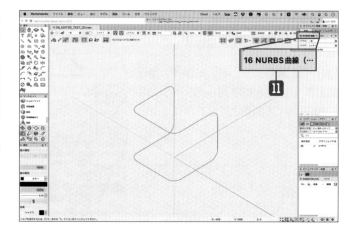

12 メニューバーから[**加工**]-[**図形を合成**]を選択する。

13 オブジェクト情報パレットで図形タイプが1本の「**NURBS曲線**」に合成されたことを確認する。

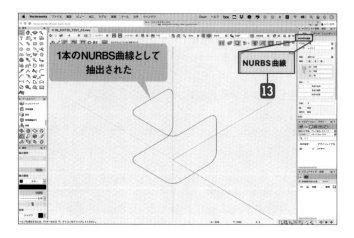

1本のNURBS曲線として抽出された

07

建物のモデリング（2D/3Dモデルの作成）

7日目は、建物の躯体（壁、屋根、床）の作成方法を学びます。

[壁]ツールや[屋根作成…][床…]コマンドなどを使って作成した図形は、2D要素と3D要素を併せ持ちます。そのため、2Dの平面図と3Dモデルとがリンクし、いずれか一方に変更を加えると、もう一方にもその変更が反映されます。

さらに3Dモデルから書き出される立面図、断面図などにも変更が反映されます（DAY 10を参照）。

学習ポイント

- ☐ レイヤの高さと壁の高さを設定する
- ☐ クラスを作成する
- ☐ 壁を設定する
- ☐ 屋根を作成する
- ☐ 屋根の形に壁を修正する
- ☐ 床を作成する
- ☐ 2D/3Dシンボルを作成する
- ☐ 2D/3Dシンボルを配置する
- ☐ 平面図、3Dモデルを画面登録する

DAY 07-01 : 2D/3Dモデルの壁を作成する

📄 01_3D_WALL_TEST.vwx（完成版：01_3D_WALL_TEST_after.vwx、01_3DWALL_TEST_point.vwx）

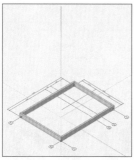 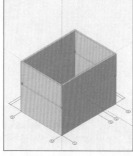

壁は［壁ツール］で作成しますが、3Dにするには高さの設定が必要となります。レイヤに地上からの高さ（高度）を設定し、さらに壁の高さ（階高）を設定することで壁に高さを与えられます。

ここでは、2階建ての建物の壁を作成します。地面、1階、2階のレイヤを作成し、各レイヤに壁を作成していきます。また、壁を他の建築部位と区分するために、「クラス」を使って分類します。

レイヤを設定する

［GL］（地上）レイヤ、［1FL］（1階）レイヤと［2FL］（2階）レイヤを作成し、各レイヤの地上からの高さ（高度）を0mm、500mm、3500mmと設定します。また、それぞれに作成する壁の高さ（階高）を500mm、3000mm、2800mmに設定します（P.208のポイントを参照）。

1️⃣ P.43の手順1️⃣〜3️⃣と同様にして、［オーガナイザ］ダイアログの［デザインレイヤ］タブで［GL］レイヤを作成する。

2️⃣ ［オーガナイザ］ダイアログで［GL］レイヤの［高さ］が「0」となっていることを確認する。

3️⃣ ［GL］レイヤを選択した状態で［編集...］をクリックする。

4️⃣ ［デザインレイヤの編集］ダイアログの［壁の高さ（レイヤ設定）］に「500」と入力する。［OK］をクリックして、ダイアログを閉じる。

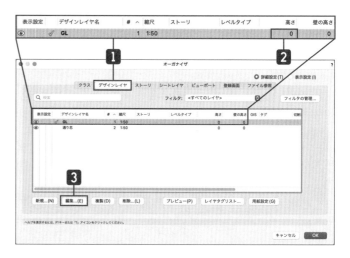

5 [**オーガナイザ**]ダイアログで
[**GL**]レイヤの[**壁の高さ**]が
「**500**」となっていることを確認
する。

6 [**新規...**]をクリックして、[**1FL**]
レイヤを作成する。

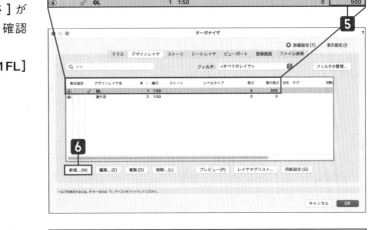

7 [**オーガナイザ**]ダイアログで
[**1FL**]レイヤの[**高さ**]が「**500**」
となっていることを確認する。

[**GL**]レイヤの壁の高さに基づいて、
[**1FL**]レイヤの[**高さ**]と[**壁の高さ**]が
自動的に「**500**」に設定されます。

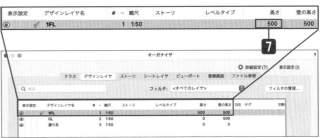

8 [**1FL**]レイヤを選択した状態で
[**編集...**]をクリックする。

9 [**デザインレイヤの編集**]ダイア
ログの[**壁の高さ（レイヤ設定）**]
に「**3000**」と入力する。[**OK**]を
クリックして、ダイアログを閉
じる。

10 [**オーガナイザ**]ダイアログで
[**1FL**]レイヤの[**壁の高さ**]が
「**3000**」となっていることを確認
する。

11 [**新規...**]をクリックして、[**2FL**]
レイヤを作成する。

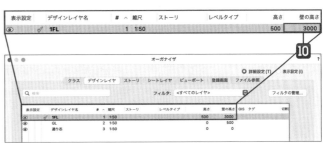

12 [**オーガナイザ**]ダイアログで
[**2FL**]レイヤの[**高さ**]が「**3500**」
となっていることを確認する。

[**壁の高さ**]には、1つ前の操作で入力
した[**壁の高さ**]の値が反映されます。

13 [**2FL**]レイヤを選択した状態で
[**編集...**]をクリックする。

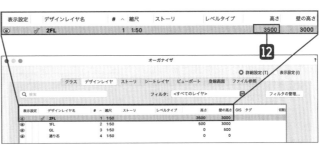

DAY
07

（続く）

14 ［**デザインレイヤの編集**］ダイア
ログの［**壁の高さ（レイヤ設定）**］
に「**2800**」と入力する。［**OK**］を
クリックして、ダイアログを閉
じる。

15 ［**オーガナイザ**］ダイアログで
［**2FL**］レイヤの［**壁の高さ**］が
「**2800**」となっていることを確
認する。

16 ［**通り芯**］レイヤを最上層に移動
する。

> レイヤの順番の変更方法は、P.47を
> 参照してください。

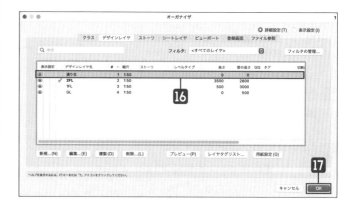

> ［**壁ツール**］で作成した「**壁**」は、面の属
> 性を持っています。そのため［**2D/平面**］
> ビューで表示した際に通り芯が壁の
> 面で隠れないよう、［**通り芯**］レイヤを
> 最上層に移動して前面に表示させるよ
> うにします。

17 ［**OK**］をクリックして、ダイア
ログを閉じる。

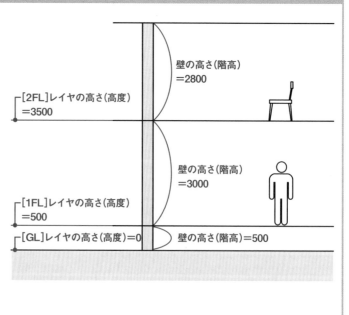

ポイント **レイヤの高さ（高度）と壁の高さ（階高）**

Vectorworksで建物のモデリングを
するときは、原則として各フロア
をそれぞれレイヤ分けし、各レイ
ヤに地上からの「**高さ**」（高度）を設
定します。高さを持つレイヤを重
ねることで、1階、2階と空間を
重ねることになります。各レイヤ
の高さは、そのレイヤのレイヤプ
レーンの高さを表します。そのた
め、その高さを基準面として3D図
形を配置でき、たとえば2階の家具
を［**2FL**］レイヤの高さを基準とし
て配置できます。
また、レイヤには「**壁の高さ**」（階
高）も設定できます。壁の高さを設
定しておくと、［**壁ツール**］で壁を
作成するときに、その設定を自動
的に参照します。次のレイヤを作
成するときはその壁の高さを考慮
して、次に作成するレイヤの高さ
を自動計算した値が入力されます。

壁の高さ（階高）
＝2800

［2FL］レイヤの高さ（高度）
＝3500

壁の高さ（階高）
＝3000

［1FL］レイヤの高さ（高度）
＝500

［GL］レイヤの高さ（高度）＝0　壁の高さ（階高）＝500

クラスを設定する

建物のモデリングでは、各階（フロア）をレイヤごとに分けて作業します。そのため、2Dの作図のように壁や屋根、床などの建築部位を、さらに別のレイヤに振り分けて管理すると複雑になってしまいます。そこで、各部位を区別する際は「クラス」を利用します（下記のポイントを参照）。ここでは、壁用の［壁-本体］クラスを作成します。また、2Dで表示した際に壁の線と面の見た目が共通になるよう、クラスに属性を指定して調整します。

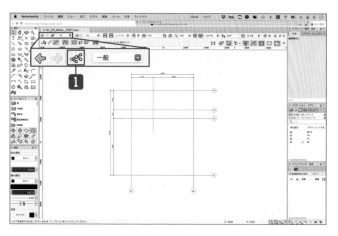

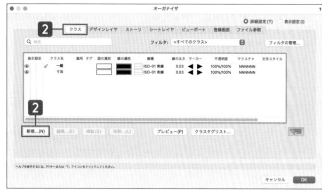

1 表示バーの［**クラス**］をクリックする。［**オーガナイザ**］ダイアログが表示される。

2 ［**クラス**］タブの［**新規...**］をクリックする。［**クラスの作成**］ダイアログが表示される。

ポイント　クラスとは

「**クラス**」とは、2D作図におけるレイヤと同様に、同種の図形をグループとして管理するための機能です。
クラスは複数のレイヤにまたがって機能し、さらに、クラスに含まれる図形に対して共通の属性（面の属性、線の属性、不透明度、テクスチャなど）を指定することができます。
また、レイヤと同様、クラス別に表示／非表示／グレイ表示の切り替えが可能です。たとえば、特定の部位のテクスチャをまとめて指定／変更したり、壁や屋根をグレイ表示にして建物の内部構成を表現したりできます。
図は、壁のクラスをグレイ表示（シェイドレンダリングモードでは半透明になる）にしたところです。1階と2階、異なるレイヤに含まれる壁が、グレイ表示になっていることがわかります。

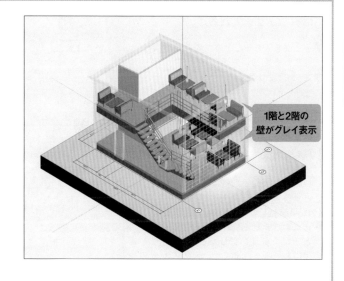

1階と2階の
壁がグレイ表示

DAY
07

（続く）

3 ［名前］に「壁-本体」と入力する。

たとえば、「**建具-本体**」「**建具-枠**」「**建具-ガラス**」など、クラス名をハイフンで区切ると階層的に表示管理できるので効率的です。

4 ［**OK**］をクリックして、ダイアログを閉じる。

5 ［**オーガナイザ**］ダイアログに［**壁-本体**］クラスが作成され、階層的に表示されていることを確認する。

クラスの数が多いときは、クラス名の横にある▼ボタンをクリックすると、グループクラス名（ここでは「**壁**」）だけの1行に折りたためるので、見やすくなります。再度クリックすると展開できます。

6 ［**壁-本体**］クラスを選択した状態で［**編集...**］をクリックする。［**クラスの編集**］ダイアログが表示される。

7 サイドペインから［**グラフィック属性**］を選択し、［**属性を使う**］にチェックを入れる。

チェックを入れることで、このクラスに含まれる図形に共通の属性（クラス属性）を指定します。

8 ［**面**］の［**色**］から薄いグレイを選択する。

9 ［**線**］の［**太さ**］から［**0.30**］を選択する。

ここで設定した面の色と線の太さは、［**2D/平面**］ビューを選択したとき反映されます。また、面の色は、シェイドなどでレンダリングしたとき3D図形の壁にも反映されますが、テクスチャ（DAY 08 を参照）を設定するとテクスチャが優先されます。

10 ［**OK**］をクリックして、ダイアログを閉じる。

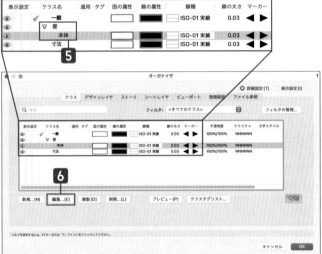

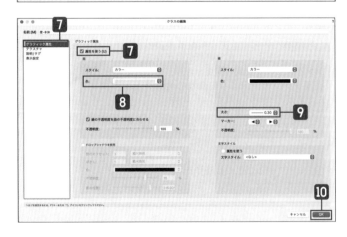

11 [オーガナイザ]ダイアログで
[壁-本体]クラスの[適用]が
[✓]、[面の属性]が薄いグレイ、
[線の太さ]が[0.30]に設定され
ていることを確認する。

> [適用]に[✓]が表示されているとき
> は、クラスに設定した属性が有効にな
> ります。

12 [OK]をクリックして、ダイア
ログを閉じる。

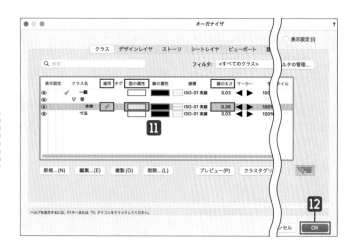

基礎壁を作成する

[GL]レイヤに基礎壁を作成します。
[壁の設定]ダイアログで[壁-本体]
クラスに割り当てます。

1 表示バーの[アクティブクラス]
が[一般]であることを確認する。

2 [GL]レイヤをアクティブレイ
ヤにする。

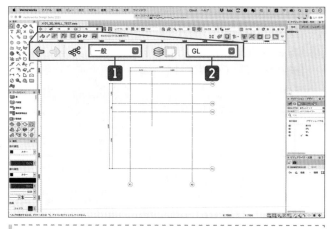

> アクティブクラスの切り替えを忘れることがあるため、慣れない
> うちは常時[一般]クラスをアクティブクラスにしておくことをお
> 勧めします。

3 ツールセットパレットの[建物]
をクリックする。

4 [壁ツール]をクリックする。

5 ツールバーの(左から)[両側線作
成モード][四角形モード]を選択
し、[ツール設定]をクリックする。
[壁の設定]ダイアログが表示され
る。

> [四角形モード]は、壁の4辺を同時に作
> 成できます。

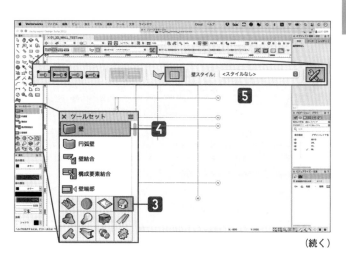

（続く）

DAY
07

6 [情報]タブを選択する。

7 [全体の厚み]に「150」と入力する。

> ここでは、厚さ150mmの簡易的な
> 「壁」を作成します。計画段階に応じ
> て、オブジェクト情報パレットから詳
> 細な表現の壁スタイルに置き換えるこ
> とができます。

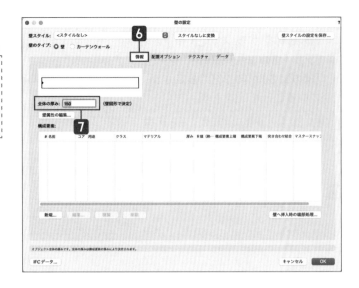

8 [配置オプション]タブを選択する。

9 [高さ]の[高さ基準（上）]から
　[壁の高さ（レイヤ設定）]を選択
　する。

10 [オフセット（上）]に「0」と入力
　する。

> 手順 9 の設定により、壁の高さがレ
> イヤに設定した高さとなります。手順
> 10 では、壁の上端を[高さ基準（上）]
> から上下させるときに値を入力します
> が、ここでは同じ高さでよいので「0」
> と入力しています。

11 [クラス]から[壁-本体]を選択
　する。

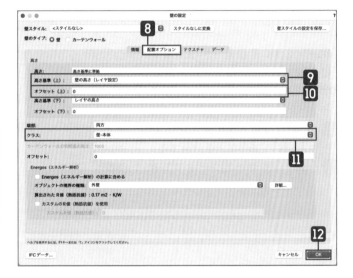

階層化されたクラスは次のような手順で選択します。

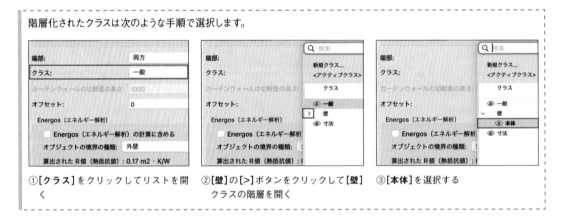

①[クラス]をクリックしてリストを開く

②[壁]の[>]ボタンをクリックして[壁]クラスの階層を開く

③[本体]を選択する

12 [OK]をクリックして、ダイアログを閉じる。

13 X1通りとY1通りの通り芯の交点**Ⓐ**を始点としてクリックする。X2通りとY4通りの通り芯の交点**Ⓑ**を終点としてクリックする。基礎壁が作成される。

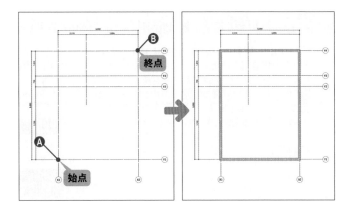

14 選択されている基礎壁が**[壁-本体]**クラスであることを確認する。

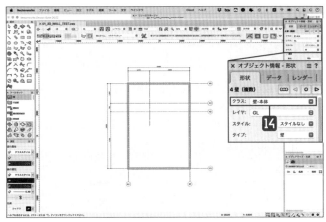

15 **[esc]**キーを押して選択を解除し、**[壁-本体]**クラスで設定した属性（面の属性が薄いグレイ、線の太さが0.3mm）が適用されたことを確認する。

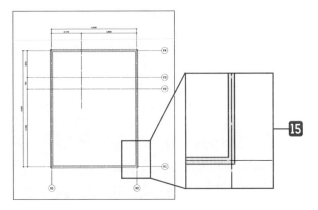

DAY
07

16 **[斜め右]**ビューに切り替え、基礎壁の形状を確認する。

> 基礎壁を選択すると、オブジェクト情報パレットの**[高さ]**が**[GL]**レイヤに設定した壁の高さ（500）になっていること、また**[高さ基準（上）]**および**[オフセット（上）]**が**[壁の設定]**ダイアログで設定した値（0）になっていることがわかります。

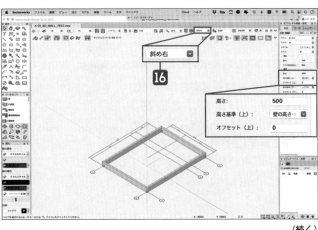

（続く）

1階および2階の壁を作成する

前項で作成した基礎壁を使って、1階と2階の壁を作成します。

1　すべての基礎壁を選択する。

> [GL]レイヤにかかっている図形は基礎壁だけなので、ショートカットキー[command(Ctrl)]＋[A]キーで選択できます。

2　メニューバーから[**編集**]－[**コピー**]を選択する。

> [コピー]コマンドのショートカットキーは[command(Ctrl)]＋[C]キーです。

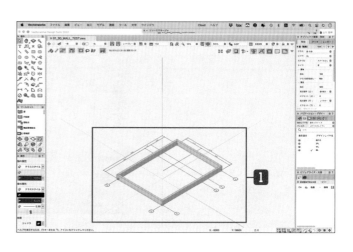

3　アクティブレイヤを[1FL]レイヤに切り替える。

4　メニューバーから[**編集**]－[**ペースト（同位置）**]を選択する。1階の壁が作成される。

> [ペースト（同位置）]コマンドのショートカットキーは[command(Ctrl)]＋[option(Alt)]＋[V]キーです。

5　オブジェクト情報パレットで[**クラス**]が[**壁-本体**]、[**高さ**]が[1FL]レイヤに設定した壁の高さ（3000）になっていること、また[**高さ基準（上）**]および[**オフセット（上）**]が[**壁の設定**]ダイアログで設定した値（0）になっていることを確認する。

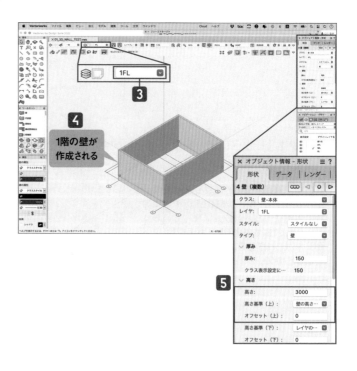

6 続けて、アクティブレイヤを[2FL]レイヤに切り替える。

7 メニューバーから[編集]−[ペースト(同位置)]を選択する。2階の壁が作成される。

8 オブジェクト情報パレットで[クラス]が[壁-本体]、[高さ]が[2FL]レイヤに設定した壁の高さ(2800)になっていること、また[高さ基準(上)]および[オフセット(上)]が[壁の設定]ダイアログで設定した値(0)になっていることを確認する。

> 基礎壁を複製し、オブジェクト情報パレットから[1FL]レイヤおよび[2FL]レイヤへ図形を移動することでも同様の結果となります(P.45を参照)。

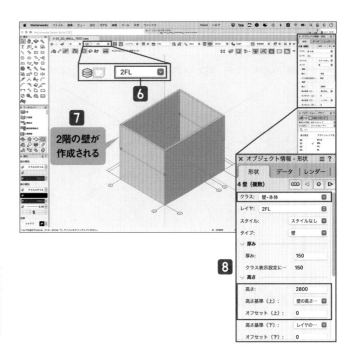

2階の壁が作成される

ポイント 特定の壁の高さを変更する

[壁ツール]で作成する壁の高さは、[壁の設定]ダイアログ(P.212を参照)で設定した高さとなります。[高さ基準(上)]を[壁の高さ(レイヤ設定)]に設定すると、すべての壁の高さがレイヤに設定した[壁の高さ]となるので効率的です。しかし、間仕切り壁など、一部の壁のみ高さを変更したいときがあります。その場合は、目的の壁を選択し、オブジェクト情報パレットの[オフセット(上)]に壁の上端からのオフセット距離を入力します。図の例では、内壁Ⓐ、Ⓑの[オフセット(上)]に「−600」と入力することで、壁の高さを3000mmから2400mmに下げています。

床に段差がある場合などは、[オフセット(下)]に値を入力して壁の下端を上下させます。同様に、オブジェクト情報パレットの[厚み]の値を編集して、壁の厚みを変更することもできます。

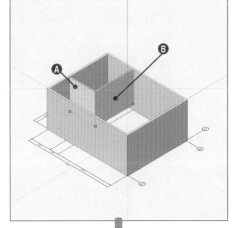

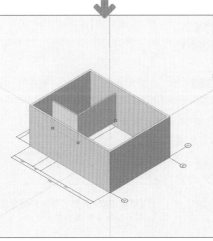

DAY
07

215

DAY 07-02 屋根を作成する（屋根作成コマンド）

📄 02_3D_ROOF_TEST_01.vwx（完成版：02_3D_ROOF_TEST_01_after.vwx）

BEFORE → AFTER

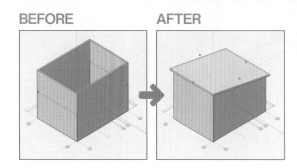

2D要素と3D要素を併せ持つ「屋根」を作成するには、2つの方法があります。1つは壁の配置から作成する[屋根作成...]コマンド、もう1つが2D図形（屋根伏）から作成する[屋根面...]コマンド（P.221を参照）を使う方法です。
ここでは、[屋根作成...]コマンドを使用して、2階の壁の配置から2寸勾配の片流れ屋根を作成します。

壁の配置から屋根を作成する

2階の[壁ツール]でかかれた壁の配置から、2寸勾配の屋根を作成します。

1 [2FL]レイヤをアクティブレイヤにする。

2 [2FL]レイヤのすべての壁を選択する。

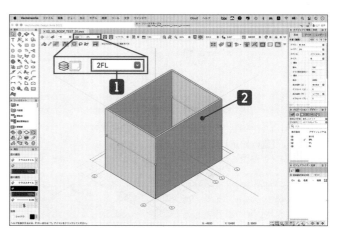

3 メニューバーから[建築]−[屋根作成...]を選択する。[屋根作成]ダイアログが表示される。

4 [軒の詳細]から[垂直]を選択する。

5 [屋根の厚み]に「200」と入力する。

6 [支持部分の差し込み]に「150」と入力する。

7 [屋根勾配]に「2:10」と入力する。

8 [耐力壁（軒桁）高さ]に「2800」と入力する。

9 [壁外面から軒先の距離]に「300」と入力する。

10 [レイヤ]から[2FL]を選択する。

11 [クラス]から[屋根-本体]を選択する。

12 [OK]をクリックして、ダイアログを閉じる。

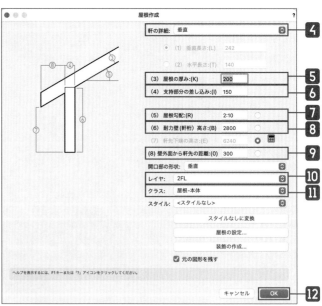

[屋根作成]ダイアログの設定項目の詳細については、次ページのポイントを参照してください。

ポイント　　[屋根作成]ダイアログの設定項目

[屋根作成]ダイアログの各設定項目は、[軒の詳細]でどの設定を選択するかによって変わります。ここでは、前ページの手順 **4** ～ **11** で設定した内容について主に説明します。

項目	説明
軒の詳細	軒先の形状を選択します。直角、垂直、水平、水平／垂直から選択できます。
屋根の厚み	屋根本体の厚みを指定します。
支持部分の差し込み	壁の上端と屋根の下端の交点を外壁面からの距離で指定します。壁厚と同じ値を入力すると、屋根の内面と壁の内面が一致してつながります。
屋根勾配	屋根勾配を指定します。角度および尺貫法勾配（5:10など）も入力できます。
耐力壁（軒桁）高さ	屋根を支える軒桁の上端の高さを、屋根を作成するレイヤの基準面からの高さで指定します。ここでは、壁の高さ＝軒桁の上端高さとしています。
壁外面から軒先の距離	軒の出を外壁面から軒先までの距離で指定します。通常は、通り芯からの距離で計画するため、計算する必要があります。
レイヤ	屋根の所属するレイヤを指定します。ここで、新規レイヤを作成することもできます。[RFL]レイヤを新規作成して屋根を別レイヤに振り分けてもよいでしょう。
クラス	屋根の所属するクラスを指定します。ここで、新規クラスを作成することもできます。[屋根-本体]クラスが自動的に作成されますが、既存のクラスの指定も可能です。

[屋根作成]ダイアログを閉じると、寄棟屋根が作成されます。この屋根の形状を片流れ屋根に変更します。

13 屋根を選択して、オブジェクト情報パレットの[連結する壁]から[すべての壁との連結を解除]を選択する。

> 屋根を編集するため、いったん壁との連結を解除します。

14 屋根を選択したことで、図のようにハンドルが表示されている。**Ⓐ**のハンドルをクリックする。[屋根設定の編集]ダイアログが表示される。

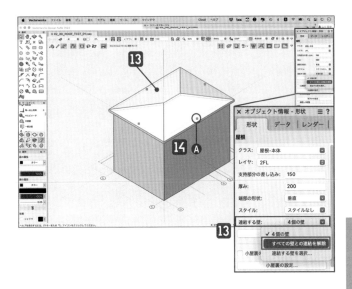

15 [屋根先の形状]から[切り妻]を選択する。

16 [OK]をクリックして、ダイアログを閉じる。

> [耐力壁（軒桁）高さ]が「2800」以外の数値となっている場合は、オブジェクト情報パレットで[連結する壁]が「0個の壁」となっているか確認しましょう。

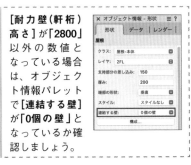

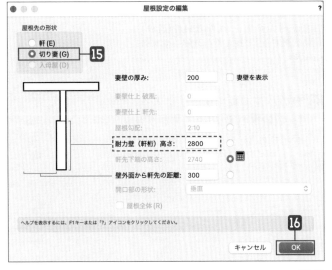

（続く）

17 右手前の軒が切り妻に変更される。

18 Ⓑのハンドルをクリックして、手順**15**、**16**を繰り返す。

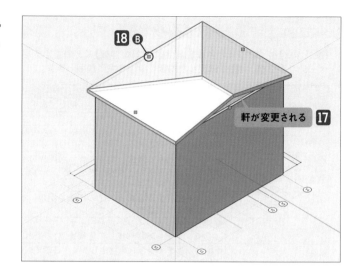

軒が変更される **17**

19 左奥の軒が切り妻に変更される。

20 Ⓒのハンドルをクリックして、手順**15**、**16**を繰り返す。

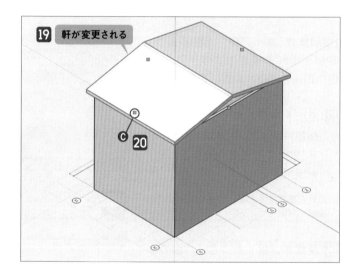

19 軒が変更される

21 左手前の軒が切り妻に変更される。

> 「切り妻」という言葉は違和感がありますが、「**勾配が下っていない軒（屋根）に変更する**」と捉えると理解しやすいです。

22 Ⓓのハンドルをクリックする。[**屋根設定の編集**]ダイアログが表示される。

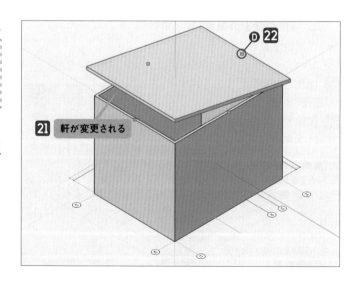

21 軒が変更される

23 ［耐力壁（軒桁）高さ］に「1200」と入力する。

軒を切り妻に変更する過程で、当初 ［屋根作成］ダイアログの［耐力壁（軒桁）高さ］に入力した「2800」は、片流れ屋根の「低いほうの軒高」となっています。そのため正しい軒高に修正する必要があります。ここでは2寸勾配（2:10）の屋根でスパンが8000mmとなるので、
2800－（8000×2/10）＝**1200**
を入力しています。

24 ［OK］をクリックして、ダイアログを閉じる。

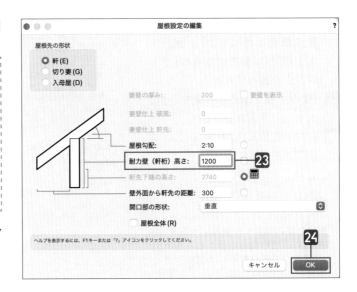

25 屋根の形状を確認する。オブジェクト情報パレットで図形タイプが［屋根］、［クラス］が［屋根-本体］となっていることを確認する。

［オーガナイザ］ダイアログ（P.41を参照）の［クラス］タブで［屋根-本体］クラスが作成されていることも確認しましょう。

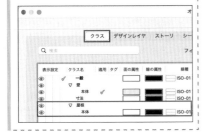

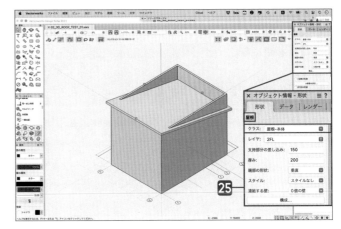

屋根の形状に合わせて壁を修正する

2階の壁が屋根を突き抜けた状態なので、屋根の勾配に合わせて修正します。

1 ［2FL］レイヤのすべての壁を選択する。

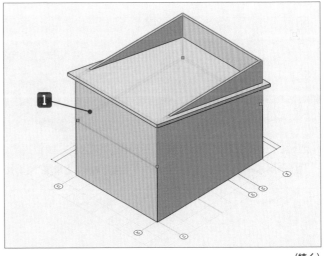

（続く）

2 メニューバーから[**建築**]―[**図形に壁をはめ込む...**]を選択する。[**図形に壁をはめ込む**]ダイアログが表示される。

3 [**壁の上端を図形に拘束する**]にチェックを入れる。

4 [**次の図形に合わせる**]から[**2FL**]を選択する。

> 屋根が作成されたレイヤ（ここでは[**2FL**]）を選択します。

> 屋根と壁の収まりを詳細に設定する場合は、[**壁の上端の埋め込み深さ**]と[**壁を合わせる参照**]を設定します。詳細は、Vectorworksのヘルプを参照してください。

5 [**OK**]をクリックして、ダイアログを閉じる。

6 屋根の勾配に合わせて壁が修正されたことを確認する。

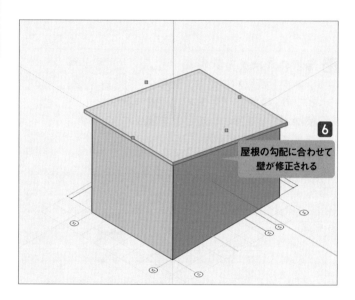

屋根の勾配に合わせて壁が修正される

ポイント　**[図形に壁をはめ込む...]コマンドが対応する図形タイプ**

[**図形に壁をはめ込む...**]コマンドで壁を修正できるのは、図形タイプが[**屋根**]の図形だけではありません。図のような壁と交差する図形であれば、柱状体で作成したボールト屋根や曲面を利用した複雑な屋根にも対応できます。同様に、壁の下端も、交差する地形モデルなどの形状に合わせて修正が可能です。

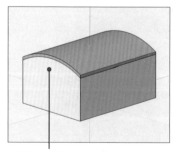

柱状体のボールト屋根に合わせた壁

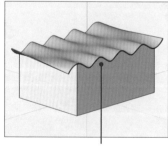

曲面を利用した屋根に合わせた壁

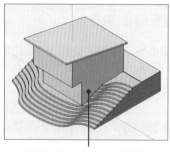

地形モデルに合わせた基礎壁

DAY 07-03 屋根を作成する（屋根面コマンド）

📄 03_3D_ROOF_TEST_02.vwx（完成版：03_3D_ROOF_TEST_02_after.vwx）

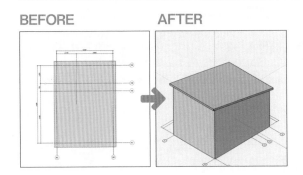

BEFORE　　　**AFTER**

前節では[屋根作成...]コマンドで屋根を作成しましたが、ここでは、[屋根面...]コマンドを使用し、屋根伏を表す2D図形から2寸勾配の片流れ屋根を作成します。なお屋根伏（2D図形）は、屋根面ごとに面図形で作成されている必要があります。

屋根伏から屋根に変換する

あらかじめ用意されている屋根伏（2D図形）を、2寸勾配の片流れ屋根に変換します。

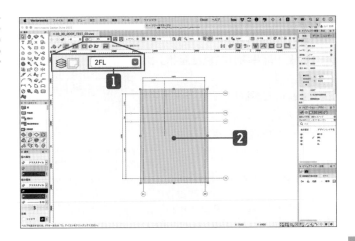

1 [2FL]レイヤをアクティブレイヤにする。

2 屋根となる2D図形（屋根伏）を選択する。

3 メニューバーから[建築]-[屋根面...]を選択する。[屋根面の設定]ダイアログが表示される。

4 [屋根の勾配]から[高さと距離]を選択する。

5 [端部の形状]から[垂直]を選択する。

6 [開口部の形状]から[垂直]を選択する。

7 [地上からの高さ]に「2800」と入力する。

8 [高さ]に「2」、[距離]に「10」と入力する。

9 [厚み]に「200」と入力する。

10 [屋根の設定...]をクリックする。[屋根の設定]ダイアログが表示される。

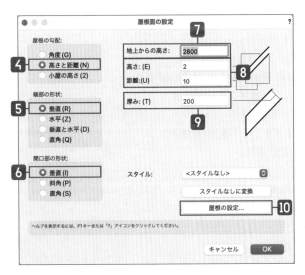

[屋根面の設定]ダイアログの設定項目の詳細については、P.223のポイントを参照してください。

DAY 07

（続く）

[屋根作成...]コマンド（P.216を参照）や[屋根面...]コマンドで作成した屋根も、壁と同様に複数の構成要素を設定できます。ここでは、「簡易屋根」として1つの要素で屋根を簡単に表現します。

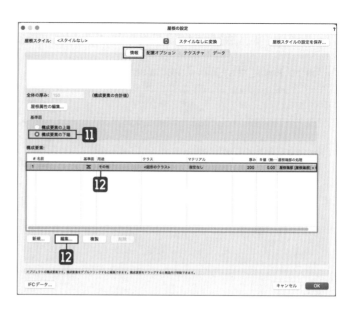

11 [情報]タブの[基準面]から[構成要素の下端]を選択する。

> 屋根の下端が基準面（寸法を測る位置）となります。

12 初期設定で用意されている構成要素を選択し、[編集...]をクリックする。[屋根 構成要素の設定]ダイアログが表示される。

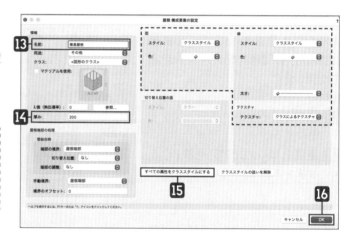

13 [情報]の[名前]に「簡易屋根」と入力する。

14 [厚み]が「200」であることを確認する。

15 [すべての属性をクラススタイルにする]をクリックする。

> [すべての属性をクラススタイルにする]をクリックすることで、屋根にクラス属性が適用されます（図の破線で示した部分）。クラス属性については、P.214のポイントを参照してください。

16 [OK]をクリックして、ダイアログを閉じる。

17 [屋根の設定]ダイアログに戻るので、[配置オプション]タブを選択する。

18 [クラス]から[屋根-本体]クラスを選択する。

> 階層化されたクラスの選択方法はP.212を参照してください。

19 [OK]をクリックして、ダイアログを閉じる。

20 [屋根面の設定]ダイアログに戻るので[OK]をクリックして、ダイアログを閉じる。

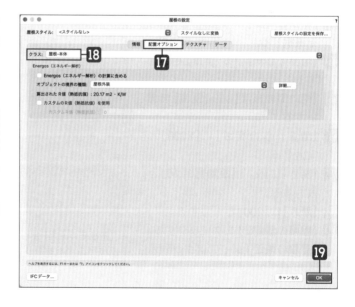

ポイント **［屋根面の設定］ダイアログの設定項目**

［屋根面の設定］ダイアログの右側に表示される各設定項目は、**［屋根の勾配］** および **［端部の形状］** でどの設定を選択するかによって変わります。ここでは、P.221の手順 **4**〜 **9** で設定した内容について主に説明します。

オプション	説明
屋根の勾配	**［高さと距離］** を選択した場合は、勾配を高さと距離で指定します。距離を「10」とすると、尺貫法勾配として入力できます。
端部の形状	**［垂直］** を選択した場合は、軒先の形状が地面に対して垂直になり、屋根の厚みを指定できます。
開口部の形状	**［垂直］** を選択した場合は、開口部の断面が地面に対して垂直になります。
地上からの高さ	屋根が作成されたレイヤの基準面から棟までの距離を指定します。正確には「地上」ではなく、基準面からの高さなので注意します。
高さ	勾配の高さを指定します。ここでは2寸勾配にするので、「2」としています。
距離	勾配の距離を指定します。ここでは2寸勾配にするので、「10」としています。
厚み	屋根本体の厚みを指定します。

屋根の勾配や厚みの設定ができたので、次は勾配をどの方向に適用するかを指定します。まず、棟の位置を指定して、次に勾配の向きを決定します。ここでは、画面に対して下の壁の外壁面を棟とし、下から上に向けて下るように設定します。

21 ［**B**］キーを押したまま、下の壁の外壁面上（任意の点）でクリックする。

> ［**B**］キーを押すと一時的に面の属性が半透明になり、屋根に隠れた壁が確認できます。

> 手順 **21** と **22** の2点をつなぐ線が傾かないように、スクリーンヒントを確認しながら進めます。

22 同じ外壁面の、やや右側に離れた任意の位置をクリックする。

23 勾配方向（屋根が上る方向）を示す矢印が表示されるので、カーソルを下方向に移動し、勾配方向の矢印が下に向いた状態でクリックする。

> 矢印の向きが、屋根の上る方向を表します。

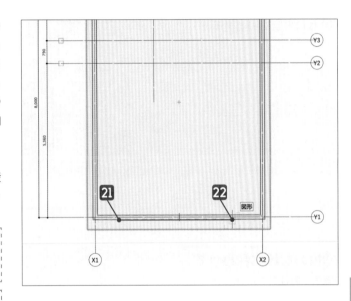

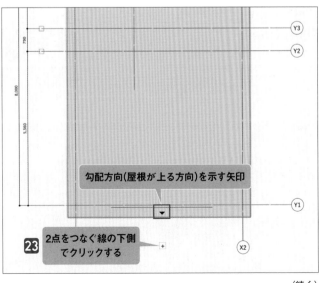

勾配方向（屋根が上る方向）を示す矢印

23 2点をつなぐ線の下側でクリックする

DAY
07

（続く）

24 屋根が作成される。オブジェクト
情報パレットで、図形タイプが
[屋根面] になっていることを確認
する。

> 元の屋根伏の四角形が **[屋根-本体]** ク
> ラスにあらかじめ割り当ててあるため、
> 2D/3D図形になっても、そのまま **[屋根
> -本体]** クラスとなります。

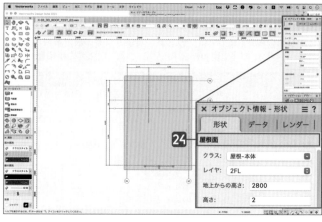

25 **[斜め右]** ビューに切り替え、屋
根の形状を確認する。

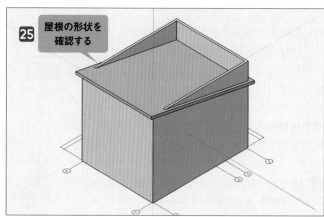

屋根の形状に合わせて
壁を修正する

2階の壁が屋根を突き抜けた状態な
ので、屋根の勾配に合わせて修正し
ます。手順は、P.219〜P.220「屋根
の形状に合わせて壁を修正する」を
参照してください。

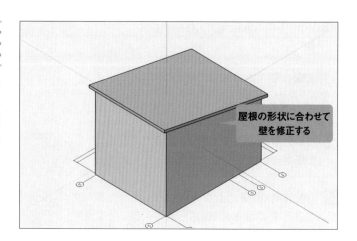

DAY 07-04 1階の床を作成する（床コマンド）

📄 04_3D_FLOOR_TEST_01.vwx（完成版：04_3D_FLOOR_TEST_01_after.vwx）

2D要素と3D要素を併せ持つ「床」を作成するには、2つの方法があります。1つは2D図形（床伏）から作成する[床...]コマンド、もう1つが壁の配置から作成する[スラブツール]（P.227を参照）を使う方法です。

ここでは、[床...]コマンドを使用して、床伏となる2D図形から1階の床を作成します。

床伏を2D/3Dの床に変換する

あらかじめ用意されている床伏（2D図形）を2D/3Dの床に変換します。

1 [1FL]レイヤをアクティブレイヤにする。

2 大きいほうの部屋に作成されている2D図形を選択する。

> この2D図形は、[床-本体]クラスに割り当ててあります。

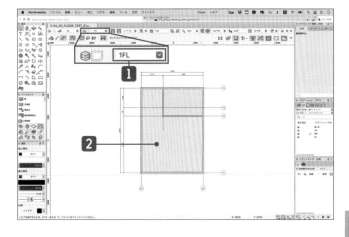

3 メニューバーから[建築]ー[床...]を選択する。[床の設定]ダイアログが表示される。

4 [高さ]に「-500」、[厚み]に「500」と入力する。[OK]をクリックして、ダイアログを閉じる。

> 床の上端が基準面となるように、[厚み]と同じ寸法だけ高さを下げます。

（続く）

5 床が作成される。オブジェクト
情報パレットで、図形タイプが
[床]になっていることを確認す
る。

> 2D図形を[床]に変換すると、最前面に
> 移動しますが、手順**7**で修正します。

> [床]に変換しても、面の属性を保っ
> ていることに注目してください。

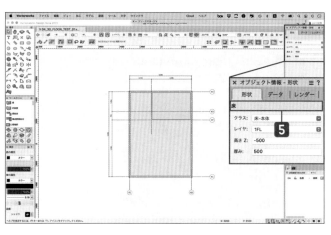

6 続けて、小さいほうの部屋の
2D図形も、手順**3**〜**4**と同様
にして[床]に変換する。

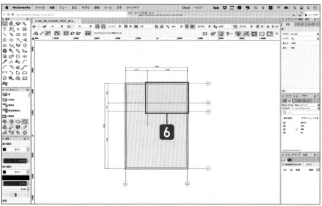

7 2つの床を選択して、メニュー
バーから[加工]−[前後関係]−
[最後へ]を選択する。

> 床を最背面（最後）に移動したことで、
> 間仕切り壁が前面になり表示されるよ
> うになります。

間仕切り壁が表示される

8 [斜め右]ビューに切り替えて、
床の形状を確認する。

> 図では、確認しやすいように手前の壁
> の面の属性を[なし]にしています。床
> の厚みが基礎壁の下端に達している
> ことがわかります。断面ビューポート
> （P.309を参照）を使って断面図を作成
> するときに、このように床を作成して
> おくと、床下を断面として塗りつぶし
> て表示することができます。計画図で
> は、このような表現にすると便利です。

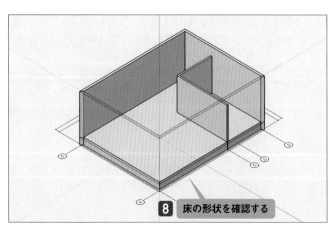

8 床の形状を確認する

DAY 07-05 2階の床を作成する（スラブツール）

📄 05_3D_FLOOR_TEST_02.vwx（完成版：05_3D_FLOOR_TEST_02_after.vwx）

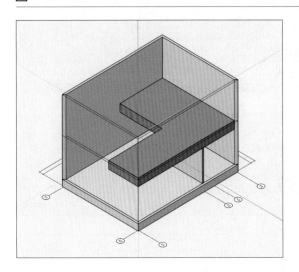

前節では［床...］コマンドで1階の床を作成しましたが、ここでは［スラブツール］を使用して、1階と2階をつなぐ吹抜け部のある2階の「床」を作成します。

［スラブツール］によって作成された床は2Dと3Dの属性を併せ持つだけでなく、部位（上面、下面、側面）ごとにテクスチャの貼り分け（詳細はP.262を参照）ができます。これにより1階の天井と2階の床を、1つの3D図形として表すことができます。

壁の配置から2D/3Dの床を作成する

2階の壁の配置から床を作成します。

1. ［2FL］レイヤをアクティブレイヤにする。
2. ツールセットパレットの［建物］をクリックする。
3. ［スラブツール］をクリックする。
4. ツールバーの（左から）［壁選択モード］を選択し、［ツール設定］をクリックする。［スラブの設定］ダイアログが表示される。

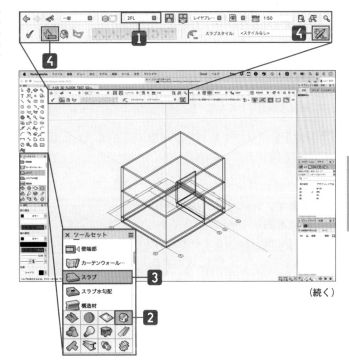

（続く）

DAY 07

227

5 [情報]タブの[基準面]から[構成要素の上端]を選択する。

> スラブ（床）の上端が基準面となります。

6 初期設定で用意されている構成要素を選択し、[編集…]をクリックする。[スラブ 構成要素の設定]ダイアログが表示される。

7 [情報]の[名前]に「簡易床」と入力する。

8 [厚み]に「600」と入力する。

> これは、1階天井仕上げ面から2階床仕上げ面までの距離が600mmという意味です。

9 [すべての属性をクラススタイルにする]をクリックする。

> [すべての属性をクラススタイルにする]をクリックすることで、床にクラス属性が適用されます（図の破線で示した部分）。クラス属性については、P.214を参照してください。

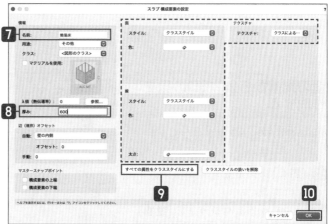

10 [OK]をクリックして、ダイアログを閉じる。

11 [スラブの設定]ダイアログで、[配置オプション]タブの[高さ]の[起点参照レイヤ]から[レイヤの高さ]を選択し、[レイヤZからの起点オフセット]に「0」と入力する。

> スラブの上端をレイヤの高さと一致させます。

12 [クラス]から[床-本体]クラスを選択する。

> [床-本体]クラスは、あらかじめ作成してあるため、リストに表示されます。ここで、新規クラスを作成することもできます。

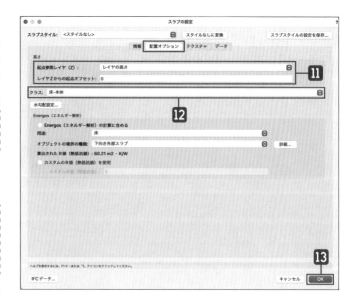

13 [OK]をクリックして、ダイアログを閉じる。

14 4つの壁を順番にクリックする。壁がハイライト表示される。

> [shift]キーを押しながらクリックしなくても複数選択できます。

15 ツールバーの[チェック]ボタンをクリックする。

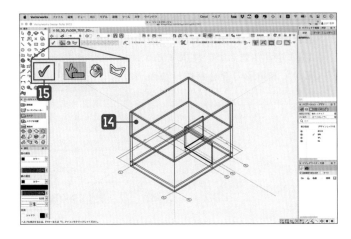

16 床が作成される。オブジェクト情報パレットで、図形タイプが[スラブ]になっていることを確認する。

> 図では、確認しやすいように手前の壁の面の属性を[なし]にしています。

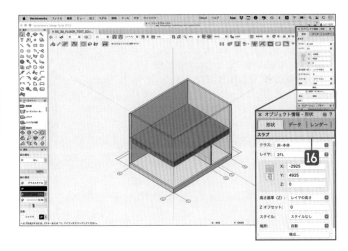

2階の床に吹抜けを作成する

2階の床に吹抜けの開口を作ります。

1 [2D/平面]ビューに切り替える。

2 スナップを利用し、床の左下角を基準点にして、図のように幅3450×高さ4360mmの四角形を作成する。

> 指定した寸法の四角形をかく方法については、P.68を参照してください。

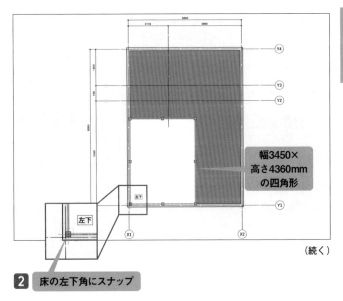

幅3450×高さ4360mmの四角形

2 床の左下角にスナップ

（続く）

DAY 07

229

3 床と手順**2**で作成した四角形を選択し、メニューバーから**[加工]**－**[切り欠き]**を選択する。床から四角形の部分が切り抜かれる。

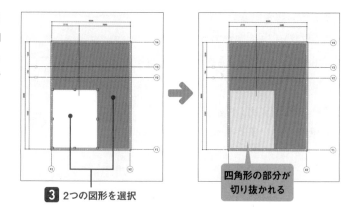

3 2つの図形を選択

四角形の部分が切り抜かれる

4 **[斜め右]**ビューに切り替えて、吹抜けが作成された床の形状を確認する。

図では、確認しやすいように手前の壁の面の属性を**[なし]**にしています。

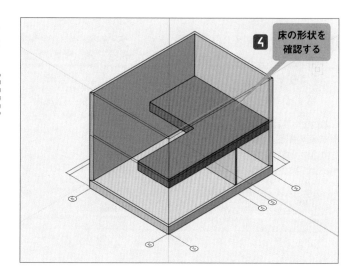

4 床の形状を確認する

この節のように加工（吹抜けを作成）したスラブを編集する場合は、スラブをダブルクリックして表示される**[スラブの編集]**ダイアログで**[モディファイア]**を選択すると、加工部分の2D図形（ここでは吹抜けの四角形）に戻り、編集することができます。編集画面の**[モディファイアを出る]**をクリックすると、編集がスラブに反映されます。
また、**[スラブの編集]**ダイアログで**[変形]**を選択すると**[変形ツール]**が選択され、前ページの手順**16**で作成された床全体のスラブの各辺、頂点を編集できます。

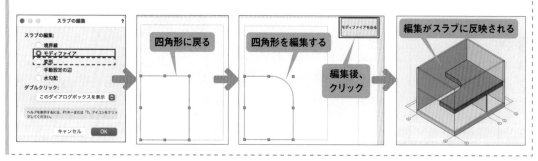

四角形に戻る 　 四角形を編集する 　 モディファイアを出る 　 編集後、クリック 　 編集がスラブに反映される

DAY 07-06 2D/3Dシンボルを作成する

📄 06_3D_SYMBOL_TEST_01.vwx（完成版：06_3D_SYMBOL_TEST_01_after.vwx）

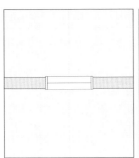
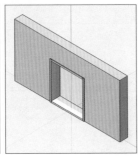

2D要素と3D要素を併せ持つシンボルを、「2D/3Dシンボル」と呼びます（「ハイブリッドシンボル」と呼ぶこともある）。[Vectorworksライブラリ]には、壁や床、屋根などの建築部位をはじめ、建具や家具、添景といった数多くの2D/3Dシンボルが収録されていますが、オリジナルの2D/3Dシンボルを作成することも可能です。ここでは、オリジナルのFIX窓の3D図形を作成したと仮定して、2D/3Dシンボルとして登録する方法を解説します。

建具の2D/3Dシンボルを作成する

あらかじめ用意された3D図形のFIX窓を2D/3Dシンボルとして登録します。

1 FIX窓の形状をワイヤーフレーム表示でよく確認し、[2D/平面]ビューに切り替える。

2 [四角形ツール]で、3D図形の上から窓台の見え掛かり（線の太さ0.1mm）と窓枠の断面（線の太さ0.2mm）をなぞるように3つの四角形をかく。

3 [直線ツール]（単線）で、窓台の上からガラス断面（線の太さ0.2mm）の直線をかく。図のように、左の縦線の中点と右の縦線の中点を直線で結ぶ。

> ここでは、開口部を簡易的に表現しています。建具のモデリングの細かさに合わせて建具の平断面をかき込みます。

> 3D図形は、[建具-本体]と[建具-ガラス]クラスに振り分けています。

ワイヤーフレーム　　　　　　　　[2D/平面]ビュー

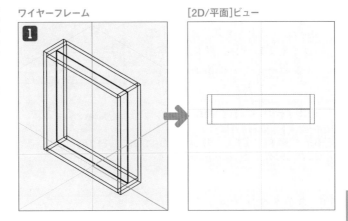

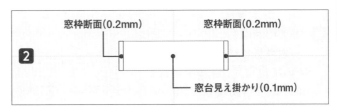

窓枠断面(0.2mm)　　　窓枠断面(0.2mm)

窓台見え掛かり(0.1mm)

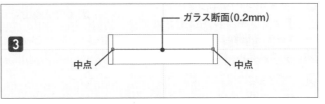

ガラス断面(0.2mm)

中点　　　　　　　　　　中点

（続く）

DAY
07

231

4 3D図形を含め、すべての図形を選択する。

5 メニューバーから[**加工**]－[**シンボル登録...**]を選択する。[**シンボル登録**]ダイアログが表示される。

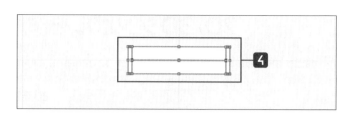

6 [**名前**]に「**FIX_W700**」と入力する。

7 [**挿入点**]から[**次にマウスクリックする点**]を選択する。

8 [**挿入位置**]にチェックを入れ、[**壁 - 中心線**]を選択し、[**壁の処理**]の[**線を消す（小口なし）**]を選択する。

> 家具のシンボルでは、[**挿入位置**]のチェックを外します。

9 [**その他**]から[**元の図形を用紙に残す**]のチェックを外し、[**2Dレイヤプレーン図形を2D/平面コンポーネントに追加する**]にチェックを入れる。

> [**2Dレイヤプレーン図形を2D/平面コンポーネントに追加する**]にチェックを入れると、手順**4**で選択した図形が自動的に2Dと3Dの図形に振り分けられます。

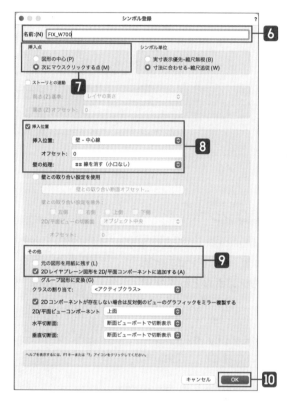

10 [**OK**]をクリックして、ダイアログを閉じる。

11 FIX窓の右中央（スクリーンヒント「**右中**」）でクリックする（挿入点の指定）。[**フォルダ選択**]ダイアログが表示される。

11 クリックして挿入点を指定

12 [**フォルダの指定**]リストでアクティブファイルが選択されていることを確認し、[**OK**]をクリックしてダイアログを閉じる。

13 作図領域の図形がすべて削除され、FIX窓の2D/3Dシンボルが作成される。

14 リソースマネージャでアクティブファイルに[**FIX_W700**]シンボルが登録されていることを確認する。

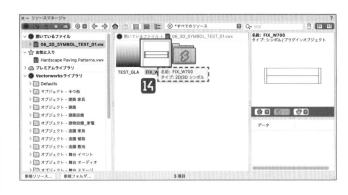

リソースプレビューペインでは、[**タイプ**]が[**シンボル/プラグインオブジェクト**]と表示されますが、リソースビューアペインの[**FIX_W700**]にカーソルを近づけると[**2D/3Dシンボル**]と表示されます（図の破線で示した部分）。

15 [**2D/平面**]ビューから[**壁ツール**]で、任意の長さ、高さで厚さ150mmの壁を作成し、作成した2D/3Dシンボルを配置する。ビューを切り替え、シンボルが2Dおよび3Dとして正しく表示されることを確認する。

[2D/平面]ビュー

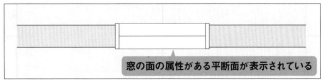

窓の面の属性がある平断面が表示されている

[斜め右]ビュー

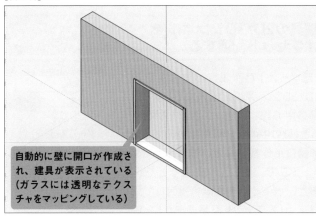

自動的に壁に開口が作成され、建具が表示されている（ガラスには透明なテクスチャをマッピングしている）

「**壁**」にシンボルを配置する方法は、次ページを参照してください。

ここでは、[**壁ツール**]の多角形モードで高さ1000mm、長さ2000mmの壁を作成（P.211の手順 **3** ～を参照）して、シンボルを配置しています。詳しくは「**06_3D_SYMBOL_TEST_01_after. vwx**」ファイルを参照してください。

DAY
07

ポイント　　**2D/3Dシンボルの編集方法**

2D/3Dシンボルは、2D図形と3D図形を同じ座標に配置し、ビューが2Dモードのときは2D図形を表示し、3Dモードのときは3D図形を表示するという仕組みです。お互いに形状などがリンクしているわけではないため、2D図形と3D図形それぞれに分けて編集する必要があります。

リソースマネージャから編集する場合は、リソースビューアペインで目的のシンボルを右クリックし、表示されるメニューから[**編集...**]を選択します。[**シンボル編集**]ダイアログ（図）が表示されるので、[**編集する属性**]で[**2D**]もしくは[**3D**]を選択します。作図領域に配置された2D/3Dシンボルをダブルクリックして編集する場合は、このときのビューが2D表示だと2D編集モード、3D表示だと3D編集モードになります。

なお、3D図形から自動で2D/3D図形を作成できる[**オートハイブリッドを作成**]コマンドも用意されています。こちらは、3D図形と2D図形が常にリンクしており、3D図形に施した編集結果が2D図形にも反映されます。詳細は、Vectorworksのヘルプを参照してください。

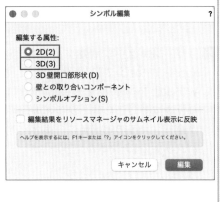

233

DAY 07 -07 壁に2D/3Dシンボルを配置する

📄 07_3D_SYMBOL_TEST_02.vwx（完成版：07_3D_SYMBOL_TEST_02_after.vwx）

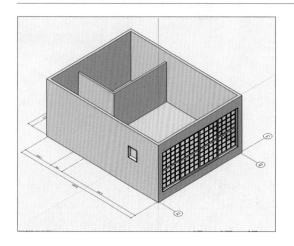

[壁ツール]などで作成された躯体に2D/3Dシンボルの家具や建具などを配置することで、3Dモデルの建物を完成させます。

家具などの2D/3Dシンボルは、2Dシンボルと同様の操作で平面図上に配置すれば、3Dモデル上にも配置された状態になります。また、[壁ツール]で作成した「壁」に建具の2D/3Dシンボルを配置すると、自動的に壁に開口が作成されて建具が挿入されます。

ここでは、2D/3Dシンボルとして登録された建具を、壁に配置（挿入）する方法を解説します。

建具の2D/3Dシンボルをオフセット配置する

[壁ツール]で作成した壁に建具の2D/3Dシンボルを挿入するとき、建具の中心線にスナップさせて配置すると[壁の中のシンボル]にならず、壁に開口が作成されない場合があります。そこで、通り芯の交点などを基準とし、そこからの距離を指定して配置する[オフセット配置モード]を使います。Y通りの壁の中央に建具を挿入したいので、通り芯の交点から225mm離れた位置に、引き分け戸を挿入します。

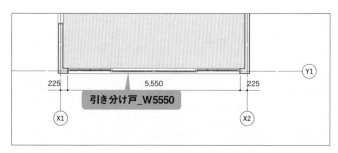

1 リソースマネージャのリソースビューアペインで[引き分け戸_W5550]シンボルをダブルクリックする。この際、シンボルが選択されるのと同時に、基本パレットの[シンボルツール]が選択される。

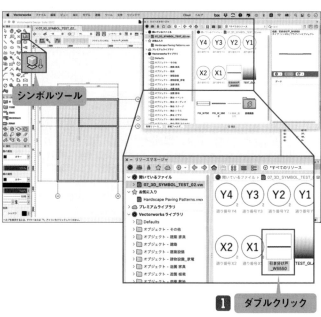

1 ダブルクリック

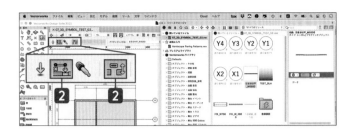

2 ツールバーの（左から）[**オフセット配置モード**]と[**壁への挿入のON/OFFモード**]をオンにする。

3 左下の壁の通り芯の交点をクリックする。

4 カーソルを水平右方向に移動し、通り芯上の任意の点をクリックする。

正確なオフセット距離は次にダイアログで指定するので、ここでは通り芯上をクリックしてオフセットの方向を決定します（シンボルがX2通りの壁からはみ出しても問題ない）。このとき壁がハイライト表示されるのは、壁にシンボルが挿入され、[**壁の中のシンボル**]となることを予告しています。

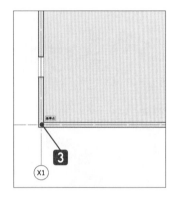
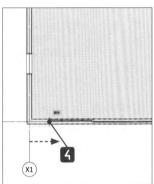

5 次に壁の室内側をクリックして、建具の向きを確定し、中央2枚の建具障子が室外側へ配置されるようにする。[**オフセットの設定**]ダイアログが表示される。

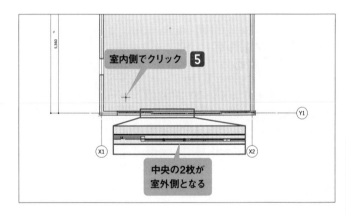

室内側でクリック **5**

中央の2枚が
室外側となる

DAY
07

6 [**オフセット**]に「225」と入力する。

通り芯間距離（6000mm）から建具の幅（5550mm）を引き、壁の中央に挿入する場合の片方からの移動距離なので2で割り、
$(6000-5550)÷2=225$
となります。

7 [**OK**]をクリックして、ダイアログを閉じる。

ここで指定した距離が、手順 **3** でクリックした点から、シンボルの挿入点（[**引き分け戸_W5550**]シンボルの場合は左端点）までの距離になります。

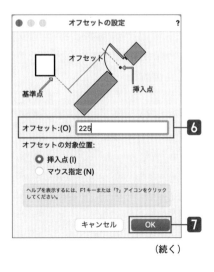

（続く）

235

8 引き分け戸の2D/3Dシンボルが壁に挿入される。開口部周りが平面図として正しく表示され、オブジェクト情報パレットで図形タイプが**[壁の中のシンボル]**となっていることを確認する。

> **[壁の中のシンボル]**とは、壁に開口を作成して挿入されているシンボルです。シンボルが壁に挿入されておらず、重なって配置されているだけの場合は、オブジェクト情報パレットの図形タイプに**[2D/3Dシンボル]**と表示されます。

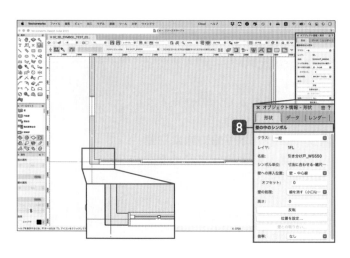

9 **[斜め右]**ビューおよび**[左斜め後方]**ビューのシェイド表示に切り替え、引き分け戸が正しく壁に挿入されていることを確認する。

> シェイド表示などレンダリング手法の切り替えについては、P.188を参照してください。

[斜め右]ビュー　　　　　　　[左斜め後方]ビュー

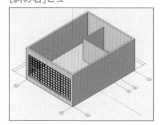
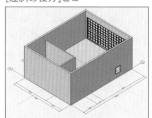

2D/3Dシンボルの位置を変更する

あらかじめ挿入されているX1通りの壁のFIX窓の2D/3Dシンボルは、高さ0mmの位置（床面の高さ）を基準面として登録されており、そのまま配置されています。これを1200mmの取付け高さに変更します。

1 **[斜め左]**ビューに切り替える。

2 壁に挿入された**[FIX_W700]**シンボルを選択する。

3 オブジェクト情報パレットの**[高さ]**が「0」であることを確認する。

4 オブジェクト情報パレットの**[高さ]**に「1200」と入力する。

5 FIX窓が床面（基準面）から1200mmの高さに移動する。

> 腰高窓など一定の高さで使う機会が多い2D/3Dシンボルは、基準面からの高さを設定してから登録しましょう。

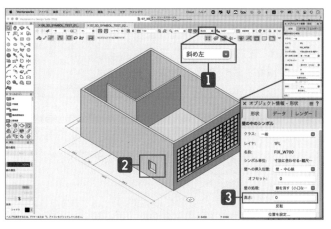

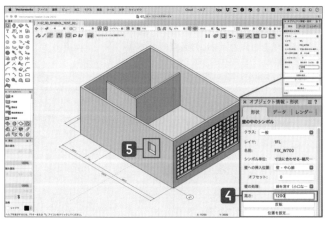

DAY 07-08 各階平面図、3Dモデルを画面登録する

📄 08_2D_PLAN_TEST.vwx（完成版：08_2D_PLAN_TEST_after.vwx）

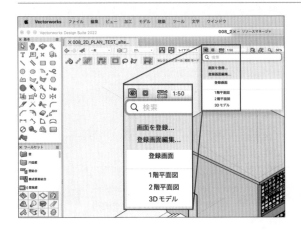

2D要素と3D要素を併せ持つ3Dモデルは、1つのファイルで作成しレイヤとクラスの表示／非表示を切り替えて、各階平面図や3Dモデルとして画面に表示します。しかし、毎回、表示／非表示を切り替えるのは面倒なので、目的の状態で表示させた画面を[画面を登録]機能で登録しておきます。レイヤとクラスの表示状態だけでなく、特定のビュー（アングル）やレンダリングモード（P.242を参照）なども登録できるので、平面図を修正して透視図で確認する、といった繰り返し作業（スタディ作業）が効率よく行えます。

各階平面図を登録する

各階平面図をすぐに表示できるように、画面を登録します。
まず「1階平面図」を登録します。

1 ビューを[2D/平面]に切り替える。

2 [オーガナイザ]ダイアログを表示して[デザインレイヤ]タブを選択し、[2FL]レイヤのみ非表示にする。

> [オーガナイザ]ダイアログの表示方法については、P.41を参照してください。

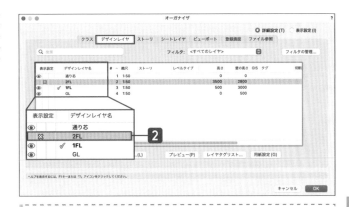

> [表示設定]の列の設定項目は、左端から[表示][非表示][グレイ表示]です。レイヤを非表示にするには、[表示設定]項目の左から2番目の列をクリックして[×]マークを付けます。

3 [クラス]タブを選択し、[屋根-本体]クラスを非表示にする。[OK]をクリックして、ダイアログを閉じる。

> [2FL]レイヤを非表示としているので、ここで[屋根-本体]クラスを非表示にする意味はありません。しかし、「2階平面図」の画面を登録するときこの作業が必要となるため、あらかじめ[屋根-本体]クラスを非表示としています。

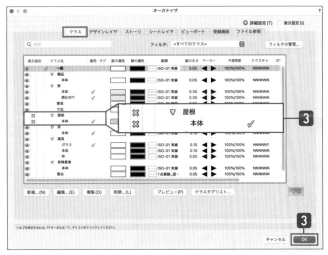

（続く）

DAY 07

4 **[1FL]**レイヤをアクティブレイヤにし、平面図の拡大率と表示範囲を調整する。表示バーの**[登録画面]**をクリックして**[画面を登録...]**を選択する。**[画面を登録]**ダイアログが表示される。

> **[画面を登録]**機能は、Vectorworksの画面を見せてプレゼンを行う場合などに、説明個所を拡大した画面を事前に登録しておくといった使い方もできます。

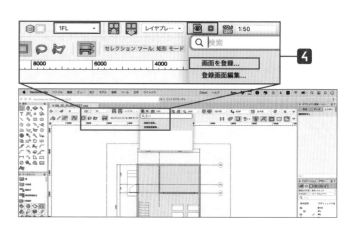

5 **[登録画面の名前]**に「1階平面図」と入力し、**[OK]**をクリックして、ダイアログを閉じる。

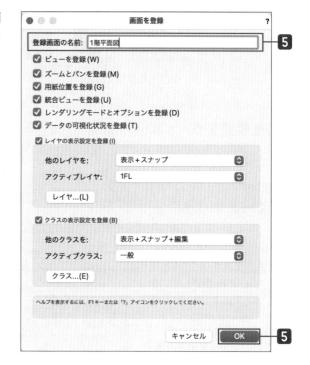

続けて「**2階平面図**」を登録します。

6 **[オーガナイザ]**ダイアログを表示し、**[デザインレイヤ]**タブを選択し、**[GL]**レイヤのみ非表示にする。

7 **[クラス]**設定は、手順**3**と同様に設定する。

8 **[OK]**をクリックして、ダイアログを閉じる。

9 **[2FL]**レイヤをアクティブレイヤにし、手順**4**〜**5**にならって2階平面図を登録する。**[登録画面の名前]**は「2階平面図」とする。

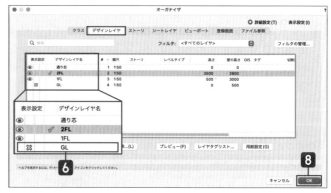

3Dモデルを登録する

3Dモデルをすぐに表示できるように、画面を登録します。

1 ビューを[**斜め左**]に切り替える。

2 [**オーガナイザ**]ダイアログを表示し、[**デザインレイヤ**]タブを選択し、すべてのレイヤを表示させる。

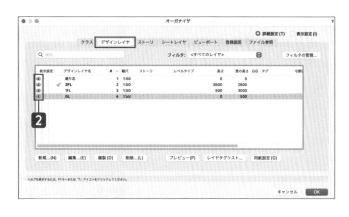

3 [**クラス**]タブを選択し、[**屋根-本体**]クラスを表示にし、[**OK**]をクリックして、ダイアログを閉じる。

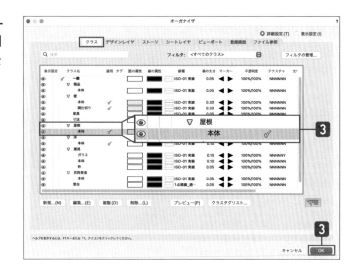

4 メニューバーから[**ビュー**]−[**レンダリング**]−[**シェイド**]を選択する。

5 [**2FL**]レイヤをアクティブレイヤにし、拡大率と表示範囲を調整する。表示バーの[**登録画面**]をクリックして[**画面を登録...**]を選択する。[**画面を登録**]ダイアログが表示される。

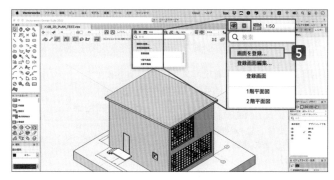

DAY
07

6 [**登録画面の名前**]に「**3Dモデル**」と入力し、[**OK**]をクリックして、ダイアログを閉じる。

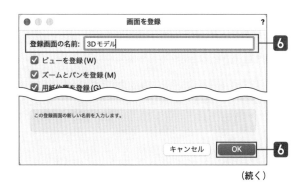

（続く）

7 表示バーの[**登録画面**]で目的の
登録画面を選択し、表示を確認
する。

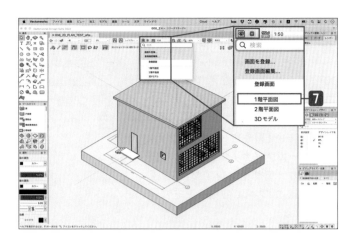

ポイント 　登録画面の編集方法

いったん登録した画面でも、
後から編集することが可能
です。
図のように表示バーの[**登録
画面**]−[**登録画面編集...**]を
選択すると、[**オーガナイザ**]
ダイアログの[**登録画面**]タ
ブに登録された画面名が表
示されます。目的の登録画
面名を選択して[**編集...**]をク
リックすると、[**画面を登録**]
ダイアログ（P.239の手順 5
を参照）と同様の[**登録画面
を編集**]ダイアログが表示さ
れるので、各設定項目を編
集します。

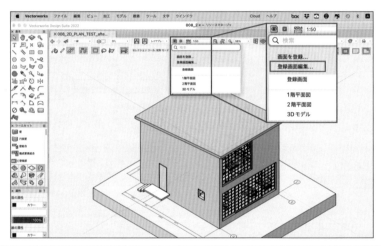

ポイント 　画面登録後にクラスやレイヤを新規作成する際の注意点

画面を登録した後、新規にクラス／
レイヤを作成すると、登録した画面
を表示するたびに新規クラス／レイ
ヤに含まれる図形が非表示になって
しまいます。この問題を回避するた
め、[**クラスの作成**]（または[**レイヤ
の作成**]）ダイアログで、[**作成オプ
ション**]の[**新規クラス（またはレイ
ヤ）の登録画面の表示設定**]から[**表
示**]を選択しておきます。
これにより、画面登録後に新規作成
したクラス／レイヤに含まれる図形
も、登録画面に表示されるようにな
ります。

[表示]を選択する

レンダリングと
テクスチャマッピング

8日目は、3D図形にリアルな質感を表現するテクスチャを設定し、レンダリングして説得力のあるイメージを作る方法を学びます。

レンダリング設定

 01_RENDERING_MODE.vwx

Vectorworksでは、3Dビューをさまざまな表現方法でレンダリングできます。ここでは、よく使用されるレンダリングモードの概要を説明します(レンダリングモードの切り替えについては、P.188も参照のこと)。なお、3D図形の[面の属性]が[なし]に設定されていると、テクスチャをマッピングし、レンダリングを実行しても面が表示されない(ワイヤーフレームのままになる)ので注意してください。

ワイヤーフレーム

視点を3Dモードに切り替えただけのモード。形状のアウトラインが陰線も含めてすべて表示される。描画速度が最も速いためモデリング作業に適している。ショートカットキーは[shift]＋[command(Ctrl)]＋[W]キー。

シェイド

テクスチャや光源の効果を簡易表示するモード。描画速度が速く、レンダリング結果を確認しながら視点の移動などが行える。本書では主にこのモードを使用。ショートカットキーは[shift]＋[command(Ctrl)]＋[G]キー。

仕上げRenderworks

光源や陰影、影、テクスチャを詳細に表現できる高品位のモード。最終的な仕上げに使用する。ショートカットキーは[shift]＋[command(Ctrl)]＋[F]キー。

アートRenderworks

手がき風の画像にレンダリングするモード。[アートRenderworks設定...]ダイアログで、セル画や鉛筆画などさまざまな表現タイプを選択可能。大まかな全体像を伝えたい初期段階の提案時などに適している。

陰線消去

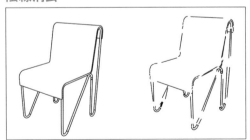

アウトライン表示で、面に隠れた陰線を表示しないモード。アウトラインのみの画像を作成したい場合などに適している。[陰線設定...]ダイアログでスケッチ(手書き風)の表現が選択できる。

陰線表示

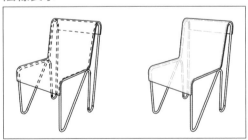

アウトライン表示で、面に隠れた陰線を破線で表示するモード。家具の部材構成を表現する場合などに適している。[陰線設定...]ダイアログで陰線の線種や濃さを設定できる。

テクスチャのマッピングと座標系

よりリアルなレンダリング結果を得るには、3D図形にテクスチャ(素材・質感)をマッピング(投影)します。テクスチャをマッピングし、各種設定を行うことで、素材の色や柄、反射、透明度、表面形状などの質感を表現できます。

テクスチャマッピングは、投影するテクスチャ画像と、マッピングに使用する座標系(投影方法、マッピング座標系)をオブジェクト情報パレットの[レンダー]タブ(図)で指定します。マッピング座標系によって見え方が変わるので、対象となる図形の図形タイプによって適切なものを選択します。多くの場合、初期設定で自動選択されたマッピング座標系で十分な結果が得られますが、思いどおりの結果にならないときは編集する必要があります。

ここでは、それぞれのマッピング座標系の特徴を解説するとともに、図のオブジェクト情報パレットで指定している市松模様のテクスチャをマッピングした結果を示します。テクスチャの模様が、どのように3D図形の表面に表示されるか確認してください。

サーフェスUV

テクスチャを各表面に歪みが生じないようにマッピングする座標系。

平面座標系

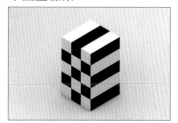

1つの面に向けてテクスチャを投影してマッピングする。正しく表示されるのはその面のみだが、マッピングの開始位置をコントロールしやすいという利点がある。

平面自動

さまざまな角度の面に対し、自動的に角度を合わせてマッピングする。「平面座標系」の発展型で、すべての面にテクスチャが正しく表示される。

球面座標系

球体を包み込むようにマッピングする。上下に向かうにつれテクスチャが歪むので、正しく表示するには、球体を展開した状態の画像が必要となる。

円筒座標系

中心軸から360°投影するようにマッピングする。円柱に適用した場合、上面と下面は、テクスチャが歪む。

簡易的に効果を表現するシェイドによるレンダリングでは、マッピング座標を編集した際に正しく結果が反映されないことがあります。マッピング座標の編集結果を確認する場合は、[仕上げRenderworks]を使用します。

DAY 08-03 テクスチャを3D図形全体にマッピングする

📄 03_TEXTURE_CUBE_TEST_01.vwx（完成版：03_TEXTURE_CUBE_TEST_01_after.vwx）

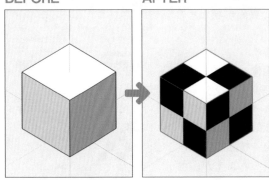

BEFORE　AFTER

テクスチャはリソースとして扱われ、[テクスチャツール]またはリソースマネージャからマッピングします。あらかじめリソースとして用意されたテクスチャを利用するだけでなく、新たにオリジナルのテクスチャを作成することもできます（テクスチャの作成についてはP.254～P.261を参照）。

ここでは、練習用ファイルに登録されている市松模様のテクスチャを使用します。

3D図形全体にマッピングする

立方体（柱状体）に、[TEX_01]という市松模様のテクスチャをマッピングします。

1 基本パレットの[テクスチャツール]を選択する。

> 練習用ファイル「03_TEXTURE_CUBE_TEST_01.vwx」は、すでにシェイドレンダリングが実行してあります。

2 ツールバーの[オブジェクトに適用モード]を選択して、[テクスチャ]をクリックする。リソースセレクタが表示される。

> [オブジェクトに適用モード]は、1つのテクスチャを3D図形全体に適用します。

3 リソースビューアペインの[TEX_01]を選択し、[選択]をクリックする。

4 カーソルを立方体に移動するとハイライト表示されるので、クリックする。

5 テクスチャが全体にマッピングされる。

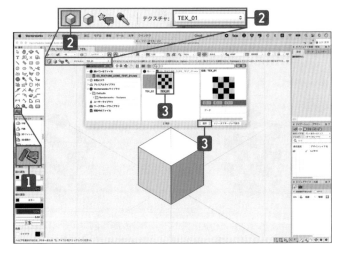

テクスチャ： TEX_01

4 ハイライト表示されたらクリック

5 テクスチャがマッピングされる

> テクスチャを適用し、レンダリングを実行しても、3D図形に表示されないことがあります。その原因の多くは、意図せず同位置に3D図形を複製しているか、リソースマネージャからイメージリソースを適用しているか（[Vectorworksライブラリ]に同じ画像のイメージとテクスチャが収録されており、両者のリソース名が似ているうえにサムネイルが同じなので、間違えやすい）です。一度確認してみましょう。

ポイント　テクスチャを確認／変更／取り消しする

3D図形にマッピングされたテクスチャは、オブジェクト情報パレットの[レンダー]タブでプレビューを確認できます。[>]ボタン（Windowsの場合は[＋]ボタン）をクリックして[全体]を展開し、表示されたテクスチャを選択すると、プレビューが表示されます。また、このプレビューをクリックして表示されるリソースセレクタで、別のテクスチャに変更することもできます（左図）。

適用したテクスチャを取り消す場合は、[テクスチャ]のリストから[なし]を選択します（右図）。この場合3D図形には、テクスチャに代わって属性パレットの[面の属性]で設定した色が表示されます。

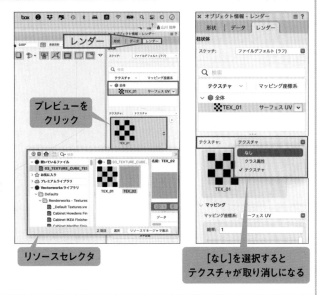

プレビューをクリック

リソースセレクタ

[なし]を選択するとテクスチャが取り消しになる

ポイント　ドラッグ＆ドロップによるテクスチャのマッピング

リソースマネージャからテクスチャのアイコンを直接3D図形へドラッグ＆ドロップすることでもマッピングできます。アイコンを適用したい図形にドラッグ（ハイライト表示になることを確認）してマウスのボタンを放すと適用されます。

[command（Ctrl）]キーを押しながらドラッグ＆ドロップすると、特定の面にマッピング（次のページを参照）できます。

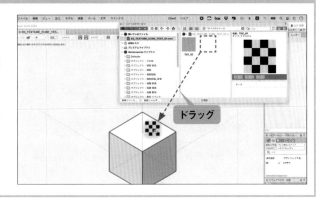

ドラッグ

ポイント　あらかじめ用意されているテクスチャを取り込む

あらかじめ用意されている数多くのテクスチャをアクティブファイルに取り込んで、3D図形にマッピングできます。

リソースマネージャからVectorworksライブラリの[Defaults]内の[Renderworks - Textures]フォルダを展開し、目的のカテゴリのファイルを選択します。3D図形を選択して、リソースビューアペインのテクスチャをダブルクリックすると、テクスチャの取り込みとマッピングが同時に行われます。

一度取り込んだテクスチャは、アクティブファイル内に保存されます。使用していない不要なテクスチャは適宜削除するか、[ツール]−[不要情報消去...]コマンドで一括削除します（[不要情報消去...]コマンドについて詳しくはVectorworksのヘルプを参照）。

目的のカテゴリのファイルを選択する

目的のテクスチャをダブルクリックする

DAY
08

245

テクスチャを特定の面にマッピングする

📄 04_TEXTURE_SURFACE_TEST.vwx（完成版：04_TEXTURE_SURFACE_TEST_after.vwx）

BEFORE　　　　AFTER

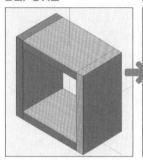
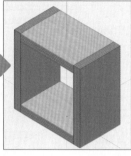

[テクスチャツール]は、前節のように1つのテクスチャを3D図形全体にマッピングするだけでなく、特定の面に対して個別にテクスチャを追加（上書き）することもできます。

[テクスチャツール]を使用して特定の面にマッピングされたテクスチャは、その面を右クリックして表示されるメニューまたはオブジェクト情報パレットの[レンダー]タブで編集できます。

3D図形の特定の面にマッピングする

図形全体に[シナ合板]というテクスチャをマッピングしたパネルの側面に、別の[シナ小口]という積層模様のテクスチャをマッピングします。

1 基本パレットの[テクスチャツール]を選択する。

> 練習用ファイル「04_TEXTURE_SUR
> FACE_TEST.vwx」は、すでにシェイ
> ドレンダリングが適用されています。

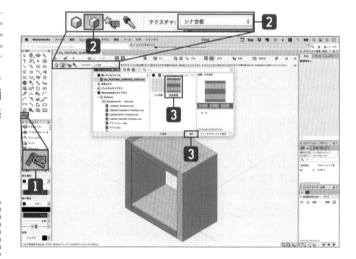

2 ツールバーの[面に適用モード]を選択して、[テクスチャ]をクリックする。リソースセレクタが表示される。

3 リソースビューアペインの[シナ小口]を選択し、[選択]をクリックする。

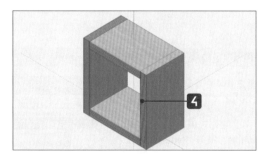

4 カーソルをパネルの側面（前）に移動するとハイライト表示されるので、クリックする。

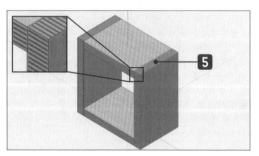

5 テクスチャが側面（前）にマッピングされる。手順**4**と同様にして、側面（上）にもマッピングする。

積層模様のテクスチャ[シナ小口]の
マッピング方向を変更します。

[6] パネルの側面（上）を右クリック
して、表示されるメニューから
[テクスチャを90°回転]を選択
する。

> メニューから**[面別優先テクスチャを削
> 除]**を選択すると、面に追加したテクス
> チャが削除され、図形全体にマッピン
> グしたテクスチャが表示されます。

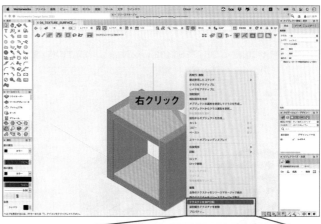

右クリック

テクスチャを90°回転	**[6]**
面別優先テクスチャを削除	
プロパティ...	

[7] 積層模様のテクスチャ**[シナ小
口]**の方向が90°回転する。パ
ネルの側面（前）のテクスチャも
同様にして変更する。

> 90°以外の角度に回転する場合は、オ
> ブジェクト情報パレットの**[マッピング]**
> －**[回転]**に角度を入力します（P.249の
> ポイントを参照）。

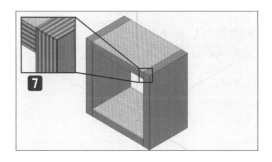

[7]

ポイント ┃ **面にマッピングしたテクスチャをオブジェクト情報パレットで編集する**

オブジェクト情報パレットの**[レンダー]**タブで**[面別優先テクスチャ]**を展開し、表示されるテクスチャリストで
任意のテクスチャを選択すると、そのテクスチャがマッピングされた個所がハイライト表示で確認できます（左
図）。また、テクスチャリストでテクスチャ名を右クリックすると、編集メニューが表示されます（右図）。

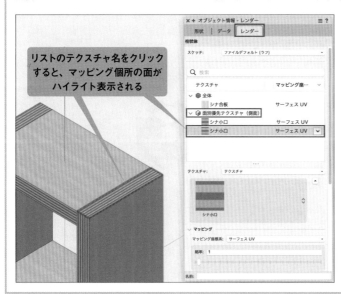

リストのテクスチャ名をクリック
すると、マッピング個所の面が
ハイライト表示される

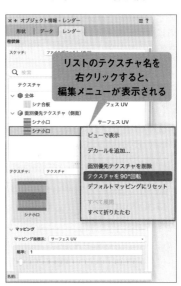

リストのテクスチャ名を
右クリックすると、
編集メニューが表示される

DAY
08

247

DAY 08-05 テクスチャのマッピングサイズを変更する

05_TEXTURE_CUBE_TEST_02.vwx（完成版：05_TEXTURE_CUBE_TEST_02_after.vwx）

BEFORE　　　AFTER

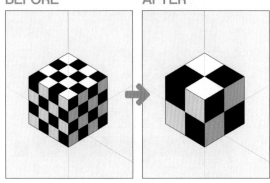

テクスチャは、作成時にサイズを設定（100角タイルなら、1辺を100mmと設定）するので（P.259とP.260を参照）、マッピングするときにサイズを再設定する必要はありません。

しかし、木目や芝生、ファブリックなどは、3D図形の見え方（遠くに見える場合など）によっては模様がつぶれて見えづらくなることがあります。そのような場合は、オブジェクト情報パレットから[縮率]を変更してマッピングサイズを大きく（デフォルメ）します。

オブジェクト情報パレットでマッピングサイズを編集する

1辺1000mmの立方体にマッピングされているテクスチャのサイズを大きくします（1つの四角形は250mm角）。

1 立方体を選択する。

2 オブジェクト情報パレットの[レンダー]タブをクリックする。

3 [マッピング]−[縮率]に「1」と入力されていることを確認する。

[縮率]は、初期設定では「1」と入力されています。これは、テクスチャ作成時に設定されたテクスチャサイズのままでマッピングされていることを表しています。

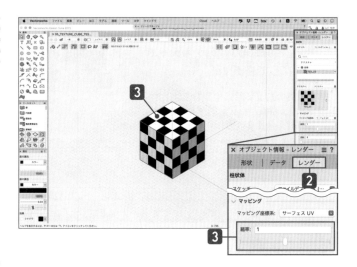

4 [マッピング]−[縮率]に「2」と入力する。

5 マッピングされたテクスチャの大きさが変更され、市松模様が大きく（2倍）なる（1つの四角形は500mm角）。

小さくする場合、たとえば1/2のサイズにするなら「0.5」と入力します。

5 市松模様が大きくなる

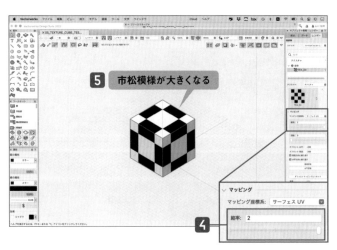

[縮率]でマッピングサイズを変更するとテクスチャの中心を基点として拡大／縮小されるため、手順5の図のように模様がずれた状態になります。これを、マッピング座標の原点が拡大／縮小の基点となるように位置を変更します。

6 オブジェクト情報パレットで[オフセット-水平][オフセット-垂直]をそれぞれ「0」に変更する。マッピング座標の原点が基点となり、テクスチャの位置が変更される。

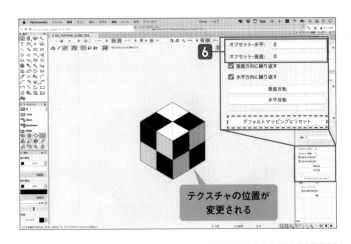

テクスチャの位置が変更される

この3D図形のマッピング座標系はサーフェスUV（P.243を参照）なので、オブジェクト情報パレットのオフセット機能を使用しました。ただし、平面座標系や球面座標系、円筒座標系の場合は、[属性マッピングツール]で変更します（詳細は次ページを参照）。

[デフォルトマッピングにリセット]をクリックすると、初期設定のマッピング状態に戻ります。

ポイント　テクスチャを回転する

3D図形全体（上図）または特定の面（下図）にマッピングしたテクスチャは、オブジェクト情報パレットの[レンダー]タブの[マッピング]－[回転]でマッピングの角度を指定します。シェイドレンダリングを実行した状態で[回転]のスライダを操作してリアルタイムでマッピングの様子を確認すると便利です。同様に[縮率]もスライダで操作可能です。

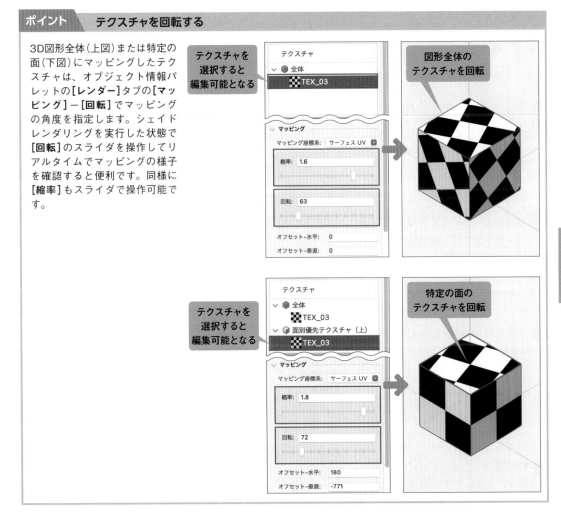

テクスチャを選択すると編集可能となる

図形全体のテクスチャを回転

テクスチャを選択すると編集可能となる

特定の面のテクスチャを回転

DAY
08

249

DAY 08-06 テクスチャの投影方向を変更する

📄 06_TEXTURE_MAP_TEST_01.vwx（完成版：06_TEXTURE_MAP_TEST_01_after.vwx）

BEFORE **AFTER**

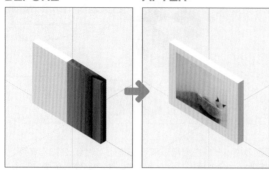

平面座標系（P.243を参照）は1つの面に向けて投影するマッピング手法です。テクスチャが、意図した面に適切にマッピングされなかった場合は、[属性マッピングツール]を使用して投影面を修正します。

マッピング座標は、3D空間のX／Y／Z座標とは無関係に独自の座標を持ち、3D図形のさまざまな勾配の面に設定できます。

投影方向を変更する

平面座標系で3D図形（アートパネル）の上面から投影（マッピング）されているテクスチャを、正面から投影されるように変更します。

1 アートパネルを選択する。

> ここでは、写真画像を使用した[TEX_04]というテクスチャが上面から投影されています。

2 基本パレットの[属性マッピングツール]をクリックする。

> [属性マッピングツール]は、ツールセットパレットの[ビジュアライズ]にもあります。

3 ツールバーの[繰り返しなしモード]をクリックする。

> [繰り返しなしモード]を選択すると、[属性マッピングツール]使用中のみタイリング（次ページのポイントを参照）が無効になり、確認しやすくなります。

4 作図領域に、編集フレームと水色のテクスチャ平面が表示される。

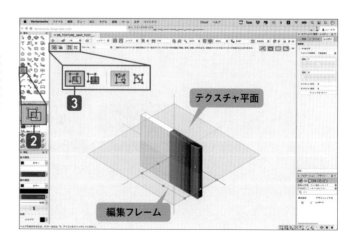

> テクスチャ平面は、テクスチャの投影面を表します。この場合、上面方向から投影されていることがわかります。

5 アートパネル上に移動すると
カーソルが図のように変化する
ので、正面をクリックする。

クリックした位置がテクスチャの左下
角（基点）となってマッピングされます。

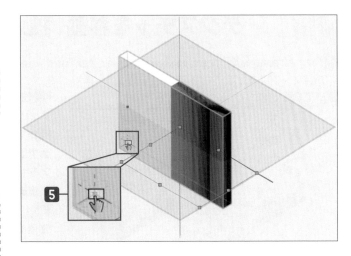

6 正面にテクスチャが投影される。

このテクスチャではタイリングを無効
にしているので、テクスチャが水平／
垂直方向に自動的に繰り返されること
はありません（詳しくは下記のポイント
を参照）。

ここでは、「**2Dマッピングモード**」を使
用していますが、赤、青、緑いずれか
の座標軸をクリックすると、図のよう
な「**3Dマッピングモード**」に切り替わり
ます。誤操作などで3Dマッピングモー
ドにしてしまった場合は、選択してい
る図形の外側をクリックすると2Dマッ
ピングモードに戻ります。

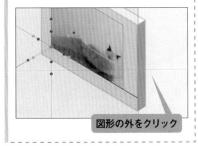

図形の外をクリック

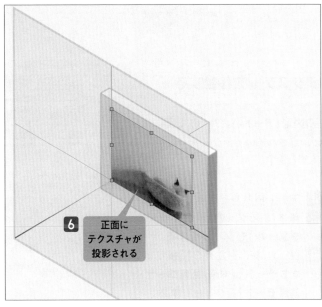

6 正面に
テクスチャが
投影される

ポイント　　タイリングとは

テクスチャとなる画像を、水平／垂直方向に繰り返し配置して面を
埋めるようにマッピングすることを「**タイリング**」と呼びます。初期
設定ではタイリングは有効になっていますが、無効にするには、オ
ブジェクト情報パレットで[**レンダー**]タブの[**マッピング**]－[**水平
方向に繰り返す**]と[**垂直方向に繰り返す**]の両方、あるいは一方の
チェックを外します。

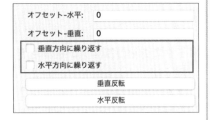

ポイント　　オブジェクト情報パレットでのマッピング編集

テクスチャの投影方向の変更やタイリングの無効化、および前節で解説したマッピングのサイズの変更や回転な
どの編集結果は、現在作業中の図形のマッピングのみに適用され、リソースマネージャに登録されたテクスチャ
そのものに適用されるわけではありません。テクスチャそのものを編集するには、リソースマネージャのリソー
スビューアペインでテクスチャを右クリックし、表示されるメニューから[**編集...**]を選択します。[**テクスチャ
の編集**]ダイアログが表示されたら、後の手順はテクスチャの新規作成（P.258～P.259を参照）と同じです。

DAY 08-07 テクスチャを移動、拡大／縮小する

07_TEXTURE_MAP_TEST_02.vwx（完成版：07_TEXTURE_MAP_TEST_02_after.vwx）

BEFORE　　AFTER

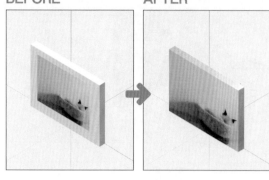

[属性マッピングツール]を使用し、3D図形に
マッピングされたテクスチャのハンドルを直接
操作することで、テクスチャを移動、拡大／縮
小できます。この方法は、3D図形へのスナッ
プを利用して移動、拡大／縮小し、バランス
を確認しながら作業を行えるという利点があり
ます。また、オブジェクト情報パレットで正確な
数値を入力して移動、拡大／縮小することも
可能です（P.248〜P.249を参照）。

テクスチャを移動する

3D図形（アートパネル）の正面にマッ
ピングされているテクスチャの位置を
移動します。

1 アートパネルを選択する。
2 基本パレットの[属性マッピン
グツール]をクリックする。
3 ツールバーの（左から）[繰り返し
なしモード][伸縮/回転コーナー
基点モード]をクリックする。
4 作図領域に、編集フレームと水色
のテクスチャ平面が表示される。

5 移動しやすいように、ビューを
[前]に切り替える。
6 テクスチャの編集フレーム左下
角にカーソルを合わせ、ドラッ
グカーソルに変化したところで
アートパネルの左下角へドラッ
グすると、テクスチャが移動さ
れる。

正確な値で移動したい場合は、オブ
ジェクト情報パレットの[マッピング]
ー[オフセット-水平]または[オフセッ
ト-垂直]に値を入力します（P.249を
参照）。

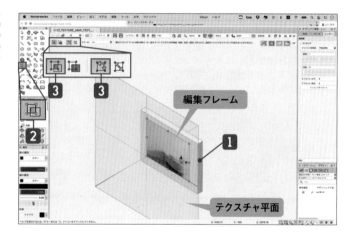

編集フレーム

テクスチャ平面

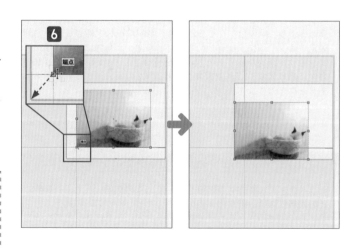

端点

テクスチャを拡大／縮小する

テクスチャの編集フレームのハンドルを使って拡大／縮小します。

1 前ページの手順 **1**〜**4** を実行する。

2 拡大／縮小しやすいように、ビューを[前]に切り替える。

3 編集フレームの右上のハンドルにカーソルを合わせ、リサイズカーソルに変化したところでクリックする。任意の位置までカーソルを移動してもう一度クリックすると、テクスチャが拡大／縮小される。

4 ビューを[斜め右]に切り替え、マッピングの状態を確認する。

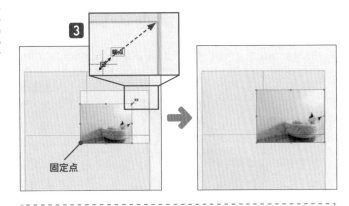

固定点

ここでは手順 **1** で[伸縮/回転コーナー基点モード]を選択しているため、対角にあるコーナー（図に示した「固定点」）を固定した状態で拡大／縮小されます。

正確な値で拡大／縮小したい場合は、オブジェクト情報パレットの[マッピング]−[縮率]に値を入力します（P.248を参照）。

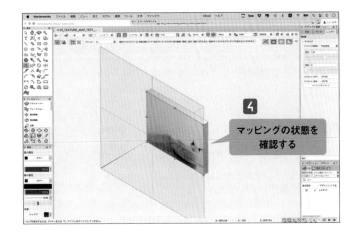

マッピングの状態を確認する

ポイント テクスチャを回転する

[属性マッピングツール]を使ってテクスチャを回転することもできます。手順は次のとおりです。

① 前ページの手順 **1**〜**5** を実行する。ただし、手順 **3** で基点モードは[伸縮/回転中央基点モード]を選択する。

② 編集フレームのいずれかの中点のハンドルにカーソルを合わせ、回転カーソルに変化したところでクリックする。任意の位置までカーソルを移動してもう一度クリックすると、テクスチャが回転する。

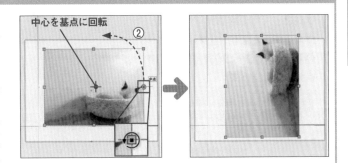

中心を基点に回転

ここでは[伸縮/回転中央基点モード]を選択しているため、テクスチャの中央を基点として回転します。正確な値で回転したい場合は、オブジェクト情報パレットの[マッピング]−[回転]に値を入力します（P.249のポイントを参照）。

DAY
08

DAY 08-08 テクスチャの質感を設定する

📄 08_MAKING_TEXTURE_TEST_01.vwx（完成版：08_MAKING_TEXTURE_TEST_01_after.vwx）

素材の硬さや滑らかさといった質感を表現するために、テクスチャに透明度、反射（環境の写り込み）、光沢などを設定します。これらはテクスチャ設定の基本となり、Vectorworksに登録されているテクスチャでもシーンに合わせて再設定が必要なこともあります。これらの設定は簡易的なレンダリングでは再現されない場合があるので、高品位な「仕上げRenderworks」で結果を確認します。

光沢のあるテクスチャを作成する

椅子の座面の赤いプラスチック素材を表現するために、光沢のある、硬質で滑らかな質感のテクスチャを作成します。

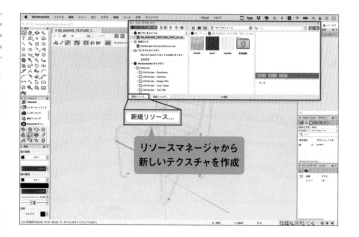

リソースマネージャから新しいテクスチャを作成

1 リソースマネージャから新規テクスチャを作成する。

> 新規リソースの作成方法については、P.184を参照してください。

2 [テクスチャの編集]ダイアログの[名前]に「TEST_PLA_01」と入力する。

3 プレビューで反射や光沢を確認しやすくするために、[プレビューの設定]の[タイプ]から[球面座標系]を選択する。

> プレビューの設定を変更しても、テクスチャは編集されません。

4 [シェーダ設定]の[色属性]から[カラー]を選択する。

5 [シェーダ設定]の[反射属性]から[プラスチック]を選択する。

6 色味を設定するために、[色属性]の[編集....]をクリックする。

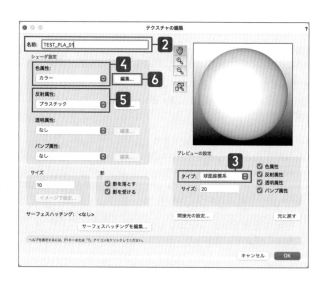

7 [**カラーシェーダの編集**] ダイアログの [**色**] から赤を選択する。

8 [**OK**] をクリックして、ダイアログを閉じる。

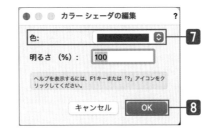

9 [**テクスチャの編集**] ダイアログのプレビューに、手順 **7** で選択した赤が反映される。

このダイアログのプレビューは、設定を変更するたびに自動で再レンダリングされます。

10 光沢や反射を設定するために、[**反射属性**] の [**編集...**] をクリックする。

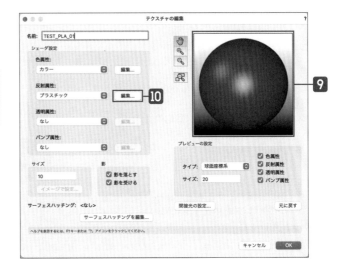

11 [**プラスチックシェーダの編集**] ダイアログの [**色**] から白を選択する。

12 [**明るさ**] に「90」と入力する。

13 [**粗さの度合い**] に「10」と入力する。

14 [**反射**] に「10」と入力する。

15 [**OK**] をクリックして、ダイアログを閉じる。

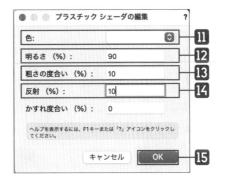

16 [**テクスチャの編集**] ダイアログのプレビューでテクスチャの反射が変更されたことを確認する。

プラスチックシェーダの [**明るさ**] はハイライト部の明るさ、[**粗さの度合い**] はハイライト部の大きさ、[**反射**] は環境の写り込みの度合いを設定します。一般的に、光沢があり硬質で滑らかな素材は、ハイライトが強く小さく現れ、環境の写り込みが多いです。手順 **9** のプレビューと比較してみましょう。

17 [**OK**] をクリックして、ダイアログを閉じる。

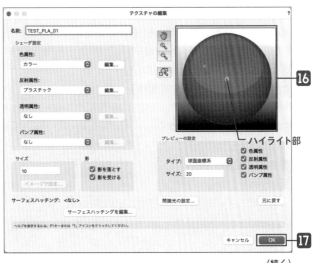

ハイライト部

DAY 08

（続く）

18 リソースマネージャに [TEST_PLA_01] テクスチャが作成されていることを確認する。

19 座面の3D図形に [TEST_PLA_01] テクスチャをマッピングする。

> マッピングの方法については P.244～P.247を参照してください。

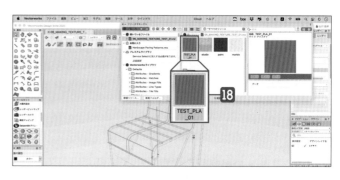

20 [仕上げRenderworks] でレンダリングし、結果を確認する。

> テクスチャに質感を設定した場合は、必ず [仕上げRenderworks] モードでテクスチャの見え方を確認し、目的の質感になるように再設定とレンダリングを繰り返します。

> 使用するパソコンによっては、レンダリングに長い時間がかかる場合があります。レンダリングを中止するには、[esc] キーを押します。

さまざまな質感のテクスチャを作成する

にぶい光沢のあるテクスチャ

ファブリックやゴムなど、軟質で表面が滑らかでない材料は、ハイライトが大きく弱く現れ、環境の写り込みが少ないです。このようなテクスチャを作成するには、[明るさ] と [反射] を小さめに、[粗さの度合い] を大きめの値に設定します。図で椅子の座面にマッピングした [TEST_PLA_02] テクスチャは、[反射属性] を次のように設定しています。

- [反射属性]＝[プラスチック]
  - [明るさ]＝50
  - [粗さの度合い]＝80
  - [反射]＝1

プレビュー

鏡面反射テクスチャ

鏡やクロームメッキなど、環境が強く写り込むテクスチャを作成するには、[反射属性]を[ミラー]にし、[反射]の値を大きくします。図で椅子の座面にマッピングした[TEST_MIR]テクスチャは、[色属性]と[反射属性]を次のように設定しています。

・[色属性]＝[カラー]
　　[色]＝濃いグレイ
・[反射属性]＝[ミラー]
　　[色]＝白
　　[反射]＝80

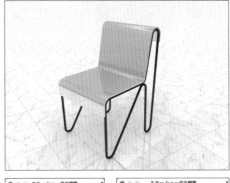

プレビュー

透明テクスチャ

ガラスのように透明な物質のテクスチャを作成するには、[透明属性]を設定します。図で椅子の座面にマッピングした[TEST_GLA]テクスチャは、[色属性]と[透明属性]を次のように設定しています。[透明属性]の[ハイライトの伝達率]で透明度を調整します。

・[色属性]＝[カラー]
　　[色]＝黒
・[透明属性]＝[ガラス]
　　[ハイライトの伝達率]＝97
　　[屈折率]＝1.5
　　[色]＝白

プレビュー

ポイント 　範囲と解像度を指定してレンダリングする

デザインレイヤでは作図領域全体をレンダリングしていますが、ツールセット[ビジュアライズ]の[レンダービットマップツール]で、任意の範囲と解像度を指定してレンダリングを行えます。ある部分だけ確認したいといったとき、レンダリング時間を短縮できるので便利です。手順は次のとおりです。
①[レンダービットマップツール]を選択する。
②ツールバーの[ツール設定]をクリックする。
③[レンダービットマップ設定]ダイアログの[レンダリングの種類]を[仕上げRenderworks]、[解像度(dpi)]を「150」に設定する。
④レンダリングを実行したい範囲を対角線にドラッグする。指定した範囲がレンダリングされる。
なお、レンダリング結果の画像（ビットマップ）は、3D図形に重なって新規に作成されるので、確認後不要な場合は削除します。

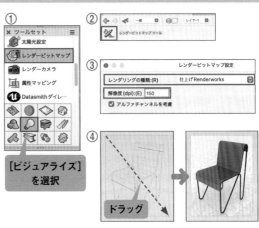

DAY
08

DAY 08-09 写真画像を使ったテクスチャを作成する

📄 09_MAKING_TEXTURE_TEST_02.vwx、TEST_WOOD.jpg（完成版：09_MAKING_TEXTURE_TEST_02_after.vwx）

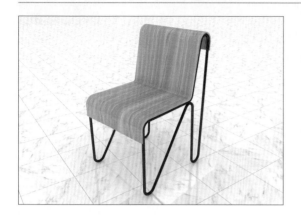

[テクスチャの編集]ダイアログの[色属性]からイメージ（写真画像）を取り込み、さらに[反射属性]の設定を追加すると、よりリアルなテクスチャを作成できます。

ここでは木目の写真画像を取り込み、それをもとにして、クリア塗装された木質化粧合板のテクスチャを作成します。

木目のテクスチャを作成する

光沢のあるクリア塗装を施したような木目のテクスチャを作成します。

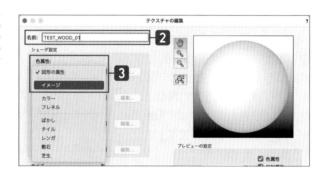

1 リソースマネージャから新規テクスチャを作成する（P.184を参照）。

2 [テクスチャの編集]ダイアログで[名前]に「TEST_WOOD_01」と入力する。

3 [色属性]から[イメージ]を選択する。

4 [選択イメージ]ダイアログの[イメージファイルの取り込み]を選択し、[OK]をクリックする。

5 ファイル選択ダイアログで「TEST_WOOD.png」というイメージファイル（写真画像）を選択し、[開く]をクリックする。

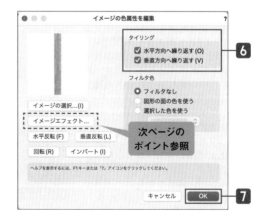

6 [イメージの色属性を編集]ダイアログの[タイリング]の[水平方向へ繰り返す]と[垂直方向へ繰り返す]にチェックを入れる。

7 [OK]をクリックして、ダイアログを閉じる。

8 [サイズ]に「360」と入力する。

> この[サイズ]では、取り込んだ写真画像の横幅を指定します。この写真画像の板の実寸は、360×3000です。

> テクスチャサイズが適切でないと、見た目の印象が大きく変わってしまいます。そのため、写真画像を取り込んだ場合は最初に[サイズ]を設定します。

9 [プレビューの設定]の[サイズ]に「500」と入力する。

> プレビューの[タイプ]に[球面座標系]を選択した場合、[サイズ]にはマッピング対象の3D図形の大きさに近い直径を入力し、テクスチャの見え方を確認します。

10 [反射属性]は[プラスチック]を選択し、P.254の「光沢のあるテクスチャ」と同様に設定する。

11 [OK]をクリックして、すべてのダイアログを閉じる。

12 リソースマネージャ内に[TEST_WOOD_01]テクスチャが作成されたことを確認する。

13 椅子の座面に[TEST_WOOD_01]テクスチャをマッピングし、レンダリングして結果を確認する。

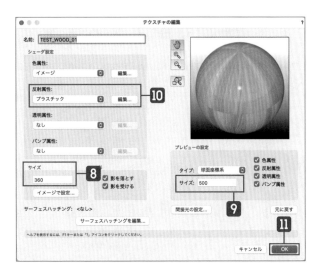

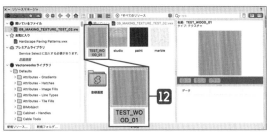

ポイント **取り込んだ写真画像の編集（イメージエフェクト）**

取り込んだ写真画像は、手順**6**の[イメージの色属性を編集]ダイアログの[イメージエフェクト...]をクリックすると明るさや色味の編集が行えます。より画像を自分のイメージに近づけたい場合などに利用します。

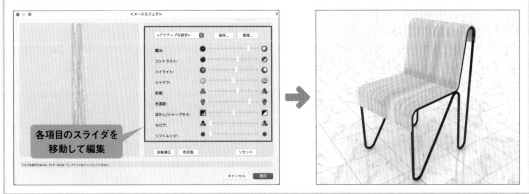

各項目のスライダを移動して編集

DAY
08

259

DAY 08-10 手続き型テクスチャを作成する

📄 10_MAKING_TEXTURE_TEST_03.vwx（完成版：10_MAKING_TEXTURE_TEST_03_after.vwx）

写真画像データを使用せず、アルゴリズム（数学的な計算方法）を利用してテクスチャを生成することができます。このようなテクスチャを「手続き型テクスチャ」と呼びます。

手続き型テクスチャは、2次元的に無限に生成可能で、木の年輪のように3次元的なテクスチャも生成できます。また、継ぎ目のないテクスチャを作成できます。

凹凸のあるテクスチャを作成する

[バンプ属性]を使用して、プラスチック素材の凹凸のあるテクスチャを作成します。

1. リソースマネージャから新規テクスチャを作成する（P.184を参照）。

2. [テクスチャの編集]ダイアログで[名前]に「TEST_BUMP」と入力する。

3. [色属性]から[カラー]を選択し、[編集...]をクリックする。[カラーシェーダの編集]ダイアログの[色]から紫を選択する。

4. [反射属性]は[プラスチック]を選択し、P.254の「光沢のあるテクスチャ」と同様に設定する。

5. [サイズ]に「100」と入力する。

6. [バンプ属性]から[ぼかし]を選択し、[編集...]をクリックする。

7. [ぼかしシェーダの編集]ダイアログの[形式]から[ボロノイ(Voronoi)3]を選択する。

8. [オプション]の[ハイクリップ]に「10」と入力する。

9. [OK]をクリックして、すべてのダイアログを閉じる。

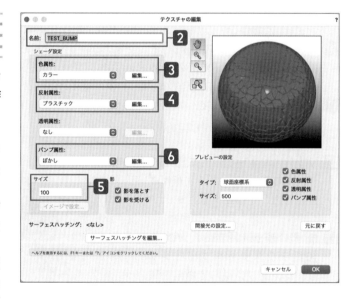

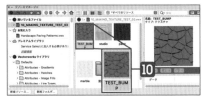

10 リソースマネージャに[TEST_BUMP]テクスチャが作成されたことを確認する。

11 椅子の座面に[TEST_BUMP]をマッピングし、レンダリングして結果を確認する。

不規則な模様のテクスチャを作成する

[色属性]を使用して、大理石のような不規則な模様のテクスチャを作成します。

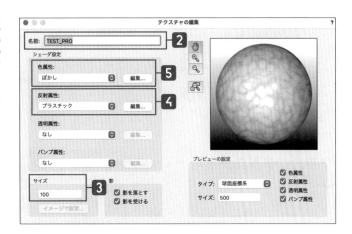

1 リソースマネージャから新規テクスチャを作成する（P.184を参照）。

2 [テクスチャの編集]ダイアログで[名前]に「TEST_PRO」と入力する。

3 [サイズ]に「100」と入力する。

4 [反射属性]は[プラスチック]を選択し、P.256の「にぶい光沢のあるテクスチャ」と同様に入力する。

5 [色属性]から[ぼかし]を選択し、[編集...]をクリックする。

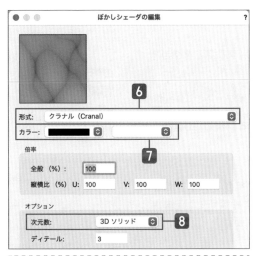

6 [ぼかしシェーダの編集]ダイアログの[形式]から[クラナル（Cranal）]を選択する。

7 [カラー]を黒と白に設定する。

8 [オプション]の[次元数]から[3Dソリッド]を選択する。

9 [OK]をクリックして、すべてのダイアログを閉じる。

[ぼかしシェーダの編集]ダイアログの[倍率]や[オプション]の設定を変更すると、生成される模様が変化します。

DAY
08

10 リソースマネージャに[TEST_PRO]テクスチャが作成されたことを確認する。

11 椅子の座面に[TEST_PRO]をマッピングし、レンダリングして結果を確認する。

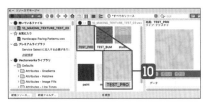

壁のテクスチャを設定する

📄 11_TEXTURE_WALL_TEST.vwx（完成版：11_TEXTURE_WALL_TEST_after.vwx）

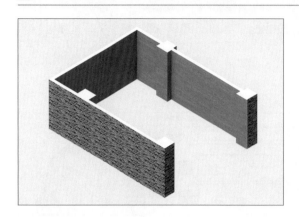

建物の壁にはすべて同じテクスチャをマッピングする場合が多いです。そのため、壁用のクラスを作成して、そのクラスにあらかじめテクスチャを設定（クラス属性を設定）しておくと効率的です。手動で別のテクスチャをマッピングしない限り、クラスに設定したテクスチャが優先されます。[壁ツール]で作成された[壁]に、クラスのテクスチャを設定する場合、壁の[左側]、[右側]、[中央]（小口）に個別のテクスチャをマッピングできます。

クラスにテクスチャを設定する

[壁]クラスとして作成されているRC躯体の壁と柱の外壁に「石貼り」、内壁に「板貼り」のテクスチャを設定します。

1 表示バーの[**クラス**]をクリックする。

> ここで、壁は[**壁ツール**]により作成しています。柱は、面図形を図形タイプ[柱]に変換した2D/3D図形です（P.144を参照）。

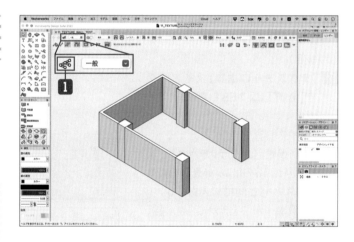

2 [**オーガナイザ**]ダイアログで[**壁**]クラスを選択し、[**編集...**]をクリックする。

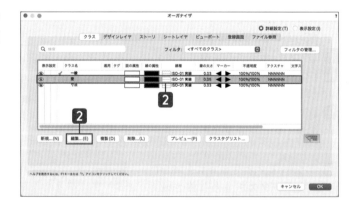

3 [**クラスの編集**]ダイアログの左側のリストから[**テクスチャ**]をクリックする。

4 [**属性を使う**]にチェックを入れる。

5 [**壁のテクスチャ**]の[**左側**]にチェックを入れる。下のプレビューをクリックして、リソースセレクタから[**石材 石積み 01 RT**]を選択する。

6 [**壁のテクスチャ**]の[**右側**]にチェックを入れる。下のプレビューをクリックして、リソースセレクタから[**木材（Arroway Wood014）ヨーロピアンチェリー 1 RT**]を選択する。

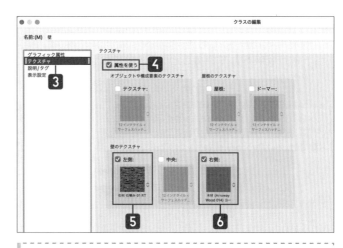

手順**5**と**6**で選択するテクスチャは、Vectorworksライブラリの[Defaults]－[Renderworks - Textures]フォルダの「_Default Textures.vwx」ファイル内にあります。

[**壁**]を時計回りに作成している場合は、[**左側**]を選択すると壁の外装、[**右側**]を選択すると壁の内装のテクスチャを設定できます（次ページのポイントも参照）。これは、[**壁**]の描画方向に向かって左と右という定義です。

7 柱にテクスチャを設定するため、[**オブジェクトや構成要素のテクスチャ**]の[**テクスチャ**]にチェックを入れる。下のプレビューをクリックして、手順**5**と同じテクスチャを選択する。

[**オブジェクトや構成要素のテクスチャ**]でテクスチャを指定することで、図形タイプが[**壁**]以外の3D図形のテクスチャを設定できます。

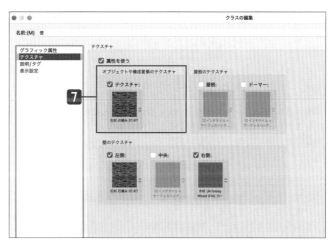

8 [**OK**]をクリックして、すべてのダイアログを閉じる。

9 [**壁**]クラスに設定した[**石材 石積み 01 RT**]と[**木材（Arroway Wood 014）ヨーロピアンチェリー 1 RT**]テクスチャが、リソースマネージャに登録されていることを確認する。

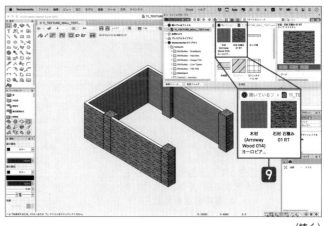

DAY
08

（続く）

10 レンダリングして、壁の外側に石積み、内側に木材のテクスチャが反映されていることを確認する。

> 輪郭線を設定したシェイドレンダリング（P.189を参照）では、柱と壁の接合部に実線が表示されるので、ここでは、「仕上げRenderworks」を設定しています。

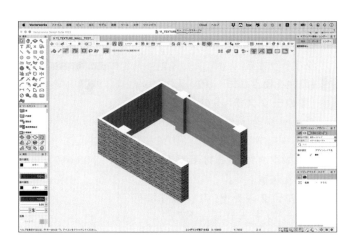

ポイント **[柱...]コマンドで[柱]を作成する**

[壁]と結合できる、2D要素と3D要素を併せ持つ[柱]を作成するには、[柱...]コマンドを使用します。これにより、平面図と3D図形が同時に作成されます。手順は次のとおりです。

① [2D/平面]ビューで柱の断面となる四角形など面図形を描画する。
② 断面となる図形を選択し、メニューバーから[建築]－[柱...]を選択する。
③ 表示される[柱の設定]ダイアログ（図）の[高さ]に任意の数値を入力し、[OK]をクリックする。

ポイント **テクスチャの方向を回転させる**

マッピングされたテクスチャのイメージが適切な角度になっていない場合は、[テクスチャの編集]ダイアログからテクスチャの方向を回転できます。面ごとにマッピングを編集することでも回転できますが（P.249とP.253のポイントを参照）、テクスチャを編集すると全体をまとめて変更できるので効率的です。手順は次のとおりです。

① リソースマネージャに表示されたテクスチャを右クリックして、メニューから[編集...]を選択する。
② 表示される[テクスチャの編集]ダイアログの[色属性]の[編集...]をクリックする。
③ 表示される[イメージの色属性を編集]ダイアログ（図）の[水平反転]、[垂直反転]、または[回転]をクリックする（[回転]では時計回りに90°ずつ回転）。

ポイント **壁の向きを確認／変更する**

壁の向きを調べるには、[2D/平面]ビューで壁を選択し、壁の端点に表示される水色の矢印の方向を確認します。この矢印は壁を作成する際の描画方向を表しています（左図）。壁にテクスチャを設定するときは、図のようにすべての壁を同じ方向（時計回り）に作成することをお勧めします。
壁の向きが間違っている場合は、間違っている壁（他と異なる向きの壁）を選択し、オブジェクト情報パレットの[壁の向きを反転]をクリックすると修正できます（右図）。

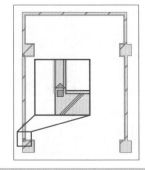

カメラと光源

9日目は、最終的なパースを作成するためのカメラの配置方法と、光源（ライティング）の設定方法について学びます。

DAY 09-01 : カメラを配置する

📄 01_CAMERA_TEST_01.vwx（完成版：01_CAMERA_TEST_01_after.vwx）

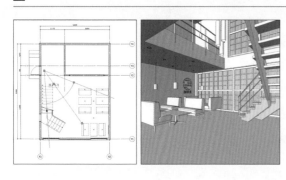

透視図（パース）を作成するには、「レンダーカメラ」を使用します。本物のカメラで建物を撮影するように、モデル内にレンダーカメラを配置し、カメラの位置や方向、レンズの画角、焦点距離を設定してアングルを決定します。
なお、レンダーカメラを使用するときは、ビジュアライズパレットを表示しておきましょう。

内観パースのカメラを配置する

内観パースを作成するためのレンダーカメラ（以降、カメラ）を配置します。

1 ツールセットパレットの[ビジュアライズ]をクリックする。

2 [レンダーカメラツール] をクリックする。

3 ツールバーの（左から）[任意角度直線モード]を選択し、[ツール設定]をクリックする。[オブジェクトの設定]（Windowsでは[生成]）ダイアログが表示される。

4 [レンダリングの種類]から[シェイド]を選択する。

5 [縦横比]から[1.00(1:1)]を選択する。

> カメラから見たシーン（透視投影ウィンドウ）の縦横比を設定します。

6 [カメラの表示]から[2D＋カメラ名]を選択する。

7 [OK]をクリックして、ダイアログを閉じる。

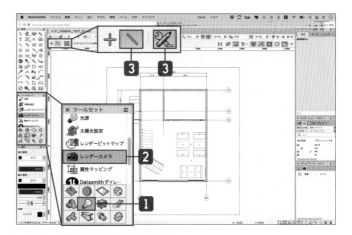

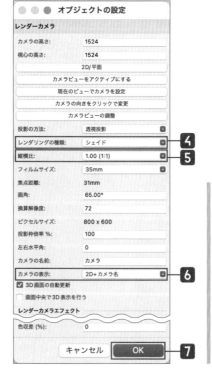

オブジェクトの設定

レンダーカメラ	
カメラの高さ：	1524
視心の高さ：	1524
2D/平面	
カメラビューをアクティブにする	
現在のビューでカメラを設定	
カメラの向きをクリックで変更	
カメラビューの調整	
投影の方法：	透視投影
レンダリングの種類：	シェイド
縦横比：	1.00 (1:1)
フィルムサイズ：	35mm
焦点距離：	31mm
画角：	65.00°
換算解像度：	72
ピクセルサイズ：	800 x 600
投影枠倍率 %：	100
左右水平角：	0
カメラの名前：	カメラ
カメラの表示：	2D＋カメラ名
☑ 3D画面の自動更新	
☐ 画面中央で3D表示を行う	
レンダーカメラエフェクト	
色収差 (%)：	0

[キャンセル] [OK]

> [レンダリングの種類]では、3Dビューのレンダリングモードを選択します。[カメラの表示]では、2Dまたは3Dビューでカメラとカメラ名の表示／非表示を設定します。これらの設定は、カメラ配置後にオブジェクト情報パレットで変更することもできます。

カメラの[オブジェクトの設定]（Windowsでは[生成]）ダイアログの[カメラの高さ]は、カメラ本体を配置する高さ（視点）を表します。[視心の高さ]は、カメラから見ているポイント（注視点）の高さを表します。

[カメラの高さ]と[視心の高さ]に同じ値を指定した場合は、図のように視軸（視点と視心を結ぶ線）が水平になり（「1点透視図法」や「2点透視図法」がこれにあたる）、安定した構図となります。[視心の高さ]のほうが[カメラの高さ]より低ければ見下ろす視軸、高ければ見上げる視軸（いずれも「3点透視図法」）となり、不安定ながら遠近感が増す構図となります。

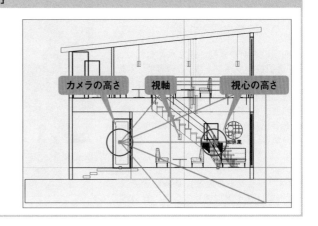

カメラの設定ができたので、実際にモデル内に配置し、プレビューを確認します。

8 建物入口の室内側の位置（点Ⓐ）をクリックする。この点にカメラが配置される。

> 大まかに位置を指定する際、スナップが煩わしいことがあります。その場合は、[@]キーを押して一時的にすべてのスナップを解除するとよいでしょう。

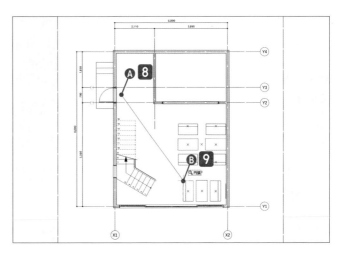

9 カーソルを右下に移動し、おおよそソファの角（点Ⓑ）をクリックする。この点が視心（注視点）になる。

10 平面図にカメラが作成され、オブジェクト情報パレットに[レンダーカメラ]と表示されることを確認する。

11 オブジェクト情報パレットの[カメラビューをアクティブにする]または、ビジュアライズパレットの[カメラ]タブで「カメラ-1」の[アクティブカメラ]（🎬）欄をクリックする。

ビジュアライズパレットが表示されていない場合は、メニューバーから[ウインドウ]－[パレット]－[ビジュアライズ]を選択します。他のパレット類の表示／非表示も、同様に[ウインドウ]－[パレット]から行えます。

DAY 09

（続く）

12 カメラから見たシーン（カメラ
ビュー）がレンダリングされ、
パースが生成される。

四隅の青いかぎ型で囲まれた範囲は、
「透視投影ウインドウ」 と呼ばれ、**[オ
ブジェクトの設定]**（Windowsでは**[生
成]**）ダイアログの**[縦横比]** で設定した
範囲です。シートレイヤに配置（P.316
を参照）するときは、この範囲でシー
ンが切り取られます。

カメラビューのレンダリングモードは、
[オブジェクトの設定]（Windowsでは
[生成]）ダイアログでの設定に従いま
す（P.266の手順**4** を参照）。

カメラビューを非アクティブにしても
平面図に戻りません。戻りたいときは、
表示バーの**[登録画面]** を使用します。

現在の表示では2階部分が表示され
ていないので、修正します。

13 ナビゲーションパレットの**[デ
ザインレイヤ]** タブから**[2FL]**
レイヤを**[表示]** に切り替える。
2階部分が表示される。

カメラの設定を微調整する

配置したカメラの微調整は、オブジェ
クト情報パレットの**[カメラビューの調
整]** で行います。

1 カメラを選択した状態で、オブ
ジェクト情報パレットの**[カメ
ラビューの調整]** をクリックす
る。**[カメラビューの調整]** ダイ
アログが表示される。

2 **[カメラの高さ]** と**[視心の高さ]**
を「**1100**」に変更する。

一般的に**[カメラの高さ]**（視点の高さ）
は、内観パースでは1100mm程度、
外観パースでは1500mm程度に設定
すると自然なアングルとなります。

3 **[OK]** をクリックして、ダイアロ
グを閉じる。

4 視軸が低くなり、天井面と吹抜けが強調される。

図は、透視投影ウインドウ内のみを表示しています。

[**カメラビューの調整**]ダイアログの主な設定項目の機能については、下記の表を参照してください。

カメラビューを大きく変更する場合は、カメラ自体を移動または回転させたほうが効率的です。カメラの位置や方向は、[**2D/平面**]ビューでハンドルをドラッグして変更できます。

[カメラビューの調整]ダイアログの主な設定項目

設定項目	説明
カメラの高さ	カメラの位置(視点)を上下に移動します。スライダを右(左)に移動すると、カメラが上(下)に移動します(図1)。
視心の高さ	視心(注視点)を上下に移動します。スライダを右(左)に移動すると、視心が上(下)に移動します。
カメラのパン	カメラの位置(視点)を固定して、視心を水平方向に回転移動します。スライダを左(右)に移動すると、カメラの位置を回転の中心として、視心が左(右)に移動します(図2)。
カメラの左右角度(視心中心)	視心(注視点)の位置を固定して、カメラを水平方向に回転移動します。スライダを左(右)に移動すると、視心を回転の中心として、カメラが左(右)に移動します。
視点と視心の距離	視心(注視点)の位置を固定して、カメラの位置を前後に移動します。スライダを左(右)に移動すると、カメラの位置が後ろ(前)に移動します(図3)。
焦点距離(ズーム)	カメラ(視点)の位置を固定して、レンズの焦点距離を変更します。スライダを右に移動すると、望遠レンズを使ったように画角が狭くなります。スライダを左に移動すると、広角レンズを使ったように画角が広くなります。

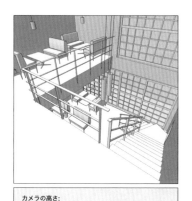

カメラの高さ: `5200`

図1 [カメラの高さ]のスライダを右に移動した場合

数値入力も可能。ここでは「5200」と入力して、吹抜けを見下ろすアングルにしている。カメラの高さと視心の高さが異なるので、3点透視図法となる。

カメラのパン: `-7.00°`

図2 [カメラのパン]のスライダを左に移動した場合

階段裏の見え方を少なくして、左側のソファを表示している。数値入力も可能だが、ここではスライダを移動して調整している。

視点と視心の距離: `3600`

図3 [視点と視心の距離]のスライダを右に移動した場合

外部空間へのつながりを強調するため、奥のショップサインへカメラを近づけている。ここでは、スライダで大まかに変更してから、最後に数値入力で微調整している。

DAY
09

目的のシーン（現在のビュー）を保存する

📄 02_CAMERA_TEST_02.vwx（完成版：02_CAMERA_TEST_02_after.vwx）

[ウォークスルーツール]は、3Dモデルの建物の中や周りを自由に歩くように表示するためのツールです。表示したシーン（現在のビュー）は、カメラを配置して保存し、アクティブカメラを切り替えることですぐに呼び出せます。

なお、[ウォークスルーツール]には、建物を歩き回る[ウォークモード]のほか、階を移動する[エレベーターモード]、視心の高さが変化して見上げ／見下げのアングルとなる[見回しモード]が用意されています。

目的のシーンにカメラを配置して保存する

[ウォークスルーツール]を使って表示した目的のシーンにカメラを配置して、そのシーンを保存します。

1 ビジュアライズパレットの[カメラ]タブの「カメラ-1」が非アクティブ（🔲 が非表示）であることを確認する。

> 「カメラ-1」がアクティブだと、目的のシーンが「カメラ-1」に保存されてしまいます。アクティブになっている場合は、🔲 をクリックして非アクティブにします。

2 [ビジュアライズ]ツールセットの[ウォークスルーツール]を使って建物を移動し、目的のシーンを表示する。

> [ウォークスルーツール]の使い方は、次ページのポイントを参照してください。

3 目的のシーンを見つけたら、ビジュアライズパレットの[カメラ]タブの「カメラ-1」を右クリックし、メニューから[複製]を選択する。「カメラ-2」が作成される。

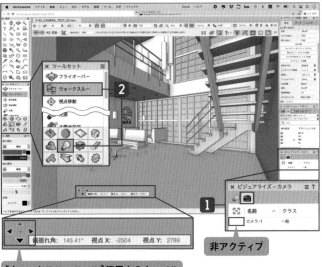

[ウォークスルーツール]使用中のカーソル

偏揺れ角： 145.41°　視点 X： -2504　視点 Y： 2789

非アクティブ

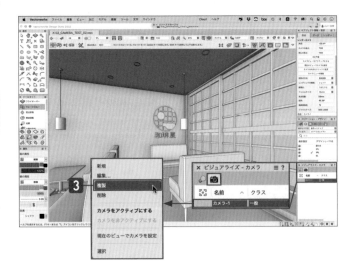

4 「**カメラ-2**」を右クリックし、メニューから[**現在のビューでカメラを設定**]を選択する。

5 ビジュアライズパレットでアクティブカメラを切り替え、「**カメラ-1**」「**カメラ-2**」でそれぞれ異なるシーンが表示されることを確認する。

> シーンの保存は、表示バーの[**登録画面**]を使っても同様に行えます。詳細は、P.237を参照してください。

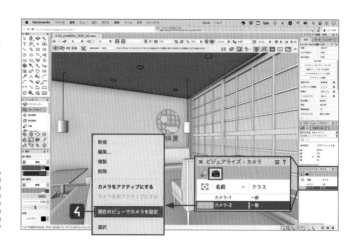

　　[ウォークスルーツール]を使って3Dモデルを移動する

[**ウォークスルーツール**]の操作は、作図領域でドラッグして行います。操作方法は次のとおりです。

① ツールセットパレットの[**ビジュアライズ**]ツールセットにある[**ウォークスルーツール**]をクリックし、ツールバーから[**ウォークモード**]を選択する。

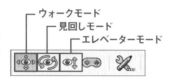

② 作図領域にカーソルを移動すると、カーソルの形状が前後左右の矢印に変わる。最初にマウスボタンを押し込んだ位置に十字マークが現れ、これが制御点となる。カーソルと制御点が重なった状態では視点は停止しており、カーソルが制御点から離れると視点が移動する。また、カーソルが制御点から離れるほど、視点の移動速度が高速になる。

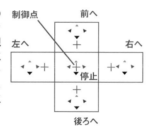
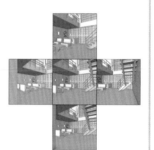

③ [**ウォークモード**]を使用中に[**shift**]キーを押すことで、一時的に[**エレベーターモード**]に切り替えられる。[**エレベーターモード**]は、視点と視心の高さを同時に上下させる。

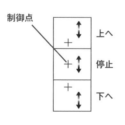

④ [**ウォークモード**]を使用中に[**option（Alt）**]キーを押すことで、一時的に[**見回しモード**]に切り替えられる。[**見回しモード**]は、視点の位置、高さは固定して、視心を上下させる。

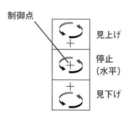

DAY 09

DAY 09-03 現在のビューを画像ファイルで保存する

📄 **03_CAMERA_TEST_03.vwx**

カメラビューは、画像ファイルとして保存（取り出し）することができます。カメラから見たビューだけでなく、[2D/平面]ビューや[斜め右]ビューなどすべてのビューを画像ファイルとして保存できます。なお、透視投影ウインドウなど特定の範囲を取り出すときは、範囲を指定します。

ビューをJPEGファイルで取り出す

ビューを横幅300mmの大きさのJPEG形式画像で取り出します。

1 設定したカメラをアクティブにし、目的のレンダリングモードを選択してレンダリングを実行する。

2 メニューバーの[ファイル]－[取り出す]－[イメージファイル取り出し...]を選択する。

3 [イメージファイルの取り出し]ダイアログで[範囲]から[現在の画面]を選択する。

> [現在の画面]を選択すると、作図ウインドウ全体が保存されます。

4 [サイズ]の[縦横比を固定]にチェックを入れ、[解像度]に「150」と入力する。

5 [サイズ（指定単位）]を選択し、[単位]から[mm]を選択する。[横幅]に「300」と入力する。

6 [フォーマット]の[ファイル形式]から[JPEG]を選択する。[色]から[フルカラー]、[品質]から[高品位]を選択する。

7 [保存]をクリックして、ダイアログを閉じる。

8 ファイル保存ダイアログで保存先とファイル名を指定する。

9 [保存]をクリックすると、指定のフォルダに画像が保存される。

> 保存にかかる時間は解像度と画像サイズに左右されるので、適切な解像度と必要な画像サイズで保存しましょう。

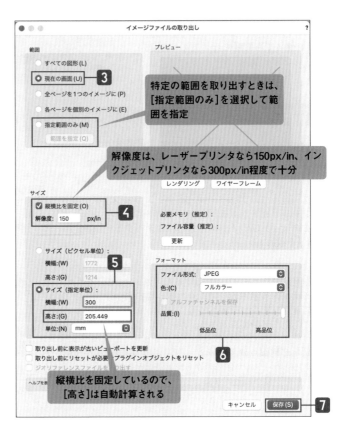

特定の範囲を取り出すときは、[指定範囲のみ]を選択して範囲を指定

解像度は、レーザープリンタなら150px/in、インクジェットプリンタなら300px/in程度で十分

縦横比を固定しているので、[高さ]は自動計算される

> 画像の保存が終了するまでの時間、Vectorworksのすべての機能が使えなくなり、他のファイルの作業もできなくなります。そのため、大きな画像サイズで保存する場合は、作業しない夜間などに行うとよいでしょう。保存する画像ファイルが複数ある場合は、[一括レンダリング...]コマンドで事前に登録したビューを連続して保存できます。詳しくは、Vectorworksのヘルプを参照してください。

DAY 09-04 さまざまな光源

Vectorworksには、ツールを使って配置する「太陽光設定」「平行光源」「点光源」「スポットライト」をはじめ、図形を変換して光源とする「**面光源**」と「**線光源**」、さらに背景テクスチャを光源とする「背景テクスチャからの環境光」、補助光源として使用する「**環境光**」などが用意されています。各種光源の概要は次のとおりです。

背景テクスチャからの環境光

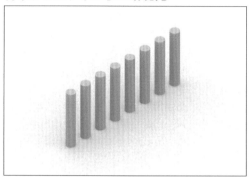

[**背景放射光...**]コマンドで設定します。背景テクスチャに設定されたHDRI（ハイ・ダイナミック・レンジ・イメージ）を光源として使用します。背景テクスチャに対応した複雑な間接光が色味を伴って放射されます。

環境光

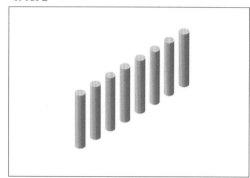

[**背景放射光...**]コマンドで設定します。すべての面に一定の明るさを与えます。仕上げRenderworksモードで光量が不足する場合に補助的に使用します。シェイドレンダリングモードでは、この光源で明るさを調整します。

太陽光設定

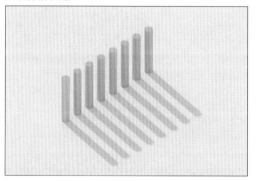

[**太陽光設定ツール**]で任意の日時と場所を設定して太陽光を再現します。背景テクスチャの「**フィジカルスカイ**」と組み合わせることで背景、環境光、太陽光の再現が可能となり、日時に合わせて背景や太陽光の色温度も変化します。

平行光源

無限の遠方から減衰しない平行な光を放射します。

（続く）

DAY
09

スポットライト

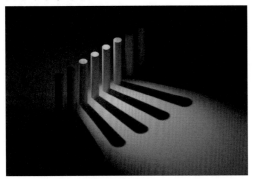

1点から1方向へ向けて光を放射します。[光源ツール]を使用して配置します。直接／間接照明(ダウンライト、スポットライト、ブラケット、スタンドライト)の表現に適しています。

点光源

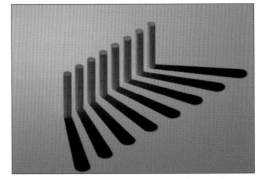

1点から全方向へ光を放射します。[光源ツール]を使用して配置します。全般拡散照明(ペンダント、ブラケット、スタンドライト)の表現に適しています。

下記の光源は、本書では解説していませんが、照明によって空間を演出するうえで重要な光源です。いずれの光源も使い方によってはレンダリングにとても時間がかかるため、光源の設定に慣れてきたら少しずつ取り入れていくとよいでしょう。詳細は、Vectorworksのヘルプを参照してください。

線光源

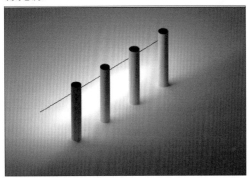

線図形から全方向へ光を放射します。2D線分や曲線を[線光源に変換...]コマンドで光源に変換して使用します。蛍光管やネオン管、コーブ照明など建築化照明の再現に適しています。

面光源

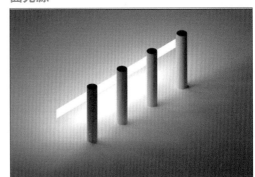

面図形から全方向へ光を放射(面発光)します。2D面図形や曲面を[面光源に変換...]コマンドで光源に変換して使用します。乳白カバーの付いたシーリングライトや建築化照明の再現に適しています。

カスタム光源

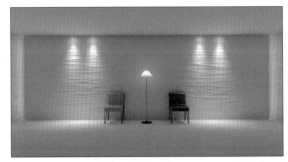

[光源ツール]を使用して配置します。照明器具メーカーから配布されている配光データ(IESファイル)を読み込んで、実際の照明器具の配光を再現します。

DAY 09-05 背景テクスチャからの環境光を設定する

05_LIGHTING_TEST_01.vwx（完成版：05_LIGHTING_TEST_01_after.vwx）

「背景テクスチャからの環境光」は、光源そのものを配置するのではなく、「背景テクスチャ」を光源として使用します。背景テクスチャは、3Dモデルを取り囲む仮想の球体にマッピングされます。そのため、背景テクスチャに対応した色味を含む間接光（直射光の当たらないスペースに明るさをもたらす複雑な光）で、背景と同時に3Dモデルを包み込むことができます。直射光が入らない北窓の部屋の内観パースや、曇天の外観パースなどは、この光源のみでライティングできます。

背景テクスチャからの環境光を光源として使用する

練習用ファイルを開き、背景テクスチャを設定し、環境光を放射するように背景放射光の設定を行います。

1 メニューバーから[ビュー]−[背景テクスチャ設定...]を選択する。[背景テクスチャ設定]ダイアログが表示される。

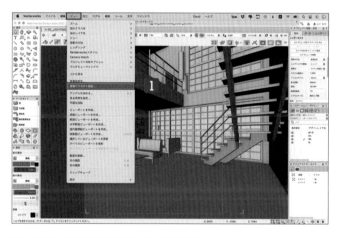

2 [背景テクスチャ]から[HDRI 白]を選択する。

> 名称に「HDRI」とかかれている背景テクスチャが環境光として使用できます。[HDRI 白]は、真っ白な背景から、色味がなく明るさに偏りのない間接光が放射されます。

> 背景テクスチャは、パノラマ画像を取り込んで新規に作成することもできますが、環境光として使用する場合はHDRI画像が必要となります。

(続く)

3 [OK]をクリックして、ダイアログを閉じる。

DAY
09

4 メニューバーから [ビュー] −
[背景放射光...] を選択する。[背
景放射光の設定] ダイアログが
表示される。

5 [間接光] から [屋内、バウンス
16回] を選択する。

> [間接光] でバウンス (光の反射回数) を
> 設定すると、間接光 (光の反射) を計算
> します。レンダリングに時間がかかるよ
> うであれば、少し暗くなりますが「**バウ
> ンス4回**」または「**バウンス3回**」に落とし
> ましょう。

6 [環境光の設定] から [On] を選
択し、[明るさ] に「0」と入力する。

> ここでの環境光は、あらゆる面に一定
> の明るさを与えます。影となる個所も
> 明るくするため、立体感が乏しくなる
> ので、明るさが不足する場合のみ、少
> 量を補助的に使用しましょう。

7 [アンビエントオクルージョン] に
チェックを入れ、[強さ] に「50」、
[サイズ] に「600」と入力する。

8 [背景テクスチャからの環境光]
から [現在の背景テクスチャ] を
選択する。

9 [OK] をクリックして、ダイア
ログを閉じる。

10 メニューバーから [ビュー] − [レ
ンダリング] − [仕上げRender
works] を選択する。

11 背景テクスチャを光源とする、
内観パースが表示される。

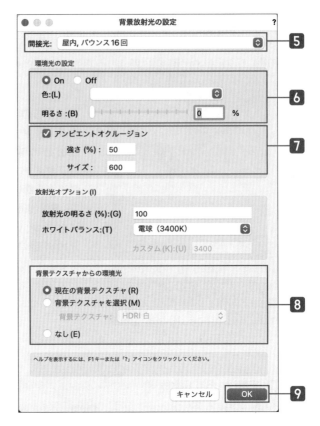

> [アンビエントオクルージョン] は、入隅に強制的に影を作り、立
> 体感を強調します。シェイドレンダリングでも有効です。[強さ]
> は濃さ、[サイズ] は影の及ぶ範囲を入力します。建築やインテリ
> アでは、600mm程度を入力します。家具やプロダクトは、部材
> サイズに合わせて値を小さくします。

> [現在の背景テクスチャ] を選択すると、設定した背景テクスチャ
> から放射される間接光を利用することになります。ここで、[背
> 景テクスチャを選択] を選ぶと、異なる背景テクスチャの環境光
> を選択できます。

背景テクスチャを光源
としてレンダリングされる

背景テクスチャからの環境光の明るさを編集する

背景テクスチャからの環境光の明るさを変えることができます。背景テクスチャはリソースとして扱われるので、リソースマネージャから編集します。ここでは、環境光を明るく調整します。

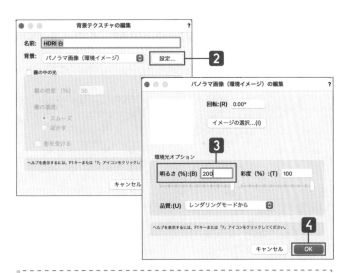

1 リソースマネージャのビューアペインから[**HDRI 白**]を選択し、編集ダイアログを表示する。

> リソースマネージャの使い方は、P.181を参照してください。

2 [**背景**]の[**設定...**]をクリックする。[**パノラマ画像（環境イメージ）の編集**]ダイアログが表示される。

3 [**環境光オプション**]の[**明るさ**]に「**200**」と入力する。

4 [**OK**]をクリックして、すべてのダイアログを閉じる。自動的にレンダリングが開始される。

> レンダリング結果を表示した状態で光源の設定を編集すると、編集終了後に自動的に再レンダリングが開始されます。

5 背景テクスチャを光源とする、内観パースが表示される。全体的なイメージが明るくなる。

> 図は、透視投影ウインドウ内のシーンを表示しています。

> [**明るさ**]は初期設定で「**100**」となっていますが、100%を超える数値の入力も可能です。初期設定の明るさをまず大きく変化させてから、目的の明るさに近づけるとよいでしょう。
> 背景テクスチャの[**明るさ**]は「**%**」で設定するので、レンダリング結果を確認しながらパーセンテージを決めていきます。太陽光や照明器具を配置した場合は、再度調整し直します。

全体的なイメージが明るくなる **5**

ポイント **背景テクスチャからの環境光の色味を調整する**

背景テクスチャからの環境光は、色味を伴います。ここでは、パノラマ撮影したHDRIを取り込んで背景テクスチャを作成しています。左図は夕焼けのHDRIを使用しているためオレンジ色、右図は森のHDRIを使用しているため緑色を伴った環境光が放射されています。
色味が強すぎたり弱すぎたりする場合は、手順**3**の[**パノラマ画像（環境イメージ）の編集**]ダイアログの[**彩度**]で調整します。

DAY
09

太陽光を設定する（太陽光設定ツール）

📄 06_LIGHTING_TEST_02.vwx（完成版：06_LIGHTING_TEST_02_after.vwx、06_LIGHTING_TEST_02_point.vwx）

12月22日　午前10:00

12月22日　午後3:00

[太陽光設定ツール]で、任意の場所と日時を設定して太陽光を配置します。太陽光は、晴れた日の外観パースや、内観パースで窓から差し込む日差し（直射日光）を表現する際などに使用します。また、背景テクスチャに「フィジカルスカイ」（P.280を参照）を設定することで、太陽光の設定時刻に合わせた背景と環境光の色温度を表現できます。

太陽光を設定する

練習用ファイルを開き、太陽光を設定します。任意の都市の冬至の午前10時を指定して、その時刻の日差しを確認します。

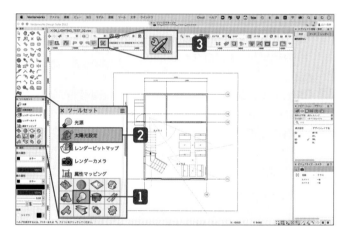

1️⃣ ツールセットパレットの[ビジュアライズ]をクリックする。

2️⃣ [太陽光設定ツール]をクリックする。

3️⃣ ツールバーの[ツール設定]をクリックする。[設定]ダイアログが表示される。

4️⃣ [時刻表示]で[24時間]を選択する。

5️⃣ [地域]から[日本]を、[都市]から任意の都市（ここでは[東京]）を選択する。

> 選択した都市により、日差しの入り方が変わります。

6️⃣ [OK]をクリックして、ダイアログを閉じる。

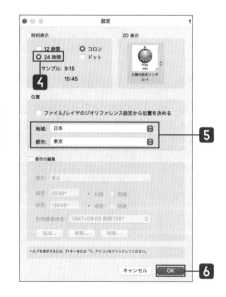

7 太陽光設定シンボルがプレビュー表示されるので、任意の位置でクリックし、方位（画面の上を北とする）を決定するために[**shift**]キーを押しながらカーソルを右へ水平に移動して、もう一度クリックする。

ここで、最初にクリックしたポイントに太陽光設定シンボルが配置されます。太陽光は、無限の遠方から届く光を再現するので、光源としては配置する場所はどこでもよいですが、平面図の方位記号として使用するため、平面図上での配置を考えて位置を決めます。方位は、後でオブジェクト情報パレットの[**角度**]から編集できます。

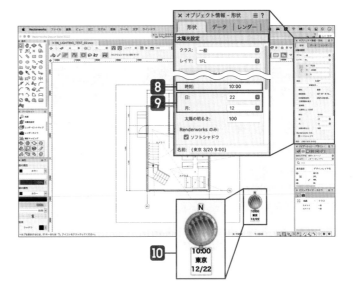

太陽光設定シンボル

クリック　クリック

[shift]キーを押し
ながらカーソルを移動

8 基本パレットから[**セレクションツール**]を選択し、[**太陽光設定ツール**]を解除する。太陽光設定シンボルが選択された状態で、オブジェクト情報パレットの[**時刻**]に「**10**」と入力する。

手順**4**で24時間表示としているので、午前10:00となります。

9 [**月**]から[**冬至（12/22）**]を選択する。

[**月**]からは、1〜12月のほかに冬至、夏至、春分、秋分を選択できます。冬至を選択すると、自動的に12月22日となります（2022年の場合）。

10 太陽光シンボルの都市名と、日付が「**12/22**」と表示されていることを確認する。

11 ビジュアライズパレットの[**カメラ**]タブから「**カメラ-1**」をアクティブにする。

12 ナビゲーションパレットの[**デザインレイヤ**]タブから[**2FL**]を表示にする。

13 メニューバーから[**ビュー**]−[**レンダリング**]−[**仕上げRenderworks**]を選択する。

間接光のバウンス回数は16回に設定してあります。レンダリングに時間がかかるようであれば、3回または4回に変更してください（P.276の手順**5**を参照）。

（続く）

DAY
09

279

13 太陽光の設定が反映された内観パースが表示されるので、任意の都市の冬至、午前10:00の日差しを確認する。

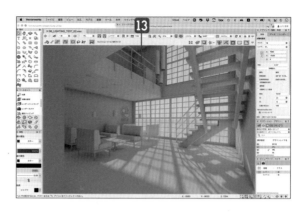

ここでは、太陽光（直射光）のみの光源の効果を確認します。次項では、背景テクスチャを設定して、開口部から入り込む環境光（間接光）も再現します。

背景テクスチャにフィジカルスカイを設定する

太陽光と連動する「フィジカルスカイ」を背景テクスチャに使用します。フィジカルスカイは特殊な背景テクスチャで、太陽光の日時に合わせて背景とその環境光の色温度が変化します。

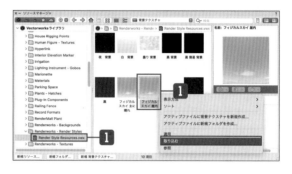

1 Vectorworksライブラリの[**Defaults**]リソースの[**Renderworks - Render Styles**]フォルダから「**Render Style Resources.vwx**」を選択し、[**フィジカルスカイ 屋内**]を取り込む。

> [フィジカルスカイ 屋内]は、屋内を明るく表示するように、明るさが300%に設定されています。

> リソースの取り込みについては、P.183を参照してください。

2 取り込んだ[**フィジカルスカイ 屋内**]を背景テクスチャおよび環境光に設定する。設定後、自動的にレンダリングが開始される。

> 背景テクスチャおよびその環境光の設定は、P.275～P.277を参照。

3 レンダリング終了後、ビジュアライズパレットの[**光源**]タブで[**東京 12/22 10:00**]を右クリックし、表示されるメニューから[**選択**]を選択する。オブジェクト情報パレットに太陽光設定の情報が表示される。

4 背景およびその環境光に「**フィジカルスカイ**」(12/22の午前10:00)が設定されたレンダリング結果を確認する。

図は、透視投影ウインドウ内のシーンを表示しています。

次に、午後3:00の日差しを確認します。

5 午前10:00のレンダリング結果が表示された状態で、オブジェクト情報パレットの[**時刻**]に「**15**」と入力し、[**return(Enter)**]キーを押して確定する。自動的にレンダリングが開始される。

6 午後3:00の太陽光の入射角と背景、およびその環境光の変化を確認する。

ポイント　**太陽光の入射角度をシェイドレンダリングで確認する**

室内に入り込む日差しを利用した印象的なパースを作成するためには、太陽光の入射角度のコントロールが重要です。シェイドレンダリングと太陽光設定を利用することで、レンダリング結果をリアルタイムで確認しながら印象的なシーンを見つけることができます。手順は次のとおりです。

①メニューバーから[**ビュー**]－[**レンダリング**]－[**シェイド設定...**]を選択する。
②[**シェイド設定**]ダイアログの[**影を付ける**]にチェックを入れる。
③太陽光設定をした任意のシーンを開き、シェイドレンダリングを実行する。
④太陽光設定を選択する(ビジュアライズパレットで光源の名前を右クリックし、表示されるメニューから[**選択**]を選ぶ)。
⑤オブジェクト情報パレットの[**ソーラーアニメーション...**]をクリックする。
⑥[**ソーラーアニメーション**]ダイアログの[**インタラクティブ**]タブで「月日」と「時刻」のスライダを調整する。リアルタイムで太陽光の入射角が変化する。

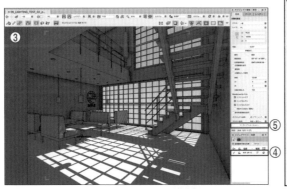
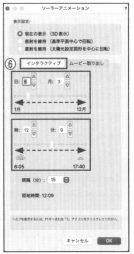

DAY
09

281

DAY 09-07 ダウンライトを作成する（スポットライト）

07_LIGHTING_TEST_03.vwx、07_LIGHTING_TEST_04.vwx
（完成版：07_LIGHTING_TEST_03_after.vwx、07_LIGHTING_TEST_04_after.vwx、07_LIGHTING_TEST_04_point.vwx）

一方向に光を放射するダウンライトの光源は、「スポットライト」が適しています。スポットライトは配光角度を設定できるため実際の照明機器に近い配光結果が得られ、レンダリング速度が速いのが特徴です。スタンドライトやブラケットなどの直接／間接照明にも使用できます。

なお、照明機器は同じ機種を多数設置することが多いため、シンボル登録して使用すると明るさの変更などを一括して行えるので便利です。また、照明機器のライティング作業は、シンプルなモデルで作成、テストをしてから最終的なモデルに配置すると効率がいいでしょう。

スポットライトを配置する

まず、壁、床、天井だけで構成されたシンプルなモデルに配置されたダウンライトの[1F_DW_100]シンボルに、スポットライトを設定します。

1 練習用ファイル「**07_LIGHTING_TEST_03.vwx**」を開き、リソースマネージャのリソースビューアペインから[**1F_DW_100**]シンボルの[**3D**]の編集モードに入る。

[1F_DW_100]シンボルは2D/3Dシンボルで、[2D/平面]ビューでは2D基準点のみが表示され、印刷されません。2D/3Dシンボルの編集については、P.233のポイントを参照してください。

2 シンボル編集モードで、[**2D/平面**]ビューに切り替え、図のように拡大表示する。

この3D図形は、リング状のトリム（緑）と円形の発光面でダウンライトを簡易的に表現したものです。

3 ツールセットパレットの[**ビジュアライズ**]をクリックし、[**光源ツール**]をクリックする。

4 ツールバーの[**スポットライトモード**]をクリックする。

5 ツールバーの[**ツール設定**]をクリックする。[**光源属性設定**]ダイアログが表示される。

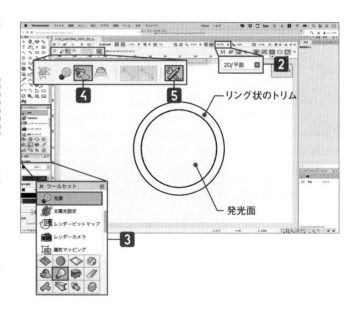

リング状のトリム

発光面

6 ［**ソフトシャドウ**］にチェックを
入れる。

7 ［**放射を使用**］にチェックを入れ
る。［**明るさの設定**］に「**950**」と
入力し、［**ルーメン**］を選択する。
［**色温度**］にチェックを入れ、
「**3400**」と入力する。

> ［**光源属性設定**］ダイアログの設定につ
> いてはP.293のポイントを参照してく
> ださい。

8 ［**スポットライト設定...**］をクリッ
クする。［**スポットライト設定
オプション**］ダイアログが表示さ
れる。

9 ［**拡散光**］に「**60**」、［**光束**］に「**30**」
と入力する。

> ［**拡散光**］と［**光束**］については、P.286
> のポイントを参照してください。

10 ［**距離減衰**］から［**リアリスティッ
ク**］を選択する。

11 ［**OK**］をクリックして、すべて
のダイアログを閉じる。

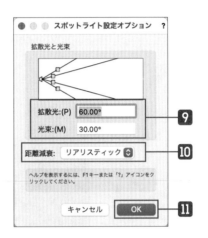

12 発光面となる円盤の中心にカー
ソルをスナップさせ、クリックし
てスポットライトの位置を指定し、
そのままもう1回クリックしてス
ポットライトを配置する。

> 2回目のクリックは光源の向きを指定
> するためのものですが、光源の向きは
> 次に編集するので、どの方向を向いて
> いても問題ありません。

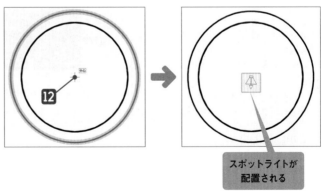

スポットライトが
配置される

DAY
09

（続く）

13 オブジェクト情報パレットをスクロールして、[**Z**]値（光源の高さ）に「**2390**」と入力する。

> このダウンライトの3D図形は、高さ2400mmの天井に設置するようにシンボル登録してあります。そのため、光源の高さを2400mmとすると3D図形の中に配置されてしまい、光を放射しなくなるので、10mm下げて2390mmとします。

14 [**パン/傾き**]（🔲）を選択し、[**傾き**]に「**90**」と入力する。

15 [**名前**]に「**1Fダウンライト**」と入力する。

> 光源に名前を付けておくと、ビジュアライズパレットで光源のオン／オフなどをコントロールしやすくなります。

16 [**シンボルを出る**]をクリックして、シンボル編集モードを終了する。

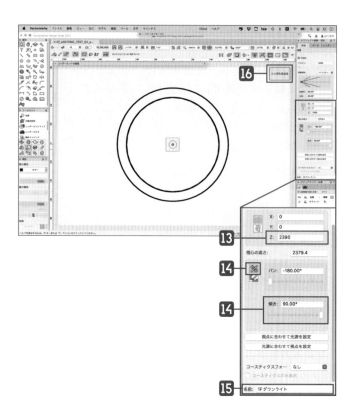

17 [**仕上げRenderworks**]を実行して、ダウンライトが点灯するか確認する。

> このダウンライトは、壁から150mmの位置に配置しているので、壁を照らす様子が配光角度に近い状態で確認できます。

> ビジュアライズパレットの[**On**]のチェックを外すと消灯します。ビジュアライズパレットを使用すると、照明を選択しなくてもオン／オフがコントロールできます。

> このダウンライトは、発光面の[**反射属性**]に[**グロー**]を設定してあります。グローは、光が当たらなくても常に一定の明るさを保つため、電球など発光体のテクスチャに適しています。

照明のオン／オフが可能

3Dモデルのシンボルを置き換える

光源を含むダウンライトの[**1F_DW_100**]シンボルを建物の3Dモデルに取り込んで、仮配置されているシンボルと置き換えます。

1 練習用ファイル「07_LIGHTING_TEST_04.vwx」を開き、前項までで編集した光源を含むダウンライトの[1F_DW_100]シンボルを取り込む。

> リソース（シンボル）の取り込みについては、P.183を参照してください。

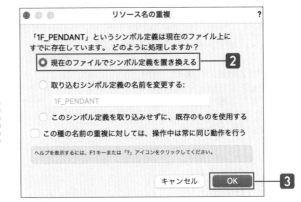

2 [リソース名の重複]ダイアログが表示されるので、[現在のファイルでシンボル定義を置き換える]を選択する。

3 [OK]をクリックして、ダイアログを閉じる。

> ここでは仮配置されたシンボルと光源を含むシンボルとを、同じリソース名で登録しているので、一度に置き換えることができます。

4 仮配置されているシンボルが、光源を含むシンボルに置き換わる。

> ここでは[光源図形の表示]クイック設定コマンドをクリックし、[ワイヤーフレームの時のみ表示]を選択して光源図形を表示しています。

> リストにダウンライトが表示されない場合は、[直接編集可能な光源]または[すべて]に切り替えると表示されます。

5 [仕上げRenderworks]を実行してダウンライトの明るさを確認する。

> 明るさなどがイメージと異なる場合は、シンボルの3D編集モードに入って調整を行うか、ダウンライトのレイアウトを再検討します。

> 間接光のバウンス回数は16回に設定してあります。レンダリングに時間がかかるようであれば、3回または4回に変更してください（P.276の手順**5**を参照）。

DAY
09

（続く）

スポットライトの配光角度を調整する（[拡散光]と[光束]）

スポットライトの配光角度を設定するには、オブジェクト情報パレットの[拡散光]と[光束]の値を変更します（図1）。

[拡散光]は光が及ぶ範囲の角度（配光角度）、[光束]は一定の明るさを保つ範囲の角度を示します。

[拡散光]と[光束]に同じ値を入力すると、光の広がる範囲まで一定の明るさとなるため、エッジがシャープになります（図2）。局部照明用ダウンライト、美術品を照らすようなピンスポットなどに適した設定です。

全般照明用ダウンライトなどは、[光束]を[拡散光]の1/2程度にするとエッジがソフトになり、自然な配光が得られます（図3）。

図1　オブジェクト情報パレットの[拡散光]と[光束]

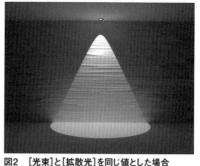

図2　[光束]と[拡散光]を同じ値とした場合

図3　[光束]を[拡散光]の1/2の値とした場合

スポットライトの方向を調整する（[パン]と[傾き]）

スポットライトの方向を調整するには、オブジェクト情報パレットの[パン]と[傾き]の値を変更します（図1）。

たとえば図2のような壁面に設置されたアートパネルやショップサインを正確にライトアップするために、[パン]と[傾き]の値を調整し、レンダリングを実行して、確認する作業を繰り返す必要があります。

図1　オブジェクト情報パレットの[パン]と[傾き]

図2　ショップサイン全体の明るさを確保したところ

[パン]は水平面での回転角度、[傾き]は垂直面での回転角度を表します。[パン]を調整するときは[2D/平面]ビューで作業し（図3）、[傾き]を調整するときは[前]ビューなど立面からの視点で調整（図4）しましょう。

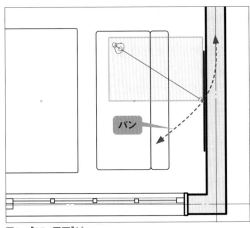

図3 [2D/平面]ビュー

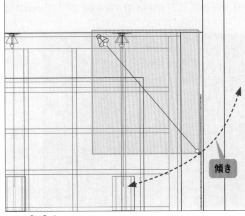

図4 [前]ビュー

シェイドレンダリング（影付き）で光が照射された状態をリアルタイムで確認しながら、ライトの視心（スポットライトの先端の矢印）を直接ドラッグして[傾き]や[パン]を調整することもできます。手順は次のとおりです。

① [光源図形の表示]クイック設定コマンドをクリックし、表示されるメニューから[光源図形の表示：表示する]を選択する。光源図形が表示される。
② ビジュアライズパレットから他の光源をオフにする。

> シェイドレンダリングでは、計算できる光源数が8個までなので不要な光源はオフにします。

③ シェイドレンダリング（影付き）を実行する。

> シェイドレンダリング（影付き）にするには、[シェイド設定]ダイアログ（P.189を参照）で[影を付ける]にチェックを付けます。

④ 光源を選択し、ライトの視心にカーソルを合わせ、リサイズカーソルに変化したらドラッグする。

[パン]や[傾き]と同様に[拡散光]と[光束]も状態を確認しながら調整（図5）できます。

図5 光が照射された状態で調整できる

DAY
09

287

DAY 09-08 ペンダントライトを作成する（点光源）

08_LIGHTING_TEST_05.vwx、08_LIGHTING_TEST_06.vwx（完成版：08_LIGHTING_TEST_05_after.vwx、08_LIGHTING_TEST_06_after.vwx）

全方向に光を放射する全般拡散のペンダントライトの光源は、「点光源」が適しています。点光源は、シーリングライト、スタンドライトやブラケットなどの全般拡散照明にも使用できます。このようなタイプの照明機器では、グローブやシェードなどの傘に適用するテクスチャの選択が重要となります。またここでは、発光面にシンプルでレンダリング速度が速いガラスのテクスチャをマッピングします。

なお、照明機器はシンボル登録して、シンプルなモデルで作成／テストをしてから最終的なモデルに配置すると効率がいいでしょう。

点光源を配置する

まず、壁、床、天井だけで構成されたシンプルなモデルに配置されたペンダントライト（[1F_PENDANT]シンボル）に、点光源を設定します。

1 練習用ファイル「08_LIGHTING_TEST_05.vwx」を開き、リソースマネージャのリソースビューアペインから[1F_PENDANT]シンボルの[3D]の編集モードに入る。

[1F_PENDANT]シンボルは2D/3Dシンボルで、[2D/平面]ビューでは2D基準点のみが表示され、印刷されません。2D/3Dシンボルの編集については、P.233のポイントを参照してください。

2 シンボル編集モードで、[2D/平面]ビューに切り替え、適度に拡大表示する。

この3D図形は、チューブ状のガラスグローブと吊り下げ器具でペンダントライトを簡易的に表現したものです。

ガラスグローブ

吊り下げ器具

3 ツールセットパレットの[ビジュアライズ]をクリックし、[光源ツール]をクリックする。

4 ツールバーの[点光源モード]をクリックする。

5 ツールバーの[ツール設定]をクリックする。[光源属性設定]ダイアログが表示される。

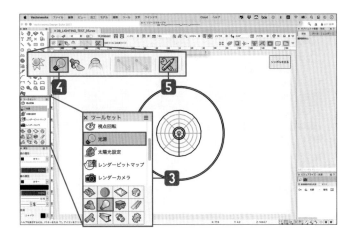

6 [ソフトシャドウ]にチェックを入れる。

7 [放射を使用]にチェックを入れる。[明るさの設定]に「2000」と入力し、[ルーメン]を選択する。[色温度]にチェックを入れ、「3400」と入力する。

> [光源属性設定]ダイアログの設定については P.293のポイントを参照してください。

8 [点光源設定...]をクリックする。[点光源設定オプション]ダイアログが表示される。

9 [距離減衰]から[リアリスティック]を選択する。

10 [OK]をクリックして、すべてのダイアログを閉じる。

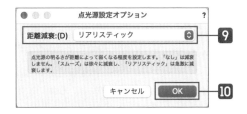

11 吊り下げ器具の中心にカーソルをスナップさせて、クリックして点光源を配置する。

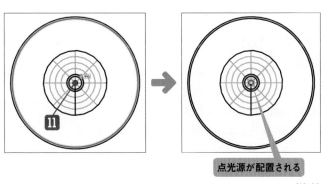

点光源が配置される

（続く）

DAY
09

12 オブジェクト情報パレットの[Z]値（光源の高さ）に「1330」と入力する。

> このペンダントライトの3D図形は、高さ2400mmの天井に設置するようにシンボル登録してあります。そのため、光源の高さを1330mmとするとガラスグローブの中心に配置されます。

13 [名前]に「1Fペンダント」と入力する。

> 光源に名前を付けておくと、ビジュアライズパレットで光源のオン／オフなどをコントロールしやすくなります。

14 [シンボルを出る]をクリックして、シンボル編集モードを終了する。

15 [仕上げRenderworks]を実行して、ペンダントライトが点灯するか確認する。

> このペンダントライトは、壁から300mmの位置に配置しているので、壁を照らす様子を確認できます。点光源は、実際に使用する電球の明るさより暗くなる傾向があるので、レンダリング結果を見ながら少し明るく設定するとよいでしょう。

> このペンダントライトのグローブのテクスチャは、[テクスチャの編集]ダイアログで[影を落とす]のチェックを外しています。これにより、光源の明るさがグローブによって遮られなくなります。詳しくは、Vectorworksのヘルプを参照してください。

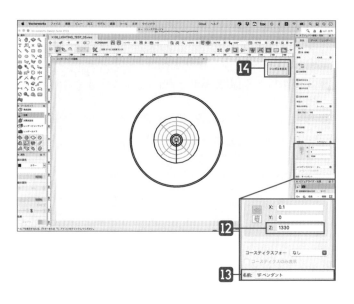

ペンダントライトが点灯するか確認する

> ビジュアライズパレットの[On]のチェックを外すと消灯します。ビジュアライズパレットを使用すると、照明を選択しなくてもオン／オフがコントロールできます。

照明のオン／オフが可能

3Dモデルのシンボルを置き換える

光源を含むペンダントライトの[1F_PENDANT]シンボルを建物の3Dモデルに取り込んで、仮配置されているシンボルと置き換えます。

1 練習用ファイル「**08_LIGHTING
_TEST_06.vwx**」を開き、前項
までで編集した光源を含むペン
ダントライトの[**1F_PENDANT**]
シンボルを取り込む。

リソース（シンボル）の取り込みについ
ては、P.183を参照してください。

2 [**リソース名の重複**]ダイアログ
が表示されるので、[**現在のファ
イルでシンボル定義を置き換え
る**]を選択する。

ここでは仮配置されたシンボルと光源
を含むシンボルとを、同じリソース名
で登録しているので、一度に置き換え
ることができます。

3 [**OK**]をクリックして、ダイア
ログを閉じる。

4 仮配置されているシンボルが、光
源を含むシンボルに置き換わる。

光源図形が表示されることで、シンボ
ルが置き換わったことが確認できます。

ここでは、ペンダントライト以外の光
源はすべてオフです。次にレンダリン
グすると、ペンダントライトのみの効
果が確認できます。

リストにペンダントライトが表示され
ない場合は、[**直接編集可能な光源**]ま
たは[**すべて**]に切り替えると表示さ
れます。

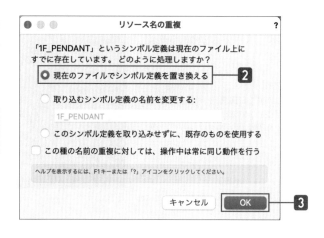

（続く）

**DAY
09**

5 [仕上げRenderworks] を実行し
てペンダントライトの明るさを
確認する。

> 明るさなどがイメージと異なる場合
> は、シンボルの3D編集モードに入っ
> て調整を行うか、ペンダントライトの
> レイアウトを再検討します。

ペンダントライトの
明るさを確認する **5**

6 ビジュアライズパレットでダウ
ンライトとスポットライトをオ
ンにして、部屋全体の明るさを
確認する。

> ビジュアライズパレットで光源をオン
> ／オフすると、自動的に再レンダリン
> グが開始されます。

> 間接光のバウンス回数は16回に設定
> しています。レンダリングに時間がか
> かるときは、3回または4回に変更し
> てください（P.276の手順 **5** を参照）。

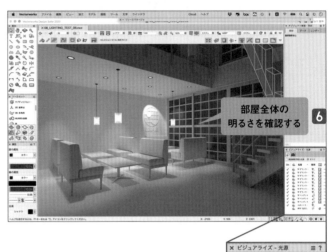

部屋全体の
明るさを確認する **6**

6 ダウンライトと
スポットライトを
オンにする

ポイント	光源属性を設定する

光源を配置するときに表示される[**光源属性設定**]ダイアログでは、光源の基本的な設定を行います。オブジェクト情報パレットにも同じ設定が用意されているので、光源を配置した後に、オブジェクト情報パレット（図1）から設定を変更することもできます。主な設定を次に示します。

① [**種類**]
光源の種類を設定します。[**光源ツール**]で作成したものは、配置後でも変更できます。

② [**On**]／[**Off**]
光源の点灯／消灯を設定します。配置済みの光源のうち、必要なものだけを点灯することができます。ビジュアライズパレットからも設定できます。

③ [**ソフトシャドウ**]
影のエッジをソフトにします。物と影の距離が離れるほど、ぼかしが強くなります（図2、図3）。

④ [**放射を使用**]
光源の明るさを光束で設定します。単位は、lm（ルーメン）を使用します。LED照明が主流になっているので、使用する機器の明るさを目安にします。

⑤ [**調光**]
色温度を変化させずに、光源の明るさを調整します。

⑥ [**色温度**]
光源の発する光の色味を設定します。単位は、K（ケルビン）です。使用する機器の色温度を目安にしますが、最終的に[**背景放射光の設定**]ダイアログ（図4）の[**ホワイトバランス**]で表示される光の色味を調整します。初期設定では、ホワイトバランスが3400Kに設定されているので、光源も3400Kに設定すると白の色味の光（図5）となります。ホワイトバランスより低い色温度を設定した光源は、暖色の色味（図6）、高い場合は寒色の色味（図7）となります。

⑦ [**距離減衰**]
光の届く距離を設定します。次の3つのオプションがあります。
・[**なし**]：光が減衰せず無限の距離、光が届きます。
・[**スムーズ**]：光源から遠くなるにつれて徐々に明るさが減衰（距離に反比例）していきます（図8）。
・[**リアリスティック**]：現実と同じように、光源からの距離に応じて急激に明るさが減衰（距離の2乗に反比例）します（図9）。

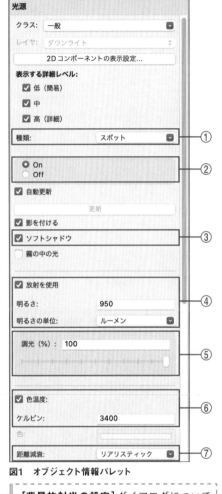

図1　オブジェクト情報パレット

> [**背景放射光の設定**]ダイアログについては、P.276も参照してください。

図2　ソフトシャドウ　オン

図3　ソフトシャドウ　オフ

DAY
09

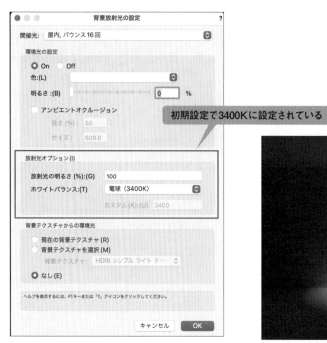

初期設定で3400Kに設定されている

図4　ホワイトバランスの設定

図5　光源の色温度3400K（白色）

図6　光源の色温度3200K（暖色）

図7　光源の色温度3600K（寒色）

図8　距離減衰［スムーズ］

図9　距離減衰［リアリスティック］

DAY 10

プレゼンボードの作成

10日目は、Vectorworksでプレゼンボードを作成して印刷する方法を学びます。
各種図面、パース、アートワーク、テキスト、画像などを配置したプレゼンボードを作成します。

学習ポイント

- □ シートレイヤを作成する
- □ 平面図を配置する
- □ 立面図を配置する
- □ 断面図を配置する
- □ カメラビューを配置する
- □ アートワークを配置する
- □ テキストを配置する
- □ 画像を配置する
- □ 印刷する／PDFで保存する

シートレイヤを作成する

📄 新規ファイルを使用(完成版:01_SCENE_DATA_01_after.vwx)

デザインレイヤで作成した図面やパースなどを1枚の用紙にレイアウトしてプレゼンボードにするには、「シートレイヤ」を利用します。シートレイヤに「ビューポート」と呼ばれる枠を作成し、その中にデザインレイヤのビューを表示させます。各ビューポートは元のデータを変更することなく、レイヤやクラスの表示／非表示、縮尺、視点やレンダリング、光源のオン／オフを個別に設定できます。

ここでは、図のようなA1縦サイズのプレゼンボード用にシートレイヤを作成します。なお、シートレイヤの縮尺は常に「1:1」(原寸)となり、変更はできません。縮小して印刷する場合は、プリンタ設定で行います(印刷については、P.330を参照)。

プレゼンボード用の シートレイヤを作成する

ここでは例として、プレゼンボード用にA1縦サイズのシートレイヤを作成し、A3プリンタで分割印刷(A3縦サイズで4枚)するように設定します。

1 P.41の手順**3**〜**4**と同様にして、[**オーガナイザ**]ダイアログを表示する。

2 [**シートレイヤ**]タブを選択する。

3 [**新規...**]をクリックする。[**シートレイヤの作成**]ダイアログが表示される。

4 [**新規に作成**]を選択する。

5 [**シートレイヤタイトル**]に「**プレゼンボードA1タテ**」と入力する。

6 [**作成時に編集ダイアログボックスを表示**]にチェックを入れる。

7 [**OK**]をクリックして、ダイアログを閉じる。[**シートレイヤの編集**]ダイアログが表示される。

> [**作成時に編集ダイアログボックスを表示**]にチェックを入れたので、[**シートレイヤの編集**]ダイアログが表示されます。

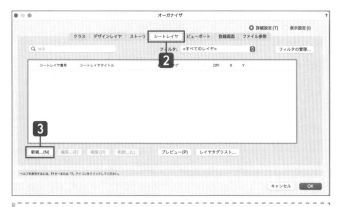

> [**オーガナイザ**]ダイアログは、ナビゲーションパレットのタブをダブルクリックしても表示されます。

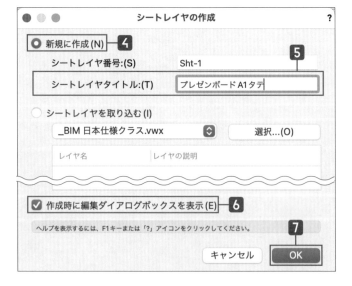

8 [ラスタレンダリングDPI]に「72」と入力する。

> [ラスタレンダリングDPI]は、このシートレイヤにおけるパースなどのレンダリングの解像度を設定します。作業効率を上げるためにレイアウト作成時は低解像度（72dpi）で作業を進め、印刷時に高解像度（150～300dpi程度）に変更してビューポートを更新します（P.330を参照）。
> なお、この解像度設定は、平面図などビューポート内の線分または、取り込んだ画像ファイルなどビットマップデータには影響しません。

9 [用紙設定...]をクリックする。[用紙設定]ダイアログが表示される。

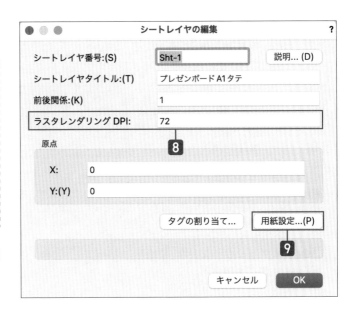

10 [用紙境界を表示]にチェックを入れる。

> [用紙境界を表示]にチェックを入れると、手順**13**で設定する用紙サイズの境界線が表示されます。

11 [プリンター設定...]をクリックする。[ページ設定]ダイアログ（Windowsの場合は[プリンター設定]ダイアログ）が表示される。

12 [対象プリンタ]から[任意のプリンタ]を選択する。

> A3プリンタドライバがインストールされている場合は、そのプリンタを選択します。

13 [用紙サイズ]から[A3]を選択する。

14 [方向]から縦向きのボタンをクリックする。

15 [OK]をクリックして、ダイアログを閉じる。

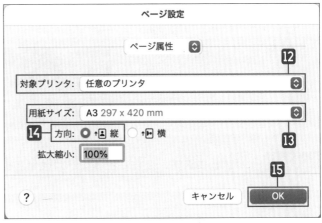

（続く）

DAY
10

297

16 ［用紙設定］ダイアログに戻るの
で、［用紙の枚数］から［横］に
「2」、［縦］に「2」と入力する。

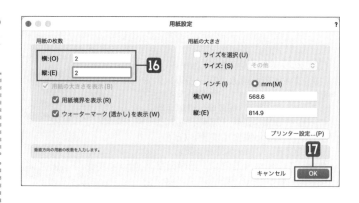

これで、A1サイズをA3サイズの用
紙4枚で分割印刷する設定になりま
す。初期設定の［横］が「1」、［縦］が「1」
のままだと、通常どおりA3縦サイズ
1枚に収まって出力されます。

A4プリンタで分割印刷する場合は、
［用紙サイズ］から［A4］、［方向］から
［横］を選択し、［用紙の枚数］から［横］
に「2」、［縦］に「4」と入力します。

17 ［OK］をクリックして、すべて
のダイアログを閉じる。

18 表示バーの［用紙全体を見る］を
クリックする。

19 プレゼンボード全体が作図領域
に表示される。アクティブレイヤ
名が「**Sht-1**［プレゼンボードA1タ
テ］」となっていること、プレゼン
ボードがA3縦サイズ4枚に分割さ
れていることを確認する。

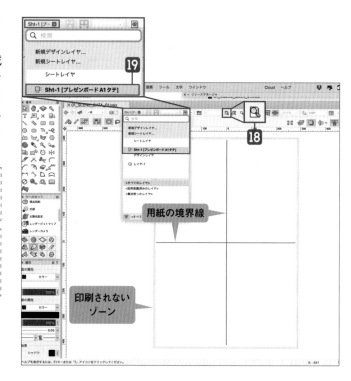

用紙境界は、画面上では薄いグレイの
線で表示されますが、ここでは見やす
いよう赤色の線で示しています。

プレゼンボード周辺の、グレイに塗り
つぶされた範囲は印刷されません。こ
の範囲の内側に収まるようにレイアウ
トします。

用紙の境界線

印刷されない
ゾーン

ポイント　レファレンスグリッドとスナップグリッドを利用する

レファレンスグリッドとスナップグリッ
ドを使用すると、図面や透視図などの位
置やサイズを揃えてレイアウトできるの
で便利です。シートレイヤをアクティブ
にしている状態でグリッド設定（P.25を参
照）を行うと、シートレイヤ固有のグリッ
トを設定できます。
ここでは、［スナップグリッド］の間隔を
5mm、［レファレンスグリッド］の間隔を
10mmとしています。

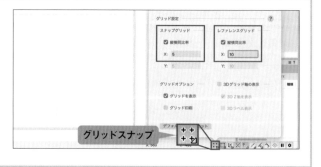

グリッドスナップ

DAY 10-02 平面図を配置する

📄 02_SCENE_DATA_02.vwx（完成版：02_SCENE_DATA_02_after.vwx）

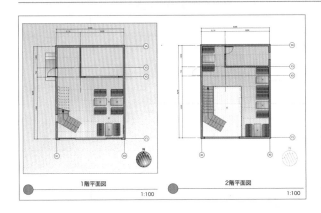

1階平面図　1:100

2階平面図　1:100

あらかじめ画面登録された「1階平面図」をデザインレイヤに表示し、ビューポートを作成してシートレイヤに配置します。ビューポート独自のレイヤ／クラス（ビューポートレイヤ／ビューポートクラス）を設定できるので、元の平面図に手を加えることなく、目的の要素のみを表示／非表示にすることができます。また、配置したビューポートには、図面名称や縮尺などを「図面ラベル」として記入することが可能です。

ビューポートを作成して1階平面図を配置する

登録画面から「1階平面図」を呼び出し、シートレイヤにビューポートを作成します。

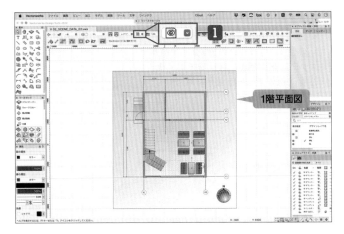

1階平面図

1 表示バーの[登録画面]をクリックして[1階平面図]を選択する。デザインレイヤの作図領域に1階平面図が表示される。

2 メニューバーから[ビュー]－[ビューポートを作成...]を選択する。[ビューポートを作成]ダイアログが表示される。

3 [ビューポート名に「図番/シートレイヤ番号」を転記]のチェックを外し、[ビューポート名]に「1F-PLAN」と入力する。

4 [作成するレイヤ]から[Sht-1[プレゼンボードA1タテ]]を選択する。

5 [図面ラベルを作成]にチェックを入れ、[スタイルを使用]を選択し、[オリジナル図面ラベル]を選択する。[図面タイトル]に「1階平面図」と入力する。

6 [縮尺]から[1:100]を選択する。

7 [OK]をクリックして、ダイアログを閉じる。

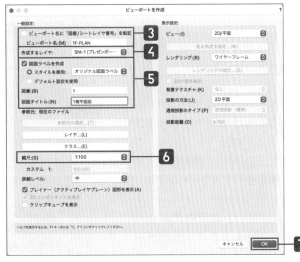

「オリジナル図面ラベル」は、図面タイトルと縮尺だけ表示するシンプルな図面ラベルをスタイルとして登録したものです。ラベルの横幅は自由に変更できます。

DAY 10

（続く）

8 自動的にシートレイヤに切り替わり、1階平面図のビューポートが配置される。

9 配置されたビューポートをダブルクリックする。[ビューポートを編集]ダイアログが表示される。

> ビューポートをダブルクリックしても[ビューポートを編集]ダイアログが表示されない場合は、ビューポートを右クリックして表示されるメニューから[編集]を選択します。

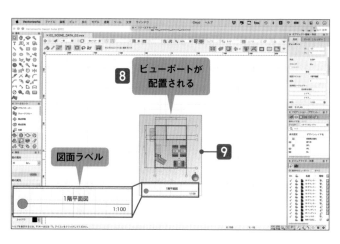

配置された1階平面図の図面ラベルを編集します。

10 [編集]から[注釈]を選択する。

> [ダブルクリック]で、ビューポートをダブルクリックしたときのアクションを選択できます。[このダイアログボックスを表示]を選択しておくと、次回より[ビューポートを編集]ダイアログが表示されるようになります。

11 [OK]をクリックして、ダイアログを閉じる。「ビューポート注釈の編集モード」に入る。

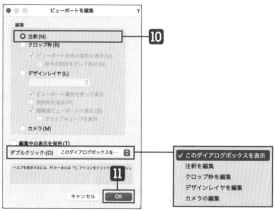

12 図面ラベルの円の左端をドラッグして移動し、敷地の左下角に位置を合わせる。

> スマートポイント(P.19の表とP.85のポイントを参照)を使って正確に合わせます。

13 図面ラベルの右端のハンドルにカーソルを合わせるとリサイズカーソルが表示されるので、クリックして移動し、敷地の右下角に位置を合わせてクリックする。

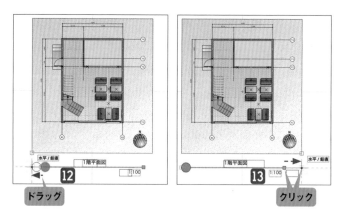

14 [ビューポート注釈の編集を出る]をクリックして、図面ラベルの編集を終了する。

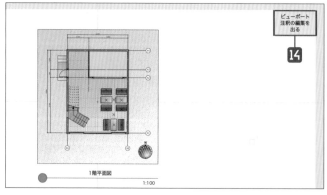

ビューポートを複製して
2階平面図に変更する

2階平面図のビューポートを作成します。1階平面図と同様に登録画面から呼び出して作成することもできますが、ここでは、1階平面図を複製して2階平面図を表示するように編集します。

1 図面ラベルを編集した後のビューポートを複製し、図のように位置を移動する。

> 複製についてはP.77、移動についてはP.78を参照してください。図形と同様に、ビューポートもドラッグして移動できます。

2 複製されたビューポートを選択する。

3 オブジェクト情報パレットの[**レイヤ...**]をクリックする。[**ビューポートレイヤを表示/非表示**]ダイアログが表示される。

4 [**2FL**]レイヤを「**表示**」、[**1FL**]レイヤを「**グレイ表示**」、[**GL**]レイヤを「**非表示**」に変更し、[**OK**]をクリックして、ダイアログを閉じる。

5 次にオブジェクト情報パレットの[**クラス...**]をクリックする。[**ビューポートクラスを表示/非表示**]ダイアログが表示される。

6 [**屋根**]クラスを「**非表示**」に変更し、[**OK**]をクリックして、ダイアログを閉じる。

7 各レイヤ、各クラスの表示/非表示の状態を確認する。

8 [**図面タイトル**]を「**2階平面図**」に変更する。

9 [**名前**]を「**2F-PLAN**」に変更する。

10 図面ラベルが「**2階平面図**」に変更されたことを確認する。

> ビューポート内のレイヤ／クラスの表示／非表示設定は、ナビゲーションパレットでは行えないので注意しましょう。

> 吹抜け部に表示される1階平面図は、2階平面図より薄く表示させるため、手順**4**で[**1FL**]を「**グレイ表示**」に設定します。

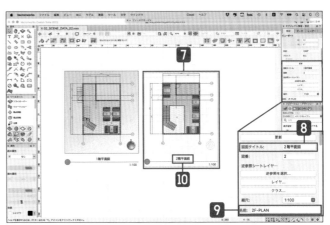

DAY
10

（続く）

ビューポート注釈で図面に図や文字情報を追加する

3Dモデルからビューポートで取り出した図は、図面としての情報が不足することもあります。シートレイヤで図面に図や文字情報を追加するときは、ビューポート注釈を使用します。

ビューポート注釈で記入した図や文字は、そのビューポートと一体となって移動し、レイアウトすることができます。

ここでは、1階平面図に2階の吹抜け部の情報を追加します。手順は次のとおりです。

① まず、吹抜けの範囲をかくために、[2FL]レイヤを一時的にグレイ表示に変更する。
「1階平面図」のビューポートを選択して、オブジェクト情報パレットの[レイヤ...]をクリックする。[ビューポートレイヤを表示/非表示]ダイアログで[2FL]レイヤをグレイ表示に変更し、ダイアログを閉じる。

② 「1階平面図」に[2FL]レイヤがグレイ表示される。「1階平面図」のビューポートをダブルクリックして、「ビューポート注釈の編集モード」に入る。

③ 図のようにグレイ表示された2階吹抜けの範囲を確認しながら、なぞるように吹抜けの範囲を破線と一点鎖線でかく。中央に文字（「上部吹抜け」）を記入し、[ビューポート注釈の編集を出る]をクリックして「ビューポート注釈の編集モード」を終了する。

④ 手順①でグレイに変更した表示を、元の表示に戻す。

⑤ 「1階平面図」に2階の吹抜け部の情報が追加されたことを確認する。

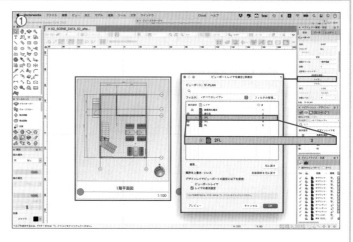

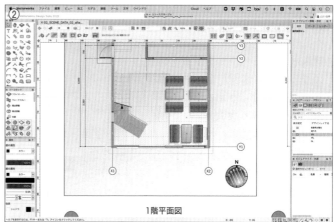

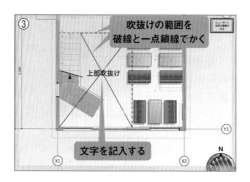

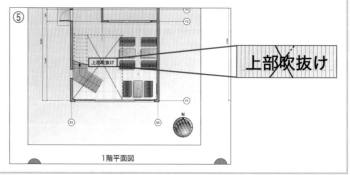

10-03 立面図を配置する

📄 03_SCENE_DATA_03.vwx（完成版：09_SCENE_DATA_09.vwx）

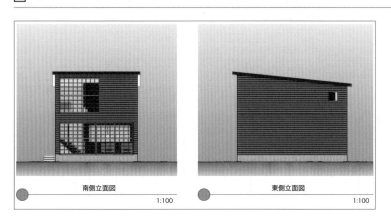

南側立面図	東側立面図
1:100	1:100

あらかじめ画面登録された「3Dモデル」をデザインレイヤに表示し、立面図のビューポートを作成してシートレイヤに配置します。作例のような表現にするには、レンダリングを実行する必要があります。ここでは、[シェイド]と[陰線消去]を組み合わせてレンダリングします。

ビューポートを作成して立面図を配置する

登録画面から「3Dモデル」を呼び出し、シートレイヤに南側立面図のビューポートを作成します。

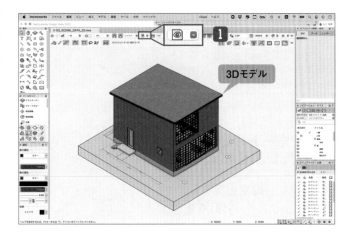

3Dモデル

1 表示バーの[登録画面]をクリックして[3Dモデル]を選択する。デザインレイヤの作図領域に3Dモデルが表示される。

2 メニューバーから[ビュー]−[ビューポートを作成...]を選択する。[ビューポートを作成]ダイアログが表示される。

3 [ビューポート名に「図番/シートレイヤ番号」を転記]のチェックを外し、[ビューポート名]に「SOUTH-ELEV」と入力する。

4 [作成するレイヤ]から[Sht-1[プレゼンボードA1タテ]]を選択する。

5 [図面ラベルを作成]にチェックを入れ、[スタイルを使用]を選択し、[オリジナル図面ラベル]を選択する。[図面タイトル]に「南側立面図」と入力する。

6 [縮尺]から[1:100]を選択する。

7 [ビュー]から[前]を選択する。

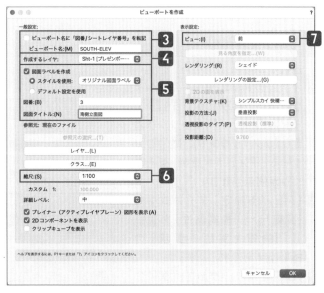

（続く）

8 [背景テクスチャ]から[シンプ
ルスカイ 快晴 日中 01]を選
択する。

9 [OK]をクリックして、ダイア
ログを閉じる。

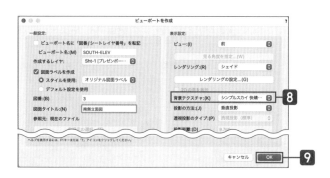

10 自動的にシートレイヤに切り替
わり、南側立面図のビューポー
トが配置される。

> 図では、ビューポートの位置を1階平面
> 図の下へ移動しています。レイアウト
> 用の補助線(画面上ではピンク色の細い
> 破線だが、ここでは見やすいよう赤色
> の太い破線で示している)とGLを合わ
> せると、図の位置に配置できます。

> 図では図面ラベルを編集しています。
> 編集方法はP.300を参照してください。

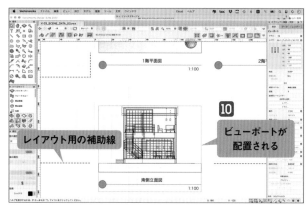

ビューポートのレンダリング設定、光源設定を変更する

レンダリング設定を変更します。こ
こでは、テクスチャ(面)を表現する
「バックグラウンド」を[シェイド]に、
線を表現する「輪郭」を[陰線消去]
に設定します。

1 「南側立面図」のビューポートを
選択する。

2 オブジェクト情報パレットの[レンダ
リング(バックグラウンド)]から[シェ
イド]を選択し、[レンダリング設
定(バックグラウンド)...]をクリッ
クする。[シェイド設定]ダイア
ログが表示される。

3 [シェイド設定]ダイアログの
[詳細]から[最高品位]を選択
し、[輪郭を実線で表示]の
チェックを外す。

4 [OK]をクリックして、ダイア
ログを閉じる。

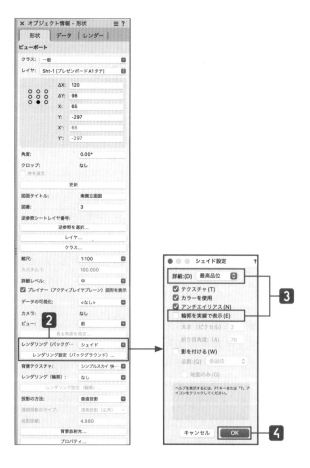

5 オブジェクト情報パレットの **[レンダリング（輪郭）]** から **[陰線消去]** を選択し、**[レンダリング設定（輪郭）...]** をクリックする。**[陰線消去設定]** ダイアログが表示される。

6 **[陰線消去設定]** ダイアログの **[サーフェスハッチングを表示]** にチェックを入れる。

7 **[OK]** をクリックして、ダイアログを閉じる。

続けて光源設定を変更します。

8 オブジェクト情報パレットの **[背景放射光...]** をクリックする。**[背景放射光の設定]** ダイアログが表示される。

9 **[環境光の設定]** の **[On]** を選択し、**[明るさ]** に「100」と入力する。**[アンビエントオクルージョン]** にチェックを入れ、**[強さ]** に「50」、**[サイズ]** に「600」と入力する。

10 **[OK]** をクリックして、ダイアログを閉じる。

11 ビジュアライズパレットの **[光源]** タブで、すべての光源をオフにする。

> シェイドレンダリングでは、計算できる光源数が8個までなので、すべての光源をオフにして **[環境光の設定]** で明るさを確保します。これらの設定変更は、元のデータ（デザインレイヤの設定）に影響を与えません。

レンダリングを実行します。

12 オブジェクト情報パレットの **[更新]** をクリックして、レンダリングを実行する。

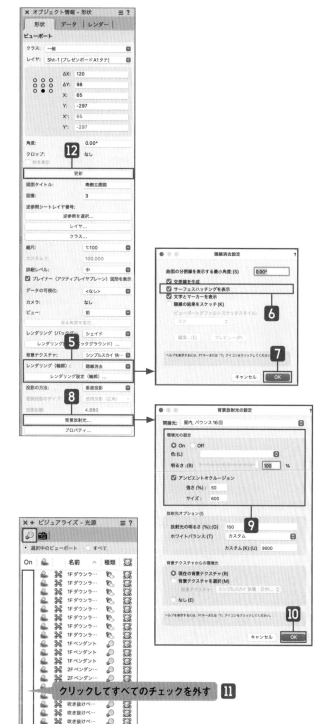

クリックしてすべてのチェックを外す **11**

> ビューポートが未更新の場合は、**[更新]** の文字が赤で表示され、ビューポート枠も赤の破線で表示されます。微細な変更が加えられても表示されるため、煩わしい場合はクイック設定コマンドで **[未更新のビューポート枠を表示]** をオフにします（図）。

[未更新のビューポート枠を表示]をオフ

DAY
10

（続く）

| ポイント | ビューポートのレンダリングの注意点 |

ここで解説した手順のように、シートレイヤのビューポートでは、レンダリングを「**バックグラウンド**」と「**輪郭**」とに分けて指定ができます。輪郭はシェイドレンダリングでも表示できますが、その場合ビットマップデータとなり、シートレイヤの解像度によって線の太さが変わってしまうため適しません。そのため、陰線消去レンダリングを指定しています。

また、この3Dモデルの外壁には、サーフェスハッチング付きのテクスチャがマッピングされています（サーフェスハッチング付きのテクスチャの多くは、建物の外壁に適用されることを想定した素材のテクスチャで、ここでは目地付きのサイディングがマッピングされている）。そのため、手順 **6** で [**サーフェスハッチングを表示**] にチェックを入れて陰線消去レンダリングを実行すると、外壁の目地に合わせて線が描画されます。サーフェスハッチングについての詳細は、Vectorworksのヘルプを参照してください。

13 レンダリング結果（明るさ、線と面の表示など）を確認する

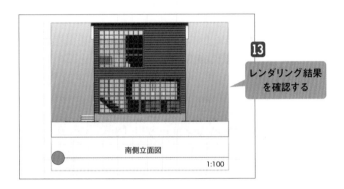

レンダリング結果を確認する

ビューポート枠を設定する

ビューポートで表示する範囲（ビューポート枠）を設定します。

1 「**南側立面図**」ビューポートをダブルクリックする。[**ビューポートを編集**] ダイアログが表示される。

2 [**クロップ枠**] を選択する。

3 [**OK**] をクリックして、ダイアログを閉じる。「**ビューポート枠の編集モード**」に入る。

4 [**四角形ツール**] を使って、幅は敷地に合わせた長さ、高さは任意（ここでは、11000mm）の四角形をかく。

> 四角形に限らず「**面の属性**」のある2D図形であれば、ビューポート枠にできます。

5 [**ビューポート枠の編集を出る**] をクリックして、編集モードを終了する。

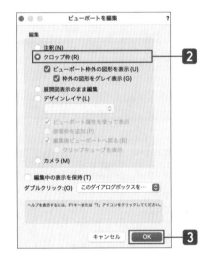

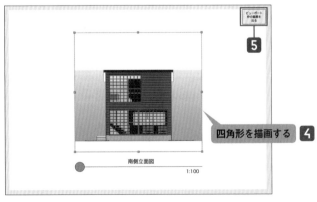

四角形を描画する **4**

6 オブジェクト情報パレットの[**更新**]をクリックして、レンダリングを実行する。

7 ビューポート枠が設定され、背景の表示範囲が変更されたことを確認する。

8 「ビューポート注釈の編集モード」に入り、敷地の断面を着色する。

> ここで敷地の断面は、四角形を作成してイメージとグラデーションを設定し、GLの断面線（0.3mm）をかいています。

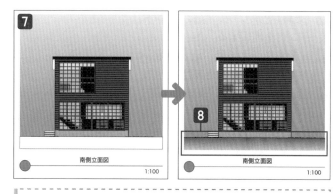

> ビューポート注釈の編集については、P.300を参照してください。また、イメージの設定についてはP.177、グラデーションの設定についてはP.174、イメージとグラデーションの併用についてはP.180を参照してください。お手本として、完成版ファイル「**09_SCENE_DATA_09.vwx**」を参照してください。

ビューポートを複製して東側立面図に変更する

東側立面図のビューポートを作成します。南側立面図のビューポートを複製することで、レンダリング設定などはそのまま保持されます。

1 「**南側立面図**」ビューポートを複製し、位置を移動する。

> レイアウト用の補助線（ピンク色の破線）とGLを合わせると図の位置に配置できます。

2 複製されたビューポートを選択する。

3 オブジェクト情報パレットの[**ビュー**]から[**右**]を選択する。

4 [**更新**]をクリックして、レンダリングを実行する。

5 ビューポートをダブルクリックして、「**ビューポート枠の編集モード**」に入り、枠の幅を敷地まで広げる。

6 「**ビューポート注釈の編集モード**」に入り、2D図形の敷地の断面とGLの断面線を修正する。さらに、図面ラベルの横幅を修正する。

> ビューポート枠の編集については前ページを、図面ラベルの修正についてはP.300を参照してください。

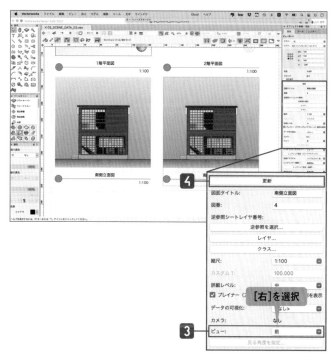

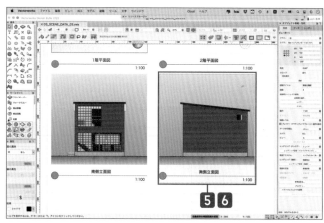

DAY
10

（続く）

7 [**更新**]をクリックして、レンダリングを実行する。

8 レンダリング結果、ビューポート枠の大きさなどを確認する。

9 [**図面タイトル**]を「**東側立面図**」に変更する。

10 ビューポートの[**名前**]を「**EAST-ELEV**」に変更する。

自主練習として「**南側立体図**」の左隣に、同様にビューポートを複製し、「**西側立面図**」を表示させてみましょう。お手本として、完成版ファイル「**09_SCENE_DATA_09.vwx**」を参照してください。

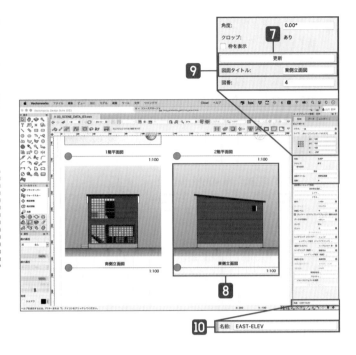

人物や植栽などの2D点景データは、シートレイヤで「**ビューポート注釈の編集モード**」に入って配置します（シートレイヤに直接配置すると1:1スケールとなってしまうが、注釈として配置することでビューポートに設定した縮尺が適用される）。リソースマネージャの[**Vectorworksライブラリ**]にさまざまな点景データが用意されているので、活用するとよいでしょう。

図は、[**人物 塗りつぶし**]フォルダのシンボルデータを配置したところです。シンボルデータは、初期設定では黒色に塗りつぶされています。そのため、シンボルを配置した後、ダブルクリックして「**シンボル編集モード**」に入り、面の属性を白色に変更しています。

なお、3D点景データの場合は、家具の3Dモデルなどと同様にデザインレイヤに直接配置します。

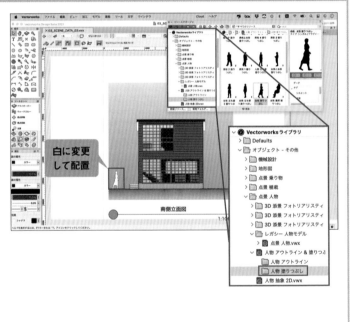

白に変更して配置

DAY
10-04 断面図を配置する

📄 04_SCENE_DATA_04.vwx（完成版：09_SCENE_DATA_09.vwx）

あらかじめ画面登録された「1階平面図」をデザインレイヤに表示し、[断面ビューポートを作成]機能を使って断面図をシートレイヤに配置します。ここでは、立面図と同様に[シェイド]と[陰線消去]を組み合わせてレンダリングします。

断面ビューポートを作成して断面図を配置する

登録画面から「1階平面図」を呼び出し、切断位置を設定して、シートレイヤに建物の長辺方向の断面図（A-A断面図）のビューポートを作成します。

1 表示バーの[**登録画面**]をクリックして[**1階平面図**]を選択する。デザインレイヤの作図領域に1階平面図が表示される。

2 メニューバーから[**ビュー**]－[**断面ビューポートを作成...**]を選択する。

3 吹抜けと厨房を含む断面図を作成するため、おおよそ図に示した位置でクリックする。

> 後で立断面指示線（断面線）を移動して、切断位置を変更することもできます。

4 [**shift**]キーを押しながらカーソルを上部に移動し、おおよそ図に示した位置でクリックする。

5 手順**3**～**4**の2点を結ぶ線を境に、左右どちらの方向を表示するかを示す矢印が表示される。カーソルを右へ移動し、矢印が右を向いた状態でダブルクリックする。[**断面ビューポートの作成**]ダイアログが表示される。

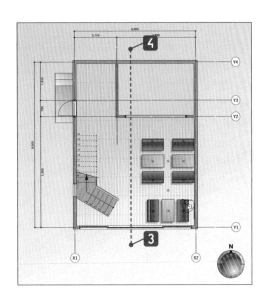

5 ダブルクリック

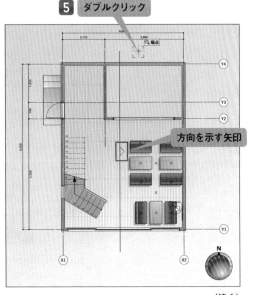

方向を示す矢印

DAY
10

（続く）

6 [ビューポート名に「図番/シートレイヤ番号」を転記]のチェックを外し、[ビューポート名]に「断面-A」と入力する。

7 [作成するレイヤ]から[Sht-1[プレゼンボードA1タテ]]を選択する。

8 [図面ラベルを作成]にチェックを入れ、[スタイルを使用]を選択し、[オリジナル図面ラベル]を選択する。[図番]に「A」、[図面タイトル]に「A-A断面図」と入力する。

9 [レイヤ...]をクリックする。[ビューポートレイヤを表示/非表示]ダイアログが表示される。

10 [2FL]を表示にし、[OK]をクリックしてダイアログを閉じる。

11 [断面ビューポートの作成]ダイアログに戻るので、[縮尺]から[1:100]を選択する。

12 [切断面より奥を表示]にチェックを入れ、[レンダリング(バックグラウンド)]から[シェイド]を選択する。

> レンダリングの詳細な設定は、後で行います。

13 [OK]をクリックして、ダイアログを閉じる。

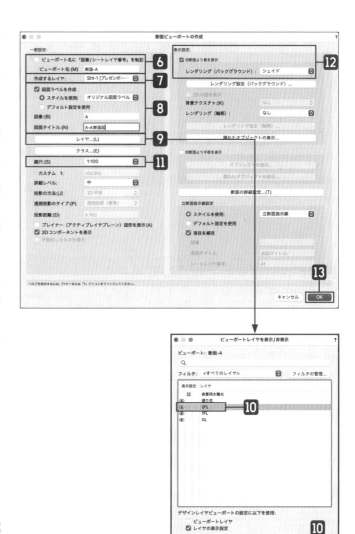

14 自動的にシートレイヤに切り替わり、A-A断面図のビューポートが配置される。

> 図では、ビューポートの位置を西側立面図の下へ移動しています。レイアウト用の補助線(画面上ではピンク色の細い破線だが、ここでは見やすいよう赤色の太い破線で示している)とGLを合わせると、図の位置に配置できます。

> 図では図面ラベルを編集しています。編集方法はP.300を参照してください。

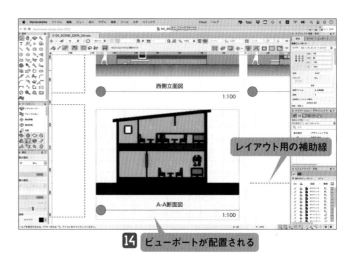

14 ビューポートが配置される

ビューポートのレンダリング設定、光源設定を変更する

レンダリング設定および光源設定を変更します。

1 立面図のビューポートと同様に、レンダリング設定と光源設定を行う（P.304の手順**1**～P.305の手順**11**を参照）。

2 オブジェクト情報パレットの[**更新**]をクリックして、レンダリングを実行する。

3 レンダリング結果（明るさ、線と面の表示など）を確認する。

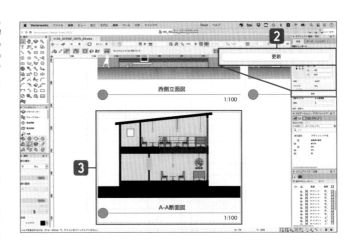

断面の表示設定を変更する

断面（切断面）の表示設定を変更します。断面の「面の属性」と「線の属性」には、初期設定で[**断面スタイル**]クラスの属性が適用されているため、クラス設定を編集します。

1 P.41の手順**3**～**4**と同様にして、[**オーガナイザ**]ダイアログを表示する。

2 [**クラス**]タブを選択する。

3 [**断面スタイル**]クラスを選択し、[**編集...**]をクリックする。[**クラスの編集**]ダイアログが表示される。

4 左のリストから[**グラフィック属性**]を選択して、[**面**]の[**色**]から薄いグレイを選択する。[**線**]の[**太さ**]から[**0.30**]を選択する。

> [**断面スタイル**]クラスに設定した面の色や線の太さなどの属性は、[**属性を使う**]（図の破線で指示した部分。P.210を参照）やクラスの表示／非表示（手順**2**～**3**の画面の左端の[**表示設定**]で設定）とは無関係に、断面ビューポートの断面（切断面）に適用されます。

5 [**OK**]をクリックして、すべてのダイアログを閉じる。

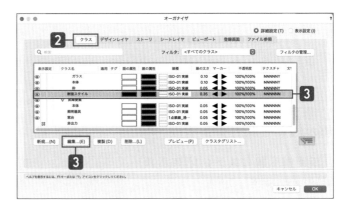

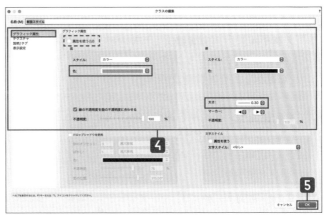

（続く）

6 断面ビューポートを選択し、オブジェクト情報パレットの**[更新]**をクリックして、レンダリングを実行する。

7 断面の表示が変更されたことを確認する。

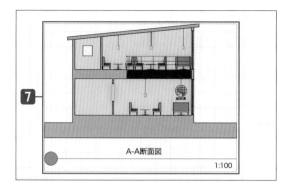

8「ビューポート注釈の編集モード」で敷地の断面を着色する。

> ビューポート注釈の編集については、P.300を参照してください。また、敷地の断面の着色について詳しくはP.307の手順**8**を参照してください。立面図の**「ビューポート注釈の編集モード」**に入り、敷地の断面をコピーしてから断面図の**「ビューポート注釈の編集モード」**に入ってペーストすれば、断面の着色の手間を省くこともできます。

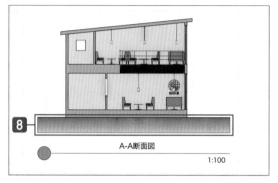

立断面指示線（断面線）の表示設定を変更する

立断面指示線のスタイル（表示設定）を変更します。

1 表示バーの**[登録画面]**をクリックして**[1階平面図]**を選択する。デザインレイヤの作図領域に1階平面図が表示される。

2 立断面指示線を選択する。

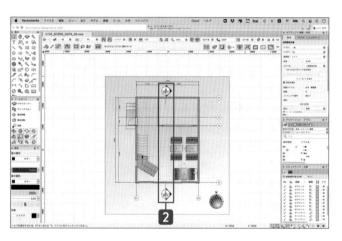

3 オブジェクト情報パレットの**[スタイル]**から**[置き換え...]**を選択する。**[プラグインスタイルを選択]**ダイアログが表示される。

4[置き換えるスタイルを選択]から「オリジナル断面マーカー」を選択し、**[OK]**をクリックしてダイアログを閉じる。

> 「オリジナル断面マーカー」は、シンプルな断面マーカーをスタイルとして登録したものです。

5 属性パレットの［線の太さ］から
［0.30］を選択する。

6 立断面指示線の編集結果を確認
する。

自主練習として、P.309～P.313と同様
にして、A-A断面図の右隣に建物の短辺
方向の断面図「B-B断面図」を作成して
みましょう。お手本として、完成版ファ
イル「09_SCENE_DATA_09.vwx」を
参照してください。

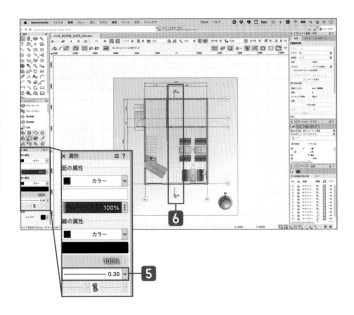

ポイント 立断面指示線（断面線）をシートレイヤ上の平面図に表示する

ここまでの操作で立断面指
示線（断面線）は、切断位置
を指定したデザインレイヤ
の1階平面図には表示され
ていますが、シートレイヤの
1階平面図には表示されてい
ません。立断面指示線は、
表示するデザインレイヤおよ
びシートレイヤを指定する必
要があります。ここでは、シー
トレイヤの1階平面図に立断
面指示線を表示します。手順
は次のとおりです。

① シートレイヤ上の断面
ビューポートを選択する。
② オブジェクト情報パレッ
トの［断面線表示…］をク
リックする。［断面線表
示］ダイアログが表示さ
れる。
③ ［ビューポート］タブを
選択し、［1F-PLAN］に
チェックを入れる。
④ ［OK］をクリックして、
ダイアログを閉じる。
⑤ シートレイヤ上の「1階平
面図」に立断面指示線が
表示される。

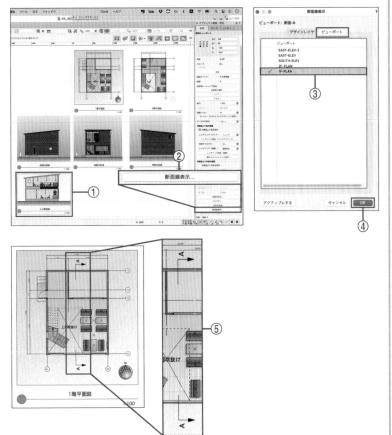

DAY
10

（続く）

ビューポートを複製して
断面図を左右反転する

「**A-A断面図**」を複製して「**C-C断面図**」を作成します。断面ビューポートを複製後、移動して切断の向きを左右反転して作成します。

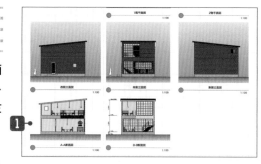

1 「**A-A断面図**」断面ビューポートを複製する。

2 複製された断面ビューポートを図で示した位置に移動する。

> レイアウト用の補助線（ピンク色の破線）とGLを合わせると、図の位置に配置できます。

3 オブジェクト情報パレットの[**向きを反転**]をクリックする。

4 [**更新**]をクリックして、レンダリングを実行する。

5 断面ビューポートの向きが左右反転されたことを確認する。

> ここでは、「**ビューポート注釈の編集モード**」に入って、図面ラベルと敷地の断面表記を移動しています。ビューポート注釈の編集については、P.300を参照してください。

6 [**図面タイトル**]を「**C-C断面図**」、[**図番**]を「**C**」に変更する。

7 ビューポートの[**名前**]を「**断面-C**」に変更する。

8 オブジェクト情報パレットの[**断面線表示...**]をクリックする。

9 [**断面線表示**]ダイアログで立断面指示線がデザインレイヤの[**1FL**]レイヤとシートレイヤの「**1階平面図**」（1F-PLAN）に表示されるようにチェックを入れる。

> 立断面指示線を[**1FL**]レイヤに表示するのは、立断面指示線の編集を行うためです。次項で「**C-C断面図**」の立断面指示線を編集します。立断面指示線の表示設定の操作方法については、前ページのポイントを参照してください。

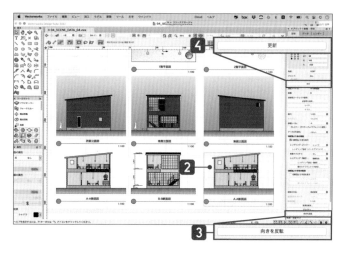

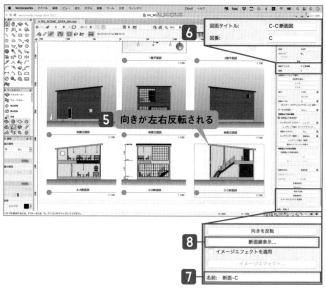

デザインレイヤでの表示設定

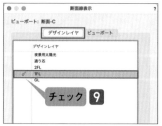

ビューポートでの表示設定

切断位置を変更する

断面図の切断位置は、後から変更することができます。デザインレイヤの平面図に表示された立断面指示線（断面線）の位置を移動します。立断面指示線を折り曲げて任意（複数）の切断位置を設定できます。

1 表示バーの[**登録画面**]をクリックして[**1階平面図**]を選択する。デザインレイヤの作図領域に1階平面図が表示される。

2 左右反転させた断面ビューポートの立断面指示線を選択する。

> C-C断面図はA-A断面図の向きを左右反転させただけなので、A-A断面図と同じ位置に立断面指示線があります

3 立断面指示線をドラッグして、図のように少し左方向、階段にかからない（階段を切断しない）位置に移動する。立断面指示線をダブルクリックする。

4 自動的に[**変形ツール**]が選択されるので、ツールバーの[**切断点追加モード**]を選択する。

5 図の**ⓐ**点のあたりをリサイズカーソル🔲でクリックし、**ⓑ**点のあたりをクリックする。

6 立断面指示線が折れ曲がったことを確認する。

7 アクティブレイヤをシートレイヤ（[**Sht-1**[**プレゼンボードA1タテ**]]）に切り替える。「1階平面図」と「C-C断面図」ビューポートを選択し、オブジェクト情報パレットの[**更新**]をクリックしてレンダリングを実行する。

8 「1階平面図」に立断面指示線が表示されていること、「**C-C断面図**」の切断位置が変更されていることを確認する。

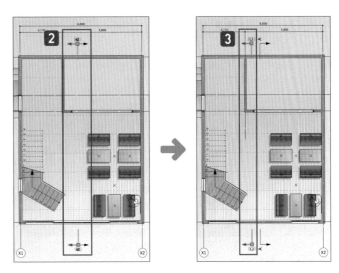

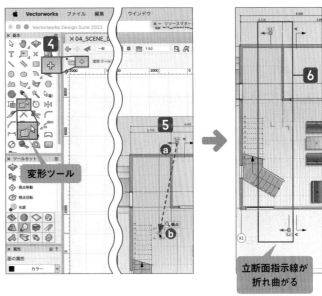

立断面指示線が折れ曲がる

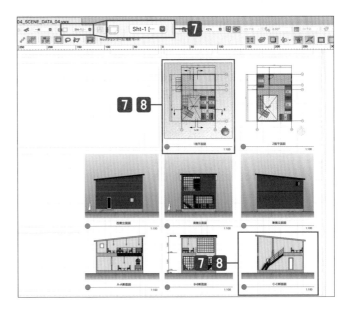

DAY
10

315

05_SCENE_DATA_05.vwx（完成版：09_SCENE_DATA_09.vwx）

カメラビュー（カメラの視点から見た透視図）をシートレイヤに配置するには、現在配置されているカメラをアクティブにしてビューポートを作成します。

光源や背景テクスチャ、レンダリングモードはビューポートごとに設定できるため、オリジナルデータ（デザインレイヤでの設定）を変えることなく、さまざまなシーンを表現できます。ここでは、配置したビューポートを複製して、同じアングルの夜景と昼景を作成します。

カメラからビューポートを作成する

登録画面から「3Dモデル」を呼び出し、カメラをアクティブにして、シートレイヤにビューポートを作成します。

1 表示バーの**[登録画面]**をクリックして**[3Dモデル]**を選択する。

2 ビジュアライズパレットで**[カメラ]**タブを選択し、「**カメラ-1**」をアクティブにする。作図領域がカメラのビューに切り替わる。

3 ナビゲーションパレットの**[デザインレイヤ]**タブを選択し、**[夜景用太陽光]**レイヤを表示にする。

> **[夜景用太陽光]**レイヤには、9月24日の22:00に設定した太陽光と、月の3D図形が配置されています。太陽光は放射されませんが、連動するフィジカルスカイ（P.280を参照）から夜景の間接光が放射されます。

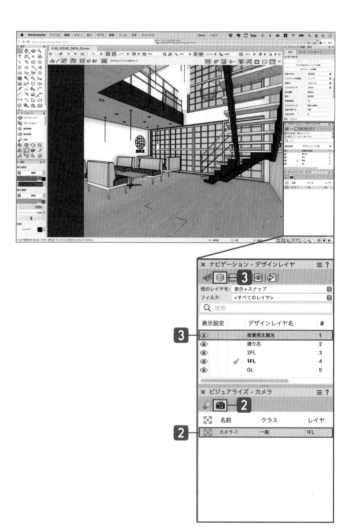

4 メニューバーから[ビュー]ー[ビューポートを作成...]を選択する。[カメラからビューポートを作成]ダイアログが表示される。

5 [カメラにリンクする]を選択する。

6 [OK]をクリックし、ダイアログを閉じる。[ビューポートを作成]ダイアログが表示される。

カメラを選択した状態で[ビューポートを作成...]コマンドを実行しないと、上図ダイアログは表示されません。意図せずカメラを選択解除してしまった場合は、ビジュアライズパレットの「カメラ-1」を右クリックして表示されるメニューから[選択]をクリックします。

7 [ビューポート名に「図番/シートレイヤ番号」を転記]のチェックを外し、[ビューポート名]に「客席-夜景」と入力する。

8 [作成するレイヤ]から[Sht-1[プレゼンボードA1タテ]]を選択する。

9 [図面ラベルを作成]のチェックを外す。

ここでは、パースに図面ラベルを付けません。

10 [OK]をクリックして、ダイアログを閉じる。

縮尺、レンダリングモード、背景テクスチャは後で設定するので、ここでは現状のまま進めます。

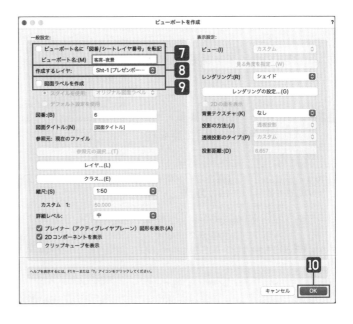

11 自動的にシートレイヤに切り替わり、「客席-夜景」ビューのビューポートが配置される。

図では、ビューポートの位置をプレゼンボード左上へ移動しています。レイアウト用の補助枠(画面上ではピンク色の細い破線だが、ここでは見やすいように赤色の太い破線で示している)の左上角とビューポートの左上角を合わせると、図の位置に配置できます。

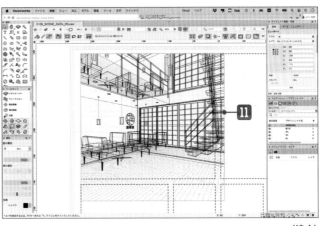

DAY
10

(続く)

ビューポートの大きさを調整する

レイアウト用の補助枠にちょうど収まるように、ビューポートの大きさを調整します。まず、幅のサイズを変更（リサイズ）します。

1 「客席-夜景」のビューポートを選択する。

2 オブジェクト情報パレットで基準点を左上に設定し、[ΔX]に「265」と入力する。

次に、高さのサイズを変更（トリミング）します。

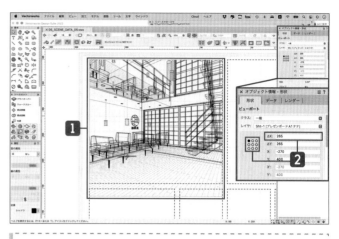

ここでは、レイアウト用の補助枠を265×240mmとしています。パース（透視図）は縮尺を持たないので、ビューポートを拡大／縮小するには、ビューポートの大きさを直接変更します。縦横比率を保つので、[ΔX]または[ΔY]に値を入力すると、もう一方の値が自動計算されます。

3 「ビューポート枠の編集モード」に入り、[四角形ツール]で枠を作成する。

> 枠を作成するとき、[編集モード時に他の図形を表示]（P.19の図とP.21のポイントを参照）をオンにすると、レイアウト用の補助枠にスナップします。ビューポート枠の編集については、P.306を参照してください。

4 ビューポートがレイアウト用の補助枠に収まったことを確認する。

ビューポートがレイアウト用の補助枠に収まる

ビューポートのレンダリング設定、光源設定を調整する

夜景のシーンを作ります。まず、レンダリング設定を調整します。

1 「客席-夜景」のビューポートを選択する。

2 オブジェクト情報パレットから[プレイナー（アクティブレイヤプレーン）図形を表示]のチェックを外す。

> チェックを外すことで、デザインレイヤに含まれる2D図形（ここではフローリングの目地）を非表示にします。

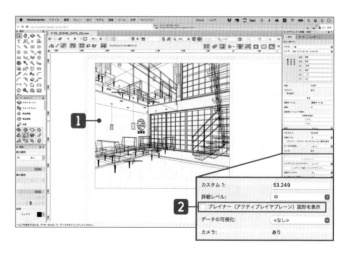

カスタム 1:	53.249
詳細レベル:	中
プレイナー（アクティブレイヤプレーン）図形を表示	
データの可視化:	<なし>
カメラ:	あり

3 [レンダリング（バックグラウンド）]から[仕上げRenderworks]を選択し、[レンダリング（輪郭）]から[なし]を選択する。

4 [背景テクスチャ]から[フィジカルスカイ 屋内]を選択する。

光源設定を変更します。

5 [背景放射光...]をクリックする。[背景放射光の設定]ダイアログが表示される。

6 [間接光]から[屋内、バウンス16回]を選択する。

7 [環境光の設定]の[On]を選択し、[明るさ]に「0」と入力する。[アンビエントオクルージョン]にチェックを入れ、[強さ]に「50」、[サイズ]に「600」と入力する。

8 [放射光オプション]の[ホワイトバランス]から[カスタム]を選択し、[カスタム(K)]に「3600」と入力する。

9 [背景テクスチャからの環境光]から[現在の背景テクスチャ]を選択する。

10 [OK]をクリックして、ダイアログを閉じる。

11 ビジュアライズパレットで[光源]タブを選択し、太陽光「東京 12/22 10:00 AM」以外をすべてオンにする。

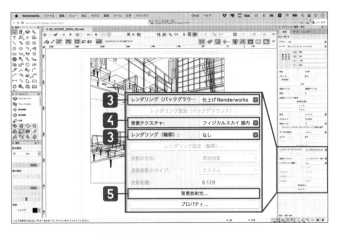

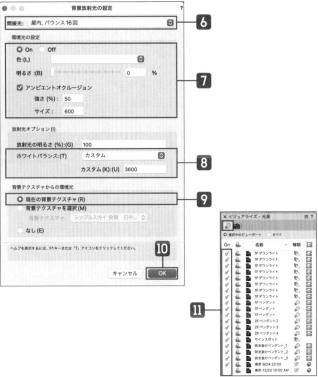

レンダリングを実行します。

12 オブジェクト情報パレットの[更新]をクリックして、レンダリングを実行する。

13 光源やテクスチャ、背景がイメージどおり描画されていることを確認する。

13 光源やテクスチャ、背景がイメージどおり描画されていることを確認する

（続く）

DAY
10

カメラを使わず、登録画面から呼び出したアングルをそのままビューポートでシートレイヤに配置することもできます。

登録画面から「**外観**」を呼び出し、ビューポートを作成して、シートレイヤに配置します。レイアウト用の補助枠に合わせて、ビューポートの大きさを調整してビューポート枠を作成し、トリミングします。光源、レンダリング設定などは、「**客席-夜景**」と同じです。

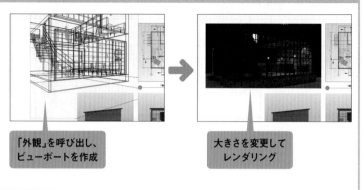

「外観」を呼び出し、ビューポートを作成 ➡ 大きさを変更してレンダリング

ビューポートを複製して夜景から昼景に変更する

「**客席-夜景**」のビューポートを複製し、レイヤと光源設定を変更して昼景を作ります。

1 「**客席-夜景**」ビューポートを複製し、図の位置に移動する。

> レイアウト用の補助枠（ピンク色の破線）の左上角とビューポートの左上角を合わせると、図の位置に配置できます。

2 複製されたビューポートを選択する。

3 オブジェクト情報パレットの[**レイヤ...**]をクリックする。[**ビューポートレイヤを表示/非表示**]ダイアログが表示される。

4 [**夜景用太陽光**]レイヤを非表示にする。[**OK**]をクリックして、ダイアログを閉じる。

5 [**背景テクスチャ**]から[**公園室内用**]を選択する。

6 [**背景放射光...**]をクリックする。[**背景放射光の設定**]ダイアログが表示される。

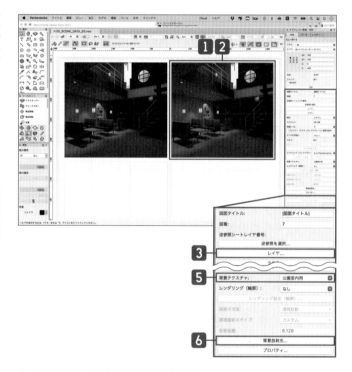

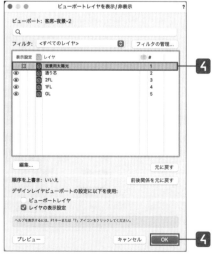

7 [放射光オプション]の[ホワイトバランス]から[電球（3400K）]を選択する。

8 [背景テクスチャからの環境光]の[背景テクスチャを選択]をクリックして、[背景テクスチャ]から[フィジカルスカイ 屋内]を選択する。

9 [OK]をクリックして、ダイアログを閉じる。

10 ビジュアライズパレットの[光源]タブで、サインスポットとすべてのペンダントライトをオフにして、[東京 12/22 10:00 AM]をオンにする。

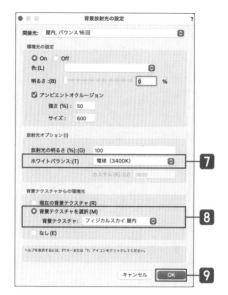

11 オブジェクト情報パレットの[更新]をクリックして、レンダリングを実行する。

12 日差し、背景が昼景のシーンに変更されたことを確認する。

13 ビューポートの[名前]に「客席-昼景」と入力する。

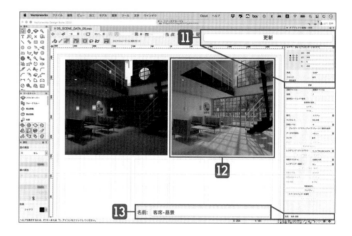

ポイント　ビューポートを複製して比較検討に利用する

レンダリング結果の比較検討の際には、シートレイヤでビューポートを複製して並べて比較するとよいでしょう。図の例は、左側のビューポートを複製して外壁のテクスチャを変更した後、複製したビューポートだけを更新して比較検討しているところです。

また、デザインレイヤでレンダリングをした場合の解像度はモニタ解像度に依存しますが、シートレイヤでは独自に解像度を設定できます。解像度を72dpi程度に低く設定し、計算時間を短縮して結果を素早く確認できます。なお、ビューポートのレンダリング結果をアクティブファイルに保存するには、ファイル設定の[ビューポートキャッシュを保存]にチェックを入れてオンにしておく必要がある（P.27を参照）ので注意しましょう。

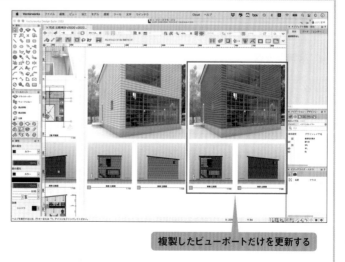

複製したビューポートだけを更新する

DAY
10

（続く）

ポイント テクスチャを設定した3Dモデルをホワイトモデルにする

テクスチャを設定した後に、コンセプト図などに用いられるホワイトモデル（白模型風）の表現にすることができます。ホワイトモデルの表現にする手順は、次のとおり。

① 登録画面から「コンセプトモデル1」と「コンセプトモデル2」を呼び出し、ビューポートを作成してシートレイヤに配置する。

② オブジェクト情報パレットから[プレイナー（アクティブプレイプレーン）図形を表示]のチェックを外す。

③ [レンダリング（バックグラウンド）]から[カスタムRenderworks]を選択し、[レンダリング設定（バックグラウンド）...]をクリックする。[カスタムRenderworks設定]ダイアログが表示される。

④ [アンチエイリアス][影][テクスチャ]にチェックを入れる。これにより、ガラスの透明度を表現できる。[カラー]のチェックを外す。これによりすべてのテクスチャの色味が白になる。

⑤ [品質]の[品質レベル]から[すべて高品位]を選択する。

⑥ [OK]をクリックして、ダイアログを閉じる。

⑦ オブジェクト情報パレットの[背景テクスチャ]から[黒]を選択する。

⑧ [背景放射光...]をクリックする。[背景放射光の設定]ダイアログが表示される。

⑨ [間接光]から[屋外、バウンス3回]を選択する。白とびを避けるため、バウンス回数は3回程度とする。

⑩ [環境光の設定]の[On]を選択し、[明るさ]に「0」と入力する。[アンビエントオクルージョン]にチェックを入れ、[強さ]に「50」、[サイズ]に「600」と入力する。

⑪ [背景テクスチャからの環境光]の[背景テクスチャを選択]をクリックして、[背景テクスチャ]から[HDRI 白]を選択する。

⑫ [OK]をクリックして、ダイアログを閉じる。

⑬ ビジュアライズパレットからすべての光源をオフにする。

⑭ ビューポートの大きさを調整し、枠を作成して、オブジェクト情報パレットの[更新]をクリックする。

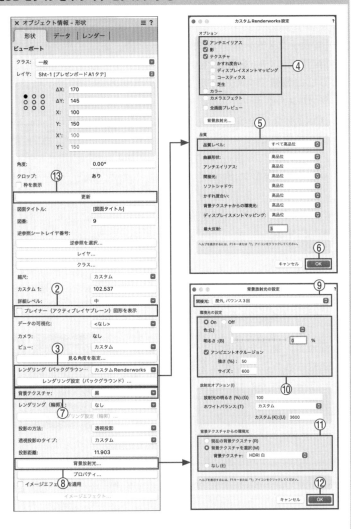

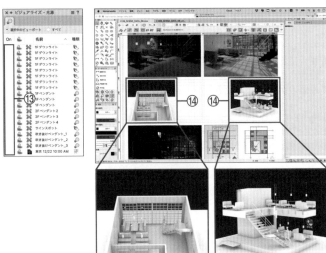

DAY 10-06 アートワークを配置する

06_SCENE_DATA_06.vwx、COFFEE_LOGO.dwg（完成版：COFFEE_LOGO_after.vwx、09_SCENE_DATA_09.vwx）

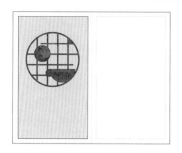

Adobe Illustratorなどのドローソフトで作成されたアートワークを取り込んで、シートレイヤに配置できます。取り込めるファイル形式は、EPS形式やDWG形式、DXF形式ですが、再現性の正確さを考慮するとDWG/DXF形式が好ましいです。他のCADソフトのデータや、メーカーが提供しているCADデータなども同様の方法で取り込めます。

アートワークを新規ファイルに取り込む

新規ファイルを作成してアートワークを取り込みます。

1 メニューバーから[ファイル]－[新規...]を選択し、新規ファイルを作成する。

2 メニューバーから[ファイル]－[取り込む]－[DXF/DWG（単一）取り込み...]を選択する。

3 ファイル選択ダイアログで「COFFEE_LOGO.dwg」を選択し、[開く]をクリックする。[DXF/DWGの取り込み]ダイアログが表示される。

> 手順 **2** ～ **3** の代わりにDXF/DWGファイルを作図領域に直接ドラッグ＆ドロップしても、[DXF/DWGの取り込み]ダイアログが表示されます。

> 他のデータ形式のファイルを取り込むと、新規にクラスやレイヤが作成されます。そのため、いったん新規ファイルに取り込んでクラスやレイヤ、属性などを調整してからアートワークをコピーし、作業中のファイルにペーストするという手順を踏みます。

4 [モデル空間の単位]の[検出したDXF/DWGファイルの単位を使用]を選択する。

> DXF/DWGファイル内に設定された単位を検出して自動で読み込みます。

5 [シンボルとして取り込む]のチェックを外す。

> メーカー提供の衛生器具などは、チェックを入れてシンボルとして取り込むほうが管理しやすいです。

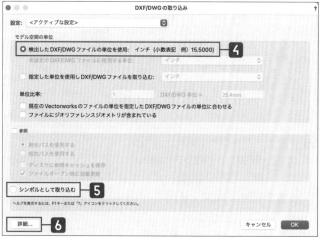

6 [詳細...]をクリックする。[DXF/DWGの取り込みオプション]ダイアログが表示される。

DAY
10

（続く）

7 リストから[**変換**]を選択し、[**モデル空間の縮尺**]の[**縮尺変更**]を選択する。

図面を取り込む場合は、[**縮尺...**]をクリックして任意の縮尺を設定します。

8 リストから[**クラス/レイヤ**]を選択し、[**DXF/DWGの画層を**]の[**クラスに変換**]を選択する。

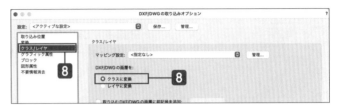

9 リストから[**グラフィック属性**]を選択し、[**色と線の太さの関係**]の[**色を白黒にする**]にチェックを入れる。

他のCADで作成された図面を読み込むと、線に色の付いた状態のことがあります。それらを白黒の図面にするためにチェックを入れます。

10 [**OK**]をクリックして、すべてのダイアログを閉じる。取り込みが開始される。

11 [**DXF/DWGまたはDWFファイル取り込み結果**]ダイアログで「**取り込みに成功しました。**」と表示されたら、[**OK**]をクリックしてダイアログを閉じる。アートワークが取り込まれる。

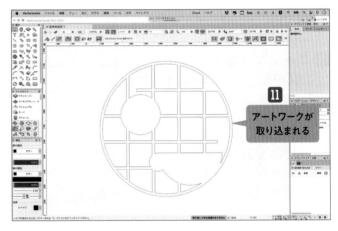

アートワークが取り込まれる

12 すべての図形を選択する。

図は、図形の構成がわかりやすいように色分けしたうえで、すべての図形を選択した状態です。面図形で構成され、背面に円(緑色)、前面に各図形(オレンジ色)が配置されています。このままでは編集しづらいので、切り欠き加工して1つの図形に合成します。

13 メニューバーから[**加工**]-[**切り欠き**]を選択し、そのまま[**delete**]キーを押して不要な図形(オレンジ色の図形)を削除する。

ここでは背面の円(緑色)を、前面の各図形(オレンジ色)の型で切り抜いています。[**切り欠き**]コマンドについては、P.92を参照してください。

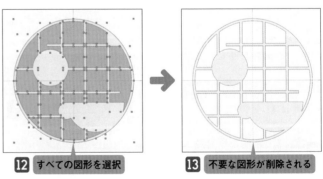

12 すべての図形を選択　**13** 不要な図形が削除される

14 図形の大きさ、線と面の属性、クラスを調整する。

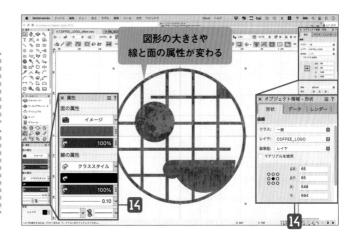

取り込んだデータによっては、複数のクラス、線の太さに分かれている場合もあります。扱いやすいように整理します。

ここでは、クラスを[一般]とし、図形サイズは[ΔX]と[ΔY]を「65」としています。また、面の属性から[イメージ]を選択し、線の属性から線の太さを「0.1」にしています。

イメージは、[Vectorworksライブラリ]の[Defaults]－[Attributes - Image Fills]フォルダの「その他_arroway-textures 建材 01.vwx」の[メタル（Arroway Metal Plate 005）- 水平 IF]を適用して、[イメージの設定]ボタンから、幅、高さ、オフセットを図のように編集しています。イメージの編集方法については、P.181を参照してください。

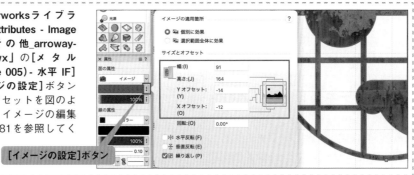

アートワークをシートレイヤに配置する

1 前項で加工したアートワークをコピーする。

2 練習用ファイル「06_SCENE_DATA_06.vwx」を開く。プレゼンボード中央のレイアウト枠（ベージュの四角形）内にペーストし、バランスを見て配置する。

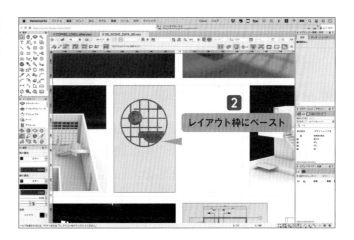

ポイント　**文字を曲線に変換する**

[文字ツール]で入力した文字をテキストデータから曲線（面図形）に変換できます。曲線に変換することで、文字に「イメージ」や「グラデーション」を適用可能となります。さらに、柱状体など立体化して、3Dのショップサインなどに使用できます。

文字を曲線に変換するには、文字を選択し、メニューバーから[文字]－[文字を曲線に変換]を選択します。図の例では、曲線に変換した文字に「イメージ」を適用し、影を付ける（ドロップシャドウを適用する）ことで立体的な表現にしています。

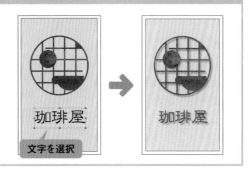

テキストを配置する

📄 07_SCENE_DATA_07.vwx、TEST_TEXT.txt(完成版：09_SCENE_DATA_09.vwx)

プレゼンボードにコンセプトや説明文など長めの文章を配置することがあります。そのような場合は、テキストエディタであらかじめ文章を入力してから、基本パレットの[文字ツール]を使用して文字枠を作成し、コピー&ペーストすると効率的です。

なお、文字枠の作成時は、幅のみを指定すればよいです。文字枠の高さは、文章量に応じて自動的に変化します。

文字枠にテキストを取り込む

あらかじめ作成したテキストファイルからテキストをコピーして、シートレイヤに作成した文字枠にペーストします。

1 テキストエディタで「**TEST_TEXT.txt**」ファイルを開き、全テキストを選択してコピーする。

2 練習用ファイル「**07_SCENE_DATA_07.vwx**」を開き、基本パレットの[**文字ツール**]をクリックする。

3 ツールバーの[**水平モード**]をクリックする。

4 図に示したプレゼンボード中央付近の枠内で、水平にドラッグする。文字枠が作成される。

5 そのまま、メニューバーから[**編集**]−[**ペースト**]を選択する。文字枠にテキストが配置される。

6 [**esc**]キーを押してテキスト編集モードを終了する。

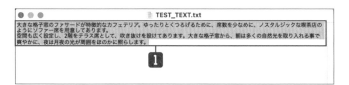

ペーストしたテキストのフォントと
サイズを変更します。

7 オブジェクト情報パレットの
[**フォント**]から[**ヒラギノ明朝
Pro W3**]、[**サイズ**]から[**12pt**]
を選択する。

Windowsでは[**游明朝**]フォントの[**12pt**]
サイズを指定します。

ここでは、テキスト全体の左上の角の
座標は、[**X**]が「**15**」、[**Y**]が「**75**」で、
[**幅**]が「**65**」となっています。テキストを
ペーストした後で調整することもできます。

8 はみ出たテキストがレイアウト
枠内に収まるように、オブジェ
クト情報パレットの[**トラッキ
ング**]のスライダをドラッグし
て文字間を調整する（ここでは
「**90**」にする）。

Vectorworksでは禁則処理が行えない
ため、トラッキングで文字間を調整し
て対応するとよいでしょう。

特殊なフォントを使用した文字は、ほ
かのパソコンで開いた際にフォントが置
き換わって表示されることがあるので、
曲線に変換しておきます（P.325のポイ
ントを参照）。ここでは、レイアウト枠
上部の「**月夜ノ珈琲**」の文字がそれに該
当します。ただし、曲線に変換すると
データ量が増えるので、長めの文章は
一般的なフォントを使用しましょう。

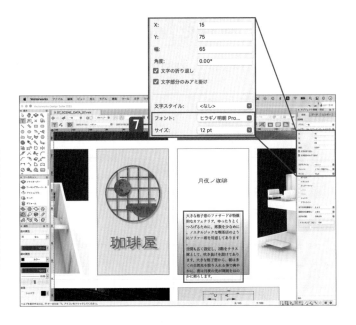

ポイント **テキストの行間を調整する**

[**文字ツール**]で入力した文章の行間を調整
することもできます。
オブジェクト情報パレットの[**文字の行間**]
から[**行間指定...**]を選択します。[**行間隔の
設定**]ダイアログが表示されるので、現在入
力されている値を変更します。
図の例では、手順**7**の後で行間を18ポイ
ントから15ポイントに変更することで、レイア
ウト枠内に収まるように調整しています。

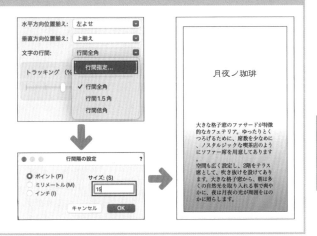

DAY
10

画像を配置する

📄 08_SCENE_DATA_08.vwx、TEST_IMAGE_01.jpg（完成版：09_SCENE_DATA_09.vwx）

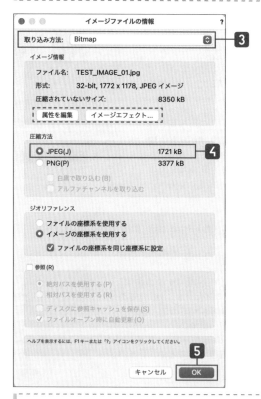

シートレイヤに写真などの画像（イメージファイル）を配置するには、[取り込む]コマンドを使用します。取り込んだ画像は、レイアウト枠に合わせ、不要な部分をトリミングして配置します。また、グレイスケールに変換したり、色味を編集したり、JPEGやPNGに変換したりすることもできます。

イメージファイルを取り込む

画像（イメージファイル）を取り込み、プレゼンボードに配置します。

1 練習用ファイル「**08_SCENE_ DATA_08.vwx**」を開き、メニューバーから[**ファイル**]−[**取り込む**]−[**イメージファイル取り込み...**]を選択する。

2 ファイル選択ダイアログで「**TEST_IMAGE_01.jpg**」を選択し、[**開く**]をクリックする。[**イメージファイルの情報**]ダイアログが表示される。

複数のイメージファイルをまとめて作図領域に直接ドラッグ＆ドロップしても取り込みできます。

3 [**取り込み方法**]から[**Bitmap**]を選択する。

ここで[**イメージリソース**]を選択して、イメージリソースファイルを作成することもできます。イメージリソースについては、P.177を参照してください。

4 [**圧縮方法**]から[**JPEG**]を選択する。

カラー写真など色の階調の多い画像は、[**JPEG**]を選択します。背景透過設定されたロゴやイラストは、[**PNG**]を選択すると背景を透明にできます。

5 [**OK**]をクリックして、ダイアログを閉じる。

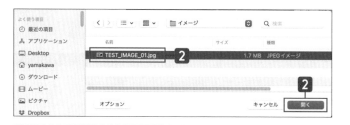

[**属性を編集**]や[**イメージエフェクト...**]を選択すると、取り込むイメージファイルをグレイスケールへ変換したり、色味を編集したりできます。

6 画像が取り込まれる。

高画質のファイルは大きく表示されるので、適度なサイズに変更します。

7 画像の四隅のハンドルのいずれかにカーソルを合わせ、リサイズカーソルに変わったらクリックする。[shift]キーを押しながらカーソルを移動し、適度なサイズになる位置で再度クリックする。画像がサイズ変更される。

> [shift]キーを押しながらサイズ変更する場合は、必ず終点のクリック後に[shift]キーを放しましょう。クリック前に[shift]キーを放すと、画像の縦横比率が変わってしまいます。

8 [B]キーを押しながら画像をドラッグして、レイアウト用の補助枠(画面上ではピンク色の細い破線だが、ここでは見やすいように赤色の太い破線で示している)の上に重ね、サイズおよび位置を調整する。

> 手順 **9** でレイアウト用の補助枠に合わせてトリミングするため、画像が補助枠からはみ出してもかまいません。

> [B]キーを押すと一時的に画像が半透明になり、レイアウト用の補助枠が確認できるようになります。

9 画像をダブルクリックして、「**Bitmap枠の編集モード**」に入る。

10 [**四角形ツール**]で、レイアウト用の補助枠にスナップさせて四角形をかく。

> Bitmap枠は、四角形に限らず円など、面の属性を持つ2D図形であれば画像のトリミングが行えます。

11 [**Bitmap枠の編集を出る**]をクリックする。シートレイヤに戻る。

12 画像のトリミング状態(画像の大きさ、表示範囲など)を確認する。

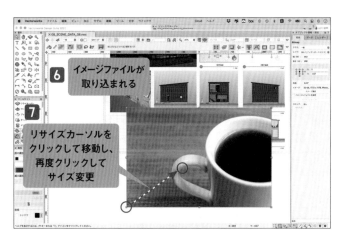

6 イメージファイルが取り込まれる

7 リサイズカーソルをクリックして移動し、再度クリックしてサイズ変更

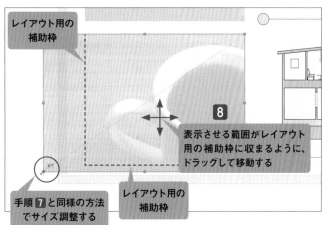

レイアウト用の補助枠

8 表示させる範囲がレイアウト用の補助枠に収まるように、ドラッグして移動する

手順 **7** と同様の方法でサイズ調整する

レイアウト用の補助枠

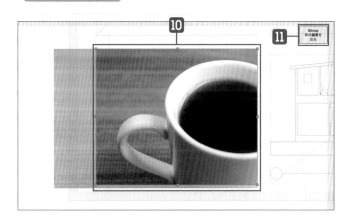

10

11 Bitmap枠の編集を出る

12 画像のトリミング状態を確認する

DAY
10

329

印刷する／PDFで保存する

📄 09_SCENE_DATA_09.vwx

シートレイヤを印刷する際は、印刷に堪える解像度に変更してビューポートを更新してから、[プリント...]コマンドを実行します。プリンタの最大印刷サイズを超える大きさのシートレイヤは、印刷可能なサイズに分割印刷して貼り合わせてプレゼンボードを完成させます。また、[PDF取り出し...]コマンドで1ページのPDFファイルとして保存することで、用紙サイズに合わせて縮小印刷することもできます。プロジェクターでプレゼンテーションを行う場合も1ページのPDFファイルにしておくほうがよいでしょう。

シートレイヤの解像度を変更して更新する

プレゼンボード作成中は、確認用としてシートレイヤの解像度を72dpiに設定していましたが、印刷前に高解像度に変更して更新します。

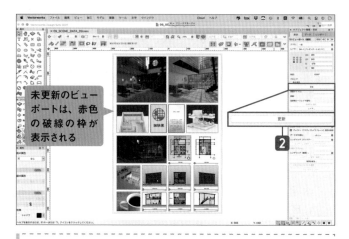

未更新のビューポートは、赤色の破線の枠が表示される

1 練習用ファイルを開き、シートレイヤの解像度を150dpi〜300dpiに変更する。

2 赤色の破線の枠が表示された未更新のビューポートをすべて選択し、オブジェクト情報パレットの[更新]をクリックする。

3 更新が終了したら、保存してからプリント設定を行う。

> シートレイヤの解像度設定については、P.297の手順 **8** を参照してください。

> 解像度は、レーザープリンタでは150dpi程度、インクジェットプリンタでは300dpi程度で十分です。高解像度にするほど更新に時間がかかるので、適切な値を設定しましょう。

シートレイヤを分割印刷（原寸印刷）する

練習用ファイルは、A1サイズのプレゼンボードを、A3サイズ用紙4枚に分割して印刷するように設定されています。そのままの設定で印刷する場合は、次の手順を実行します。

1 メニューバーから[ファイル]－[プリント...]を選択する。

2 [プリント]（Windowsでは[印刷]）ダイアログの[プリンタ]から任意のプリンタを選択する。

3 [ページ]から[すべて]を選択する。

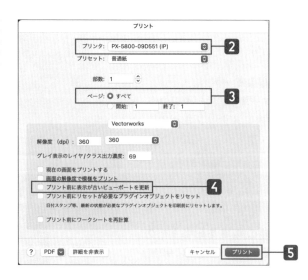

4 [**プリント前に表示が古いビュー
ポートを更新**]のチェックを外す。

5 [**プリント**]をクリックする。

> [**プリント前に表示が古いビューポートを更新**]にチェックが入ってい
> ると、微細な変更でもビューポートが自動的に更新(再レンダリング)
> され、プリントアウト直前に時間が取られてしまう場合があります。
> そのため、更新したいものだけ事前に手動で更新しておきます。

> A4サイズ用紙に分割して印刷する場合は、用紙設定で[**用紙サイ
> ズ**]を「**A4**」に、用紙枚数の[**横**]を「**2**」、[**縦**]を「**4**」に設定します
> (P.297〜P.298を参照)。

シートレイヤをPDFで 保存する

シートレイヤをPDFで保存できます。
分割印刷の設定がされている場合で
も、1ページで保存されるため、用紙1
枚に収まるように印刷できます。

1 メニューバーから[**ファイル**]−
[**取り出す**]−[**PDF取り出し...**]
を選択する。[**PDFの取り出し**]
ダイアログが表示される。

2 [**PDF変換**]の[**解像度**]に「**300**」
と入力する。

> 曲線などが粗く印刷される場合があるの
> で、ここではシートレイヤで設定した解像
> 度にかかわらず「**300dpi**」とします。

3 [**取り出し範囲**]の[**印刷可能領
域全体を1ページとして取り出
す**]を選択する。

4 [**更新**]の[**取り出し前に表示が古
いビューポートを更新**]のチェック
を外す。

5 [**取り出す**]をクリックし、保存
先を指定して保存する。

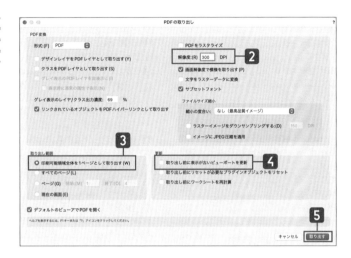

> [**印刷可能領域全体を1ページとして取り出す**]を選択することで、
> 分割印刷に設定されていても1ページで保存できます。ページを分
> 割して保存する場合は、[**すべてのページ**]を選択します。

> 印刷時の[**プリント前に表示が古いビューポートを更新**]と同様に
> チェックを外します。上記の手順 **4** を参照してください。

ポイント | **パブリッシュで連続印刷、連続PDF変換する**

提案書など複数ページ(複数のシートレイヤ)にわたるシートを連続して印刷、またはPDFに変換したい場合
は、[**パブリッシュ...**]コマンド(メニューバーから[**ファイル**]−[**パブリッシュ...**]を選択)を使用します。詳細は
Vectorworksのヘルプを参照してください。

DAY
10

索引

送付先FAX番号▶03-3403-0582　メールアドレス▶info@xknowledge.co.jp
お問合せフォーム▶https://www.xknowledge.co.jp/contact/book/9784767830551

FAX質問シート

10日でマスター！VECTORWORKS
[VECTORWORKS ARCHITECT/DESIGN SUITE 2022対応]

以下を必ずお読みになり、ご了承いただいた場合のみご質問をお送りください。

- 「本書の手順通り操作したが記載されているような結果にならない」といった本書記事に直接関係のある質問にのみご回答いたします。「このようなことがしたい」「このようなときはどうすればよいか」など特定のユーザー向けの操作方法や問題解決方法については受け付けておりません。
- 本質問シートでFAXまたはメールにてお送りいただいた質問のみ受け付けております。お電話による質問はお受けできません。
- 本質問シートはコピーしてお使いください。また、必要事項に記入漏れがある場合はご回答できない場合がございます。
- メールの場合は、書名と本シートの項目を必ずご記入のうえ、送信してください。
- ご質問の内容によってはご回答できない場合や日数を要する場合がございます。
- パソコンやOSそのもの、ご使用の機器や環境についての操作方法・トラブルなどの質問は受け付けておりません。

ふりがな

氏名　　　　　　　　　　　　　　　　　　　年齢　　　歳　　　性別　男　・　女

回答送付先（FAXまたはメールのいずれかに○印を付け、FAX番号またはメールアドレスをご記入ください）

FAX　・　メール

※送付先ははっきりとわかりやすくご記入ください。判読できない場合はご回答いたしかねます。※電話による回答はいたしておりません

ご質問の内容（本書記事のページおよび具体的なご質問の内容）
※例）2-1-3の手順4までは操作できるが、手順5の結果が別紙画面のようになって解決しない。

【本書　　　　ページ　〜　　　　　ページ】

ご使用のパソコンのOSの種類　※MacかWindowsか、またそのバージョン（Windowsは32bit/64bitの別も）を明記してください

Vectorworksのバージョン　※例）2022 Architect

<著者紹介>

山川 佳伸（やまかわ　よしのぶ）

1964年滋賀県生まれ。1989年法政大学工学部建築学科卒業。建築設計事務所を経て現在POLYGON ARCHITECTS代表。デザイン活動の他、省エネルギー関連のコンサルタント業務も行う。ICSカレッジオブアーツ非常勤講師、東京都市大学非常勤講師。著書に『Vectorworksデザインブック』（共著、ソシム刊）がある。

10日でマスター！　VECTORWORKS
VECTORWORKS ARCHITECT/DESIGN SUITE 2022対応

2022年9月16日　　初版第1刷発行
2023年5月 9 日　　　第2刷発行

著　者─────　山川佳伸

発行者─────　澤井聖一
発行所─────　株式会社エクスナレッジ
　　　　　　　　〒106-0032　東京都港区六本木7-2-26
　　　　　　　　https://www.xknowledge.co.jp/

問合せ先
　編集　335ページのFAX質問シートを参照してください
　販売　TEL 03-3403-1321／FAX 03-3403-1829／info@xknowledge.co.jp